JN008546

CONSPIRACY THEORIES

増補版

陰謀論は どこまで真実か

ASIOS

文芸社

まえがき——増補版の発刊によせて

ASIOS代表　本城達也

近年、陰謀論が盛んです。といっても、いきなり説明もなく「陰謀論」という言葉を使ってしまっては、意味がよくわからない読者の方もいらっしゃるかもしれません。

ここでいう「陰謀論」とは、「ある出来事や事件に対し、常識や通説とは大きく異なる陰謀があったとする主張」です。「陰謀」には「ひそかな悪だくみ」といった意味がありますから、もっと簡単に別の言い方をすれば、「あの事件や出来事の裏では、常識では考えられないひそかな悪だくみが行われていた」というものです。

ただの陰謀とは違い、陰謀論の場合、その主張内容が通説とはまったく異なる大がかりなものになっていることが多いのです。そのため、一般的には突拍子もないと思われがちであり、信じる人はそれほど多くはありませんでした。

ところが、近年、冒頭でも書いたように陰謀論が盛んになっています。なぜ、こうした変化が起きたのでしょうか？　考えられる要素は主に2つあります。1つは2016年のアメリカ大統領選挙にて、積極的に陰謀論を利用するドナルド・トランプが当選したことです。アメリカ大統領は絶大な発信力と影響力を持ちますから、当時の現役大統領としてトランプが発信する陰謀論の情報（例えば後述する本書の第1章を参照）は、注目を集めないわけがありません。

もう1つは、SNS（ソーシャル・ネットワーキング・サービス）の利用者が増えたことです。ドナルド・トランプ前大統領が情報発信の手段の1つとして、SNSのツイッターをよく利用していたことは知られています。そうしたSNSを利用する人が、この10年ほどで増えているのです。

例えば日本では、総務省が発表している「情報通信メディアの利用時間と情報行動に関する調査報告書」によりますと、2012年のツイッターの利用者の割合が15・7％（10代～60代の平均。以降も同じ）でした。フェイスブックは16・6％です。それが、2020年には、それぞれ38・7％と32・7％に増えています。

また、動画投稿サイトのユーチューブの場合は、調査に項目が加わった2014年の割合が65・1％で、2020年には76・4％となり、7割を超えるまでになりました。

こうしたSNSや動画投稿サイトでは個人による情報発信が可能です。同じ興味を持つ人同士がつながりやすく、情報の共有や拡散もできます。それまで主にメディアが行っていたことを、個人でもできるようになったわけです。

すると近年注目を集める話題として、陰謀論も取り上げられる機会が出てきます。その際には、「メディアが報じない裏情報」「隠された真実を暴く」といった煽り文句が使われることもありますから、他の話題よりさらに注目度は上がります。

その結果、陰謀論を目にする機会が増え、信じる人も増えたことで、盛り上がりを見せるようになったのでしょう。一見、突拍子もないように思える陰謀論でも、1つ1つの主張には根拠とされるものがそれなりに付いています。それらを次から次へと見せられれば、説得力を感じる人が出てきても決しておかしくはありません。

さて、前置きが少し長くなってしまいました。本書は、2011年に文芸社から発刊された『検証 陰謀論はどこまで真実か』をリニューアルしたものになります。先に近年の動向を紹介したのは、この10年ほどで起きた陰謀論をめぐる情勢の変化について、読者の皆さんと情報を共有しておきたかったからです。

かつて大手メディアで取り上げられることがほとんどなかった陰謀論は、今や当たり前に報道や分析の対象となっています。10年前にはなかった新しい陰謀論も登場しました。一方、この10年ですっかり勢いを失ってしまった陰謀論もあります。

そのような変化の中にあっては、旧版の情報が古くなってしまうことも起こります。そこで、旧版の発刊から10年の節目に、最新の動向や情報を踏まえて内容をアップデートすることになりました。このアップデートに際しては、旧版からいくつか項目を減らす一方、各項目の情報量を増やしたり、新しい陰謀論を取り上げたりするようにしました。

章立ては全5章。主に次のようなラインナップです。

第1章が「Ｑアノンとアメリカ大統領選挙をめぐる陰謀論」。10年前にはなかった新しい陰謀論を扱っている章です。具体的には、ドナルド・トランプ前大統領と関係が深く、アメリカの歴史に残るであろう前代未聞の議会議事堂乱入事件を起こしたＱアノン。そのＱアノンから派生して日本で活動しているＪアノン。さらにＱアノンの活動動機の1つになっているアメリカ大統領選挙における不正選挙疑惑。それぞれ話題になってから少し時間は経っていますが、その分、わかるようになった情報も増え、腰を据(す)えた分析が行えるようになっています。

次に第2章は、「私たちの生活に関わる陰謀論」。人工地震、集団ストーカー、有害な雲ケムトレイル、地球温暖化の否定といった、私たちの日々の生活に関わってくる陰謀論を取り上げます。

続く第3章は「日本史の中で語られた陰謀論」。天皇暗殺・すり替え説、ロッキード事件、日航ジャンボ機の撃墜説など、主に日本と関わりの深い陰謀論を扱います。

第4章は「アポロとＵＦＯをめぐる陰謀論」。アポロ計画で持ち帰った月の石は地球の石だった、月面には異星人が住んでいる、ＵＦＯをめぐる情報は隠蔽(いんぺい)されているなど、アメリカの宇宙開発とＵＦＯにまつわる陰謀論を取り上げます。

最後に第5章は「世界史の中で語られた陰謀論」。ナチスによるユダヤ人虐殺の否定、9・11テロの自作自演説、フリーメイソンやイルミナティが世界を牛耳っているという陰謀論など、歴史的な出来事や事件にまつわる陰謀論を扱っていきます。

読者の皆さんの中には、これらの陰謀論をほとんど知っているという方もいらっしゃれば、最近興味を持ち始めてあまり知らないという方もいらっしゃるかもしれません。そこで本書では、各陰謀論の主張を「陰謀論」と題した前半パートでまとめ、担当者が調べた内容は「真相」と題して後半パートで書くようにしてあります。

また旧版に引き続き、それぞれの記事には参考文献も明記しました。

そして各記事の調査・執筆は、ＡＳＩＯＳ（超常現象の懐疑的調査のための会）のメンバーに加え、外部からは陰謀論に詳しい米国現代史研究家の奥菜秀次さん、「やや日刊カルト新聞」総裁の藤倉善郎さん、北海商科大学教授の水野俊平さんにも、それぞれご担当いただきました。

「隠された真実を暴く」と言われがちな陰謀論にあって、本当に「隠され」、暴かれるような「真実」なるものが存在するのか。本書では、それらをじっくりと検証していきます。どうぞ、お楽しみください。

２０２１年５月

増補版　陰謀論はどこまで真実か◎目次

第3章 日本史の中で語られた陰謀論

編集担当　高橋聖貴

第1章

Qアノンと
アメリカ大統領選挙を
めぐる陰謀論

Qアノン信奉者は、トランプとともにアメリカ再生のために戦っている（Qアノン陰謀論）

陰謀論

2017年、何でもありの4chan（フォーチャン）というアングラの電子掲示板で、「Q」というアカウントが、アメリカ政府の内部情報だと称する書き込みを始めた。軍関係の高官だと自称する「Q」が書く情報は、断片的な予言のような謎めいたものだった。

だが、掲示板ユーザーの努力で解読が試みられると、だんだんとアメリカ政府の内部で大変な事態が起こっていることが明らかになってきた。

掲示板ユーザーによる「解読」によると、**民主党議員たちは実は小児性愛者で、日々子供たちに性的虐待を加えるという享楽にふけっている。虐待する相手の子供たちは人身売買組織から買っている。**

アメリカの各地で子供たちが忽然と姿を消し、人身売買組織に売られているのはよく知られていることだが、こうした子供たちが民主党議員たちのもとに送り込まれているのだ。

それだけではない。有力な民主党議員たちは若返りのために子供の血を飲んでいる。さらに子供の血からアドレノクロムという若返りホルモンを取り出している。

人肉食もするが、余った肉はマクドナルドで人肉バーガーに加工され、人々に食べさせている。ジョー・バイデンの支持者はこんな連中ばかりだ。

この連中の背後にいるのが、**ディープステート（あるいは影の政府）と呼ばれる悪魔崇拝をする秘密結社**だ。民主党政権はこの秘密結社の手先になっているので、絶対に選挙で勝たせてはならない。

こうした「Q」が発信する情報を信じて活動する人々は、「Qアノン」信奉者と呼ばれている。「アノン」は匿名を意味する英語「アノニマス」（anonymous）に由来する。

　彼らが唯一の希望をつないだ存在がドナルド・トランプだ。長年民主党にやりたい放題やられてしまっている共和党大物議員たちと違って、トランプなら真実を暴き出してくれるだろう。

「Ｑ」が知らせようとしているのは、**ドナルド・トランプがまもなくストーム（大変革）を起こし、すべてが変わる**ということだ。アメリカ合衆国は腐った権力者集団であるエスタブリッシュメント（アメリカでは、裕福で教育のある東部の古い家柄の人々をエスタブリッシュメントと呼ぶことが多い）と悪の秘密結社ディープステートの支配から逃れて、輝かしい国に生まれ変わる。聖書に基づく、正しい道徳が守られる本物の国に生まれ変わるのだ！

　さらに、ストームが起こったときには、飛行機事故で死亡したと偽って姿を隠しているジョン・Ｆ・ケネディ・ジュニアが副大統領候補として姿を現すという情報もある。

　いずれにせよ、こうした隠された真実を知る数少ない「目覚めた人間」こそが、Ｑアノン信奉者なのである。

真相

　２０１６年の大統領選挙でドナルド・トランプがヒラリー・クリントンを破り、２０１７年1月に大統領として就任した。するとしばらくして、星条旗模様の「Ｑ」のサインを掲げた人々がトランプ支持集会に現れるようになった。

バージニア州リッチモンドで開かれた集会で掲げられたＱアノンの旗（2020年）

　熱心なトランプ支持者であることは間違いなさそうだが、普通のトランプファンとは何かが違う。彼らの正体は何なのか？　これが世間と主流メディアがＱアノンに興味を持った最初だっただろう。

Qアノンは、その後、急速な広がりを見せた。そして2021年1月には、Qアノン信奉者たちが前代未聞の議会議事堂乱入事件を起こすまでに至る。

なぜ彼らはそのような重大事件を起こしたのか？　なぜQアノンは信じられるようになったのか？　そもそも「Q」とは何者で、どのように登場したのか？

本稿では、これらの疑問を掘り下げながら整理し、順を追って解説していきたい。

きっかけは2016年の大統領選挙で広まった噂

まず、Qアノンが広く知られるようになったのは前述のように2017年以降のことだった。しかし、陰謀論は突然、ゼロから生まれたりはしない。Qアノンにも、きっかけや元ネタになるものがあった。

それは、2016年のアメリカ大統領選挙で拡散された噂である。この年、ヒラリー・クリントンとドナルド・トランプが戦った大統領選挙戦で、**「ニューヨーク市警が元民主党議員の性犯罪疑惑を捜査するうちに、ヒラリーが小児性愛と関係している証拠を入手した」という噂**がツイッターやフェイスブック、4chanに流れた。のちの追跡と分析で、この噂はトランプ支持派の誰かが反ヒラリー情報として拾い上げて拡散することを狙って、ネット上に「種をまいた」ことがわかっている。

2016年の大統領選挙では、ロシアがトランプが有利になるようなフェイクニュースを流したり、東欧の若者たちが閲覧数に応じて支払われる報酬を目当てにそうした情報を拡散させていたりして、真偽不明の情報がネット上に溢(あふ)れていた。

一方で、SNSの利用法やフェイクニュースに対して不慣れで、まだ「耐性」ができていなかった人々も、真偽不明の情報の拡散を助けることになる。ネット上にまかれた「種」を拾うと、「みんなに知らせなくては」と思って拡散した人たちは、孫がいるような高齢者が多かった。

「ヒラリー・クリントンは小児性愛者に関係している」という噂が広がり始めると、ドナルド・トランプの側近もこのスキャンダルに乗って拡散した。そうすると、

「信憑性があるのでは？」と考える人も増えていった。

噂をもとに物語が生まれ、現実の事件へと発展

しかし、ヒラリー・クリントンと小児性愛者の噂はまだ序の口だった。この噂に尾ヒレがついていくことで、噂はやがて具体的な物語を形づくっていく。

その舞台となったのは掲示板の4chanである。4chanには匿名アカウントの投稿者が複数おり、彼らは、ウィキリークスによって公開された、ヒラリー陣営の選挙責任者であったジョン・ポデスタのメールの「解読」を始めた。

その「解読」によれば、メールには、人身売買スキャンダルのヒントが暗号化されて隠されているという。例えば**メールに「チーズピザ」という言葉が書かれていた。「チーズピザ」の略称は「CP」である。そこから、「チャイルドポルノ」の隠語だという解読がなされる。**

また、ピザというなら店主が熱心な民主党支持者で、民主党関係者も行きつけのワシントンＤＣのピザレストラン「コメットピンポン」が怪しいということになる。その店には、きっと地下室があって、そこが小児性愛者の民主党員たちの隠れ家だという物語ができあがっていく（そもそもコメットピンポンには地下室はない。その例でもわかるように、まったくの空想から生まれた話だったが、「そんな話はおかしい」と指摘する人もいなかった）。

この「物語」はツイッター上に流されて「炎上」し、コメットピンポンに嫌がらせをしたり、従業員の個人情報をネット上にさらすなどの攻撃が始まった。

ピザゲート事件で襲撃された「コメット・ピンポン」（2016年）

小遣い稼ぎ目当ての情報拡散やボットを使った大量の書き込みが続く中で、この話を信じた20代後半で子供もいる男性が行動

を起こした。とらわれの身となっている子供を救出しようとして、２０１６年12月4日、銃を持ってコメットピンポンを襲い、店内で発砲する騒ぎを起こしたのだ。

この一連の騒動は、のちに**「ピザゲート」**と呼ばれるようになる（「ゲート」はウォーターゲート事件［59ページ参照］以来、「○○ゲート」と語尾につけて、政治スキャンダル事件を指すようになった言葉）。このピザゲートがQアノンへとつながっていく。

「Q」の登場とQアノンの誕生

ピザゲートが起きてから約1年後の２０１７年10月28日。ピザゲートのきっかけとなる「解読」が始まったのと同じ4chanで、**「Q」**と名乗るアカウントが書き込みを始めた。「Q」は軍関係の高官で、アメリカ政府の内部情報を知っているのだという。

しかし、「Q」が書き込む情報は、あいまいな予言詩のようになっていた。例えば、バラク・オバマやドナルド・トランプ、投資家のジョージ・ソロスは実名で登場するが、その他はイニシャルを多用し、**「HUMAはどこだ？　HUMAに続け」「AWが捕らえられているのはどこだ？　なぜだ？」**のような意味不明の文言が並ぶ。

通常なら、こんな意味不明な投稿は相手にされない。けれども「Q」は、隠された特別な情報にアクセスできることをほのめかしていた。さらに投稿の舞台となったのは、ピザゲートの「解読」が行われた4chanである。

4chanユーザーたちは、「Q」の謎めいた投稿に食いついた。そして「Q」もまた、自身の投稿に食いつく4chanユーザーたちに、エサとなる情報をまき続けた。すると、やがて「Q」の一連の書き込みは、「Q」が「ついてこい」と命じ、落として（ドロップして）いった手がかりという意味で、**「Qドロップ」**と呼ばれるようになる。

同じ意味で、ヘンゼルとグレーテルの童話に例えて**「パンくず」**という言い方もされる。森に捨てられるときにグレーテルが家への道しるべとして落としていったが、鳥に食べられてしまって家に帰れなくなった道しるべ代わりのパンくず、という意味である。

そうした「Qドロップ」（あるいはパンくず）は、ピザゲートのときと同じく「解読」が行われた。その「解読」には、4chanユーザーたちによって「謎解きされた真実」の骨子（こっし）が採用された。すなわち、「民主党議員たちは子供たちに性的虐待を与える小児性愛者であり、人身売買で犠牲者の子供たちを手に入れている」という、ピザゲートのときに作られた話である。

その骨子には、**「アメリカ政府を裏から繰り、悪魔を崇拝する秘密結社ディープステート」**という悪役が加えられた。そして、悪役に対峙するヒーローには、**「政治のしがらみとは無縁の庶民派大統領ドナルド・トランプ」**が「神に選ばれた人」（ザ・チョーズン・ワン）として置かれ、そのトランプが**「民主党議員たちの悪逆（あくぎゃく）非道な行いを白日の下にさらし、アメリカに大変革（ストーム）をもたらす」**という物語が付け足された。

こうして誕生したのがQアノンである。

匿名掲示板をめぐる運営者と「Q」の関係

さて、このような経緯でできたQアノンだが、気になるのは、「Q」とは何者で、なぜ一見、荒唐無稽（こうとうむけい）にも思えるQアノンが拡散され、一部の人たちに強く信じられるようになったのか、ということだろう。

ここからは、それらを解説していきたい。

まずは、「Q」とは何者なのかについて。結論から先に述べれば、その正体と目される人物はいるものの、はっきりと断定されるまでには至っていない。そもそも「Q」の書き手は1人ではない可能性がある。スイスの新興企業「オルフアナリティクス（OrphAnalytics）」の文体分析によると、「Q」の書き手は複数の可能性が高いという。また、途中で文体に大きな変化があり、書き手が変わっている可能性を示唆しているという。

どういうことだろうか。「Q」の正体と動向を考える上で重要になるのは、匿名掲示板の運営者の存在である。前述のように、「Q」が最初に登場したのは匿名掲示板の4chanだった。この4chanは、もともとクリストファー・プールという10代の男性が、日本の2チャンネルから派生した「ふたばチャンネル」という掲示板に影響されて始めたものだ。

しかし、匿名で何の規制もなく書き込めるタイプの掲示板の運営は、すぐに1人の若者の手に余るようになってしまった。そこでクリストファー・プールは、4chanを2ちゃんねるの元管理人・西村博之氏に売却。

一方、アメリカでは4chanとは別に、8chan（エイトチャン、現在は改名して8kun）という匿名掲示板もあった。この8chanを最初に始めたのは、ニューヨーク在住の若いソフトウェア開発者の**フレドリック・ブレナン**。ところが、ブレナンもまた匿名掲示板の運営に手を焼くことになり、2ちゃんねるオーナーの**ジム・ワトキンス**という人物と8chanを共同運営することになった。

実は、この8chanの運営者たちと、その後に起こる運営のゴタゴタが、「Q」とQアノンにも深く関係してくる。「Q」とQアノン信奉者は、途中で4chanから8chanへと活動の場を移し、それ以降、他のネット発信者たち（＝他のアノンたち――アノン［Anon］はAnonymous［アノニマス、匿名の］の略称で、ネットの世界では「権力が隠蔽している情報を匿名でリークすることで正義を行う人」という意味で使われる）を置いて、一大勢力になっていったからだ。

先述の8chanの共同運営者となったフレドリック・ブレナンとジム・ワトキンスは対照的だった。ブレナンは、ネット好きで純朴な若者である一方、ワトキンスは法律の裏をかくネット運営で利益を上げることをいとわない。

対照的な2人はやがて運営方法をめぐって対立することになるが、やり手として実質的に主導権を握るのはワトキンスだった。しかし、彼の運営方法は8chanの無法化を招く。ヘイトクライム（人種などの差別的意識や憎悪を動機とした犯罪）の温床になってしまったのである。例えば、テキサス州エルパソのスーパーマーケット銃撃事件の犯人、クライストチャーチ（ニュージーランド）のモスク襲撃事件の犯人、サンディエゴのユダヤ教礼拝所襲撃事件の犯人たちは、いずれも8chanと深く関係していたことが判明している。

こうしたことから、フレドリック・ブレナンはショックを受け、ジム・ワトキンスに8chanを閉鎖するように求めた。ところがワトキンスは閉鎖に応じない。その結果、2人は決別するに至る。

8chanはジム・ワトキンスの息子の**ロン・ワトキンス**が管理人となることで、事実上ワトキンス家のものになった。無法な書き込みに何らかの対策を立てようとしていたフレドリック・ブレナンがいなくなった8chanは、4chanよりもさらに気ままに何でも書ける場となった。そこで、4chanのユーザーたちは大挙して8chanに移動。するとユーザーを追うように「Q」も移動した。

先述の「オルファアナリティクス」の文体分析では、「Q」の書き手が途中で変わっている可能性が高いとのことだったが、その変わったタイミングは、この4chanから8chanへの移動時だ。書き手はグループなのではないかと推測しているジャーナリストたちもいるが、そうだとしても、新たなグループができたのだろうと思えるぐらいに変わっている。

1人の書き手が別の書き手に変わったと考えたときに、「Q」との関係が疑われている人物が2人いる。8chanのオーナーとなり、Qアノンを跋扈(ばっこ)させたジム・ワトキンスと、その息子のロン・ワトキンスである。

ABC（アメリカの4大テレビネットワークの1つ）の取材記事によると、フレドリック・ブレナンは、「ワトキンス自身がQではないとしても、8chanの運営者なのだからQの正体も調べればわかるはずだ。それに世界でただ1人Qと直接連絡が取れる人間なのだから」と発言し、ジム・ワトキンスは「Q」の活動に深く関与しているのではないかと疑っているという。

また、Qアノンを3年にわたって取材し、HBO（アメリカの衛星放送およびケーブルテレビ放送局）で放映されたドキュメンタリー『Q: Into the Storm（Q：嵐の中へ）』（全6回）を制作したプロデューサー兼監督のカレン・ホーバックは、「Q」はジム・ワトキンスの息子のロン・ワトキンス（現在は札幌市在住）だと考えている。

アメリカの公共放送であるNPR（ナショナル・パブリック・ラジオ）のインタビューに対し、ホーバックは「Qは、掲示板のユーザーたちがどのような陰謀論系情報を入手しているかを把握しており、その情報を組み立てて答えられるように謎かけをしている。つまり、Qは8chan掲示板の常駐者で、そこではどんな情報が集められているかを知っていればいいだけだ」と答えている。

またカレン・ホーバックは、「番組で取り上げなかった多くの情報が、ロン・ワトキンスがQである可能性を示している。ロンは認めることはないだろうが、（これだけ大きな影響を与える人物になったからには）心の奥底では自分がQだと言われたいんだろう」と述べている。

いずれにせよ、ワトキンス親子と「Q」のつながりは強く疑われる。ただし、ここまでは一部の匿名掲示板内部の話だった。そのまま留まっていれば、Qアノンは今ほど広まらなかったかもしれない。

ところが次項で見るように、QアノンはSNSに持ち込まれ、そこから拡散していくことになるのである。

フェイスブックに持ち込まれ、中高年の信者を増やす

NBC（アメリカの4大テレビネットワークの1つ）のブランディ・ザドロツニー記者とベン・コリンズ記者によれば、マイナーな掲示板のコミュニティであったQアノンを外の世界に持ち出して拡散したのは、トレーシー・ビーンズことトレーシー・ディアアツというユーチューバーだったという。

ピザゲートを取り上げて、右翼系の視聴者とブログ読者、ツイッターフォロワーをそこそこ獲得していたトレーシー・ディアアツに、Qアノンをもっと広めようと持ちかけたのが南アフリカのプログラマー、ポール・ファーバーだった。

2人はメジャーなソーシャルニュースサイトであるレディット（Reddit）にQアノンについて話すグループを作り、さらにそのグループをフェイスブックにも持ち込んだ。フェイスブックに持ち込まれたことで、保守的な思想を持つ中高年の信奉者を増やした。

一度フェイスブックに場を得たQアノン発の物語は、「友達」の間でシェアされることでどんどん広がっていった。ポール・ファーバーの他、コールマン・ロジャースという31歳の男性も妻クリスティーナと2人で、「Q」の予言の解釈を8chanから持ち出すと、SNSで広げた。

Qアノンの主張が人気のあるコンテンツであることがわかると、視聴者や読者を求めて解説ブログや解説動画が大量に作られるようになる。Qドロップ（あるいはパンくず）の謎解きに参加しない信奉者で新しい動きを知り

たい者も、こうしたコンテンツを熱心に求めるようになっていった。

アメリカの分断の象徴となったエスタブリッシュメント

Qアノンは、匿名掲示板からSNSに場を移したことで拡散していったことはわかった。けれども、ここで疑問が浮かぶ。

そもそも、なぜQアノンは一部の人たちを強く惹きつけたのか、ということだ。理由がなければ拡散していかないはずだ。この理由を理解するためには、アメリカの分断の象徴となったエスタブリッシュメントと、小児性愛者への強い敵意、それに子供を救えというキャッチフレーズと、キリスト教保守派の存在について知る必要がある。

ここからは、それぞれを解説していこう。まずはエスタブリッシュメントについて。

エスタブリッシュメント（establishment）は、「確立すること」という意味で、組織、団体、企業などを指す言葉だが、定冠詞theがついたザ（ジ）・エスタブリッシュメントは、国家や企業において支配的な地位にある有力な権力者を指す。**アメリカでは東海岸の都市部の裕福な住人で代々有名大学卒のエリートを輩出し、互いに血縁関係にある家族によって作られている上流社会のことを指すことが多い。**

アメリカの建国神話では、メイフラワー号でアメリカに渡ってきた人々を「ピルグリム（巡礼者）」と呼び、彼らを建国の祖としている。ピルグリムは、カトリックなど旧来のキリスト教に対して改革を求める新しい宗教運動を起こしたヨーロッパのプロテスタントたちの一部で、ピューリタン（清教徒）という宗派の信者だった。

彼らピルグリムが建国の祖（ピルグリム・ファーザーズ）とされるのは、祖国を捨てて、アメリカに定住すべくやってきて、かつ信仰の自由というアメリカの国是を体現しているとされているからだ。ピルグリム・ファーザーズたちに続いて、ヨーロッパで宗教弾圧を受けた様々な宗派のプロテスタント信者が、信仰の自由を求めてアメリカにやってくるようになった。

だが、こうした人々だけがアメリカという国を支えてきたわけではない。新大陸発見後、ヨーロッパ諸国の中でも優れた海運力を持っていたイギリスは主に北米に探検家を派遣し、北米の東海岸にいくつもの広大な植民地を作った。有力な貴族や商人のバックアップを受けた植民地運営会社は、新たなビジネスチャンスを求める裕福な中・上流階級のイギリス人を募って植民地に送り込んだ。

植民者たちは当初は交易するための毛皮や、中南米にあるような金を目的としていた。だが、やがて、食料となる小麦などを栽培し始めた。さらに、タバコやトウモロコシといったアメリカ原産の農作物や、ヨーロッパより温暖な土地で栽培するのに適した砂糖や綿花といった利益が大きい作物の栽培も始めた。こうして農場を経営したり、作物の交易を商売にしたりして、アメリカに定住する者も増えていった。

やがて、本国イギリスの植民地政策に反抗して独立戦争を起こしたのも、こうした植民地にやってきた財産も教育もあるイギリス人の子孫たちだった。さらに**その子孫たちが東部に都市を作って、世界で初めて王様のいない共和国の舵を取る「アメリカのエスタブリッシュメント」となる。**ＷＡＳＰ（白人でアングロサクソンでプロテスタント）という呼び名も、同じような人々を違うカテゴリーで呼んだものである。

一方で、同じヨーロッパ出身でも、身一つでアメリカにやってきた人たちがいた。ピルグリム・ファーザーズたちと同じように信仰の自由を求めるプロテスタント信者たちである。彼らはヨーロッパの祖国では得られなかった夢を実現しようとして移住してきた人々で、新天地で生きていこうとして、自作農として農園を開いたり、鉱山を探したり、小さな事業を始めたりした。

彼らはプロテスタントの中でもカルヴィン派の信者が多かった。カルヴィン派の教えは、贅沢をせず不平を言わず、神に感謝しつつ真面目に働くことこそが善行（ぜんこう）であると説く。プロテスタントの国アメリカでなら、そうした理想の人生が送れるし、送るべきだと考える移民の子孫たちは、自分たちで切り開いた土地に家族経営の農場を作った。

街道や鉄道の整備に伴って生まれた町で、地元民のための商店や工場を作って、地元生まれの青年を従業員として雇った。少しずつ財産を増やし、アメリカの田舎町を作り上げていった。**彼らの子孫が、自分たちこそは典型的なアメリカ人だと考える人々**である。

しかし、産業革命以降の激動する世界にアメリカも巻き込まれていく。ヨーロッパからのさらなる移民、南北戦争、工業化、第1次世界大戦、大不況、第2次世界大戦、米ソ冷戦――。

時代の波の中で、国と世界を考える都市部のエスタブリッシュメントと素朴に堅実に生きようとする地方の人々の住む世界はますます異なったものになっていった。

それでも西部開拓が呼び込んだ移民による人口増加と、工業化によるアメリカの経済成長は、地方のアメリカ人にも世界がうらやむレベルの豊かさを与えた。アメリカンドリームを抱き、誰もが新しい事業や試みで成功するチャンスがあると信じられた時代には、同じアメリカ人としての理想と愛国心を抱くことができた。その時代には、エスタブリッシュメントと庶民との分断は乗り越えられると考えられていた。

ところが21世紀になると、産業構造が変わり、代々地方に暮らしてきた中産階級（イギリスでは中産階級とは貴族ではない一般の人々のことをいうが、アメリカでは主に高卒で、工場や農場、中小企業で働く労働者階級の人々を指す）の暮らしは厳しくなる一方だった。

しかし、都会に暮らす資産家はますます富むようになる。教育費の高騰で、中産階級の人たちが名門大学に進学してエスタブリッシュメントの一員になる道はどんどん狭くなっていく。

新たに成長中の業界であるＩＴ産業の恩恵を受けている庶民もいる。だがＩＴ産業で働いているのは、主に都会に暮らす新しい世代の移民たちである。

分断が進む社会情勢の中で、**エスタブリッシュメントは一般の人たちから、中世に宗教裁判にかけられた魔女たちのような「我々とは違う存在」としてイメージされるようになっていく**。

Ｑアノン信奉者とはつまり、こうしたイメージを抱く普通のアメリカ人側の人たちの一部である。彼らは「エスタブリッシュメントは我々とは違う存在」であることを「隠された真実」だと信じるようになる。

そして、その「隠された真実」には、彼らが嫌う様々な要素が加えられていく。なかでも強い敵意が向けられたのが小児性愛者である。

小児性愛者への敵意と「子供を救え」というキャッチフレーズ

陰謀論では、魔女や悪魔崇拝者は善良なキリスト教徒に対する不道徳の象徴として定番の存在である。

だが、かつては不道徳の極みであり、悪魔と契約した人でなしの所業とされてきた離婚や未婚者の出産、同性愛や同性婚までがアメリカで認められるようになると、そうした行為をする人々が普通に社会的地位を獲得するようになる。それどころか、信仰の自由の名の下で、魔女の宗教ウィッカや悪魔教まで信者を集めているのが現代アメリカである。

悪魔崇拝や魔女だけではもう敵としてのインパクトが弱い。そのような風潮にあって、道徳的な価値観が違う人でも一致して糾弾するのが、子供を傷つける行為だ。Qアノンが敵と見なす人々が小児性愛者という想定になっているのはこのためだろう。

アメリカで子供を傷つけた人々への反感や反発は日本の比ではない。２００３年に子供に性的虐待を行った罪で服役中だったカトリックの神父が刑務所内で殺された。このニュースを伝えたＡＢＣのマイケル・Ｓ・ジェームズ記者は、刑務官の「小児性愛者とばれれば、殺されないまでも、ひどい目に遭う」という話を紹介していた。刑務所内の犯罪者からも敵視されるのが小児性愛者という存在なのである。

こうした小児性愛者は、子供を誘拐して我が物にしているとされるが、もともとアメリカでは、子供の誘拐や行方不明事件がニュース番組で繰り返し取り上げられ、母親たちを震え上がらせているという背景がある。

また人身売買をめぐる都市伝説も、１９８０年代から大流行し、いまだに根強く信じられていることが影響していると考えられる（アメリカでは現実に「子供が売られる」犯罪はあるが、無関係な子供を誘拐するのではなく、仕事もなく教育も受けられず、犯罪に手を染めがちな貧困層の家族が、自分たちや親戚の子供を売るのだと、この問題に取り組む団体は発表している）。

このような背景がある中で、Qアノン信奉者は仲間を増やすためにSNSで拡散されやすいキャッチフレーズを考え出した。それが**「子供を救え」（セーブ・ザ・チルドレン）**である。このフレーズに興味をひかれ、クリックすると、そこには子供たちが酷（ひど）い拷問を受けているという、おぞましい話が書かれている。

例えば、「拷問を受けた子供が泣き叫んで、アドレナリンが上昇したときの血が若返りに効く」といったようなことだ。

こうした話は人の情に訴える。苦しんでいる子供がいるなら助けたいと思うのが人情だ。そうして子供たちを救う目的で、Qアノンにハマっていった人たちも多くいた。

ちなみに、「子供の血を使った悪魔の儀式が行われている」といった話は、12世紀から存在していたことがわかっている。それが**「ブラッド・リベル」（血の中傷）**といわれるもので、昔はユダヤ人たちがキリスト教徒の子供の血を使って悪魔の儀式をしているとされていた。これは、やがて20世紀になると、ナチスによってユダヤ人の迫害に利用され、ホロコースト［285ページ参照］にもつながっていく。

「子供の生き血を云々」といわれると、ついバカバカしいとも思えてしまうかもしれないが、実は、このような負の歴史ともつながっている話なのである。

アメリカのキリスト教保守派とQアノンの親和性

これまで見てきたように、エスタブリッシュメントや小児性愛者への敵意、それに子供を救いたいという純朴な人情は、そうした敵意や人情を持つ人たちにとって、Qアノンを信じるための重要な動機となった。

ここでは、それらに加え、もっと多くの人たちを集めることになったもう1つの重要な動機を解説していきたい。それは、**アメリカにおけるキリスト教保守派の人たちが持つ現代社会への不満**である。以降で見るように、

Qアノンはキリスト教保守派の人たちと親和性が高く、彼らの一部をうまく取り込むことで、さらに信奉者を増やしていったのである。

もともとアメリカでは、日常生活を支える社会規範も道徳も、キリスト教ないしは何らかの宗教に基づくのが当たり前だと考える人が多い。一方、現代では、無宗教の「世俗主義者」の立場を選ぶ人も増えている。「聖書の教えに反するから」との理由で、進化論をはじめとした科学を否定するキリスト教に疑問を持つからだ。

だが、こうした人々は宗教がなければ道徳もないのに、どうやって子供を正しく育てるのだという批判を受けるという現実もある。宗教と道徳が別々に独立して存在することなど考えられないという人も多いのだ。

札幌農学校の初代教頭だったクラーク博士の下でアメリカ系のキリスト教信者となった新渡戸稲造（にとべいなぞう）は、カリフォルニアで病気療養をしているときに『武士道』という本を書いた。その理由も、キリスト教国ではない日本に道徳はあるのかとの問いに答えるためである。

無宗教の「世俗主義者」たちは、宗教と道徳は別々に存在できる証拠として、日本の例をよく挙げる。キリスト教国でもなく、かといって他のアジアの国々のような熱心な仏教国というわけでもないのに、犯罪率も低く、災害時にも冷静な対応ができる。社会規範も維持できていることが、宗教と道徳は別々に存在できるという証拠とされるようだ。

ところが、アメリカのキリスト教信者にとっては、産業革命以降、理想の国のはずの近現代アメリカ社会で正直者が損をして、犯罪が多発するのは信仰を忘れたからだという理屈になる。

さらにアメリカのキリスト教信者の中でも、20世紀になってから増加を続けている「キリスト教保守派」（福音派）に属する人たちは、聖書の教えがすべてで他の考えはすべて邪悪だという道徳観を持っている。彼らは、社会の問題は、キリスト教の教えに基づいた正しい道徳に立ち戻らなくては解決しないと考えているし、政治活動に対しても熱心だ。

小難しいことを考え、科学技術を繰って神の領域に立ち入ろうとし、女性や異教徒に活躍の場を与えようとす

キリスト教福音派のメガチャーチ（巨大教会）の1つ、テキサス州ヒューストンにあるレイクウッド教会の礼拝の様子（2013年）

る都市部のリベラル派は、キリスト教保守派にとっては批判の対象となる。かつては労働者と農民の保守政党であった民主党がどんどんリベラル化して都市住民の党になっていったのに対し、進歩的な都市富裕層、つまり、エスタブリッシュメントの党だった共和党は、取り残されたキリスト教保守派を取り込んで支持基盤にしていった。

　CNNの記者が取材したミシシッピ州の60代の元牧師夫婦は、動画によって拡散されたQアノンの情報に魅せられた。彼らは高齢の福音派信者で、掲示板から持ち出されて拡散される情報を信じるQアノン信奉者の典型例だと言えるだろう。

ネットで見かけたQアノン情報は、メディアが報じない情報で、「単純に、良質で堅実な保守思想のように見えた」と元牧師夫婦は語っている。自分たちと共通する価値観の意見が語られていることで、陰謀論だという怪しさを感じず、Qアノンもよい情報源だと思ってしまったのだろう。

　トランプ前大統領が保守系のメディアを除く主要メディア各社を（ときには保守系のメディアも含めて）フェイクニュースだと攻撃し続けたことも影響している。

　就任直後に記者会見で質問をする記者を嘘つき呼ばわりし、ホワイトハウスで公式の発表をするよりもツイッターで発信することを好んだトランプに対して、主要メディアははっきりとした対決姿勢をもって批判を繰り返した。そのため、保守系の思想の持ち主にとって、安心して見られる情報源が非常に少なくなっていたという現実もあった。

　そうした現実が続いた結果、キリスト教保守派とQアノンの結びつきは強くなっていった。そして共通する道徳観や価値観はQアノン陰謀論を信じることへのハードルを下げ、一部の人たちにとってＱアノン陰謀論は「荒唐無稽なもの」ではなくなり、「自らの道徳観や価値観に合う心地良いもの」になったと考えられるのである。

共通の敵を持つことで結びつく、コミュニティ型の陰謀論

このようにして、Ｑアノンは一部の人たちを強く惹きつけたわけだが、信じた人たちの特徴を性別や年齢層でみると、他の極端に右翼的な団体に比べて女性や高齢者が比較的多いということがわかっている。

女性は、先述の「子供を救え」というキャッチフレーズによって多く取り込まれた。とくに自分の子供がいる場合、他人事ではなくなってしまうという。一方、高齢者の場合は、明るく居心地のよい居間で、孫の面倒を見る合間に家族とネット動画を楽しんでいるうちに、陰謀論の世界に吸い込まれてしまった人々がいた。

これにはＳＮＳの仕組みも一役買っている。ＳＮＳで連絡し合っている仲間が陰謀論系の情報をシェアし始めると、**「エコーチェンバー」**（仲間内で同じような情報だけが繰り返し交換される状態）ができやすく、別の角度からの意見が届きにくくなる。

また、仲間に勧められて、動画サイトで一回Ｑアノンを解説している動画を見ると、次々と「お勧め動画」として同じような動画が再生され続ける。気がつけば頭の中はＱアノン情報で一杯になっているわけだ。

もともと陰謀論を信じる人たちの一部は、「フリーメイソンなどの秘密結社が世界の人口を半減しようと計画している」などの現実的にあり得ない、恐ろしい物語に怯える人々だ。とはいえ、イギリスのケント大学心理学教授カレン・ダグラスは、人々がそのように怯えてしまう内容の陰謀論に惹かれる理由は３つあるという。

1　人々は自分にとって理不尽で重大な出来事が起こったときに、自分が納得できる理由を求める心理が働く。

2　さらに真実を知る自分は優位な立場にいると感じることで、重大な事件で感じた無力感から抜け出せる。

3　次に、仲間に支持されていたいという心理が働いて、陰謀論に惹かれる。

つまり大事故が立て続けに起こってたくさんの人が死

ぬのも、世界各地でずっと悲惨な内戦が続いているのも、「秘密結社による世界人口半減計画」が実行されているからだとなれば、原因があって起こってるのだと安心できる。それに、そのような信じがたいことが実際にあると知っている自分は優位に立てると感じることもできる。さらに、同じことを知っている仲間を得られればもっと安心するという。

このように陰謀論を信じる人は、理不尽で不安を煽るようなことばかり考えては怯えているように見えるかもしれないが、上記のように考えれば安心できるのが、陰謀論の魅力だというのだ。

Qアノンが登場する前の陰謀論の界隈では、著名で有力な陰謀論者が自説を説き、信奉者が集まるという構図だった。自分が好きなリーダー的存在が自信をもって説明してくれる世界の秘密に惹きつけられ、その人の講演を聴いたり、本を読んだりする。また同じ人のファンとつながって安心を得るという形である。

カレン・ダグラスが挙げる3つの要素は、Qアノン信奉者たちにもぴったりと当てはまる。ただ、**彼らが共有しているのは、彼ら自身が「解読」して紡**(つむ)**ぎ出した筋書き**だ。自分が作り出した物語なのだから、何よりも納得できるのだろう。

自分が導き出したのだから、自信をもって優位に立てるのも当然だ。間違っていないことは仲間たちが保証してくれる。魅入られて当然だろう。

Qアノン内部には様々な矛盾した物語も共存しているため、ジャーナリストたちはQアノンを、様々な物語を中に入れる**「大きな陰謀論のテント」**と呼ぶようになっている。Qアノン信奉者たちが共有しているのは、彼らが敵と考えるディープステートの手先となっているエスタブリッシュメントへの怒りと、自分たちは正義を実行して国や家族を守らなくてはならないという自負であると言ってよい。

Qアノン信奉者たちは共通の敵を持つことで、ゆるく結びつき、共存する。教祖的な存在を持たない彼らにとって大事なのは、自分の信じる筋書きに対して仲間同士の支持を得ることなのだ。Qアノンはいわば、**コミュニティ型の陰謀論**とも言える集団なのだろう。

そして議会議事堂乱入事件へ

コミュニティ型の陰謀論集団となったQアノンは、その後、アメリカの歴史に残る前代未聞の事件を起こす。合衆国連邦議会議事堂乱入事件である。この事件はどのようにして起こったのか。

2020年の大統領選挙前には、Qアノン信奉者とトランプ支持者が信じるトランプによる「ストーム」が起こり、民主党の悪行の暴露と政敵である議員たちの大量逮捕が起こるのを今か今かと待ち構えていた。だが、彼らが期待したストームは起こらなかった。

それどころか投票が終わって大手メディアによる開票速報が始まると、次々とバイデンの当選確実が打たれる。Qアノン信奉者たちは、トランプ自身の言葉や、トランプ支持のメディアのニュースを引用しては、今はメディアがウソニュースを流しているが、本当の票の集計が終わればトランプが逆転勝利する、と発信し続けた。

なぜなら郵便投票によって投じられた票は不正なものばかりで、集計装置にも不正が仕組まれている。汚い民主党の企み(たくら)が今に暴かれると主張し続けた。

だが、Qアノン信奉者たちの願いは空しく、選挙結果は覆(くつがえ)ることはなかった。そして、ストームも起こらず、(ストームによって起こるとされていた)大停電も起きなければ、軍による蜂起もなく、選挙は「盗まれた」ままだった。そのまま何も起きずに議会で正式に新大統領の当選が確定する1月6日が来てしまった。

2021年1月6日、議会議事堂の建物外に集結した群衆

Qアノン信奉者たちとトランプ支持者たちは「大統領選挙は盗まれた」と主張し、負けを認めないトランプの扇動に乗せられ、「小児性愛者のような不道徳な存在」が不正選挙(別項で

解説する）によって大統領になるのを阻止しようとした。その結果、彼らは2021年1月6日に合衆国連邦議会議事堂に乱入することになった。

この議会議事堂乱入事件はアメリカ国民に大きなショックを与えた。議会議事堂は、合衆国憲法と世界最古の民主主義国家であることに誇りを持つアメリカ国民にとって、ホワイトハウス以上の聖域であり、国家のシンボルとも言える場所である。

星条旗模様の「Q」マークを身につけた人々が議会議事堂内で乱暴狼藉（ろうぜき）を働く映像が全国で流れたことで、Qアノンに対する世の中の風向きは一気に変わった。

ネット上には「左翼活動団体であるアンティファが愛国者をおとしめるために集まった人々を扇動したので騙（だま）されてはならない」という「やらせ陰謀論」の主張が流れた。だが、FBIが映像から参加者の身元の割り出しを始めると、乱入者の知り合いからの通報が相次いだ。

通報者が多かったことからも、この乱入事件が一般のアメリカ国民からいかに支持されなかったかがわかる（FBIはしばらくツイッターに参加者の顔映像を上げて、身元特定のための通報を求めていた）。この稿を書いている2021年4月末の時点で、告発された人たちは400人以上となっており、最終的には500人以上になるだろうと報じられている。

派手な身なりで目立っていたQアノン信奉者たちだが、自分たちは**「盗まれた選挙を取り返し、アメリカが正しい民主主義を取り戻す」ための正義の戦い**をしていると認識しているので、違法行為をするのにためらいがないと、メリーランド大学の「全米テロリズムおよびテロ対策研究のためのコンソーシアム（START）」の研究者は指摘している。

テロ実行にためらいがないという指摘の通り、ピザゲートから議会議事堂乱入事件の間にも、Qアノン信奉者はいくつもの重大事件を起こしている。

ドナルド・トランプが大統領在任当時、ディープステートの手先となった議員たちを逮捕していないことに抗議して、フーバーダム（アリゾナ州とネバダ州の州境にある巨大なダム）近くのマイク・オキャラハン‐パット・ティルマン記念橋を武装した自家用車で占拠した人もい

フーバーダム（2017年）

た。ニューヨーク郊外で地元のギャング一家の幹部を人身売買組織のメンバーだと決めつけて自宅玄関から出てきたところを銃殺した人もいた。

カトリック教会が人身売買に関与していると主張してアリゾナの礼拝堂に乱入した人もいた。無関係の市民の車を人身売買目的の誘拐犯だと思い込んで追い回したという事件もあった。

陰謀論の世界にはまり込んでしまうことを、『不思議の国のアリス』に登場するアリスが白ウサギを追って落ち込んで不思議の国に行くことになるウサギの穴に例えて、**「ウサギ穴に落ちる」**という。穴の先には幻の陰謀論の世界があって、そこでさまよい始めると出口は見えず、脱出は難しいわけだ。

Ｑアノン信奉者は自分で自分好みの幻想を作り出し、幻想の世界にはまってしまう。現実と切り離されて、適切な判断ができなくなってしまう状況をうまく表した例えと言える。

今後はＱアノン信奉者に対するＦＢＩ等の監視もいっそう厳しくなるだろう。日本のオウム真理教をはじめとして、カルト集団が唐突にテロリスト集団に転じた前例もある。

Ｑアノン信奉者が暴力事件を起こしかねない集団だという認識は、きちんと持っておいた方がよいだろう。

反ワクチン運動との合体に警戒を

議会議事堂乱入事件の衝撃を受けて、ＳＮＳはやっと重い腰を上げ、Ｑアノン信奉者のＳＮＳからの排除を始めた。「Ｑ」もなりを潜めている。主流のＳＮＳから追い出され、プライバシー設定が厳しく秘密裏の情報交換が可能なロシア系掲示板「テレグラム（Telegram）」に移動しているとの情報もある。

拠点を失っただけでは陰謀論は消えないが、前述したようにQアノン信奉者は仲間との支え合いに基づくコミュニティ型の陰謀論集団だ。トランプ前大統領は政界復帰を目論んでおり、依然としてトランプ支持者が多い状況を考えると、陰謀論を信じる人たちが属するどこかのコミュニティで、Qアノン信奉者が復活してくる可能性はある。

「メタバンク」（Metabunk）という陰謀論の真相解明サイトを運営するミック・ウェストは、元ゲーム会社の経営者だが、十分な財を得て仕事を辞めてから、陰謀論の「ウサギ穴」に吸い込まれた人々や、そこから脱出した人々との会話を「Tales from the Rabbit Hole（ウサギ穴からの物語）」と題するポッドキャストとして配信している。

十分な時間をかけて信頼関係を作ることで、陰謀論に取り込まれた人々に現実に戻ってくる手段を提供したいと考えるミック・ウェストは、陰謀論から脱出した人の体験談や、脱出のための会話の実践の過程を公開している。この中には、ミックを信頼して会話を始めたQアノン信奉者も含まれている。

1時間半に及ぶ会話で、マイケルというこのQアノン信奉者は、まず、自分たちは「Q」の信奉者ではあるがQアノンという集団ではない。リーダーもいないし、集会もないし、組織に加入したりもしない、ただQから情報を受け取っているだけだと述べている。その後、バイデン大統領の息子のハンター・バイデンが中国企業や汚職疑惑のある中国人と取引して巨額の報酬を受け取ったという不正が暴かれて、バイデン大統領は立場が危うくなるという話をまくしたてる（ミックは控えめに、マイケルが信じる証拠に疑問を差し挟む。マイケルは真剣に聞いてもらっていることに感謝しているようだ）。その後、議会議事堂乱入以降仲間がすっかり静かになってしまって、Qも消えてしまったとさみしそうな様子で話している。

マイケルのように突然居場所を失ってしまった（そしてミック・ウェストのような聞き手を持たない）Qアノン信奉者は安心できそうな仲間を求めて様々な場所に現れることが予想される。

そうした中で、今最も警戒されるのは新型コロナウイルス流行でやや劣勢となっている反ワクチン活動家たちと合体することだろう。

反ワクチン運動は、もともとワクチンの副作用とされる薬害被害の補償を政府に求め、危険な副作用があるものを拒否する権利を認めてほしいという主張をしていた。だが、安全で効果が高いワクチンが普及して運動の存在価値が薄れるにつれ、だんだんと科学や医療を否定することが目的になってきている。

ニセ医学施術者や健康食品業者も、反ワクチンの主張を利用して顧客となる賛同者を増やそうとしているので、「政府は反道徳的で、有害な添加物を含んだワクチンを人々に強制接種している」という陰謀論的な情報を流すのにためらいがない。厄介なのは、Ｑアノン信奉者が彼らと合体し始めたことである。

『ローリングストーン』誌のティム・ディッキンソン記者は、ウィスコンシン州ミルウォーキーの薬剤師が新型コロナウイルス用ワクチンは遺伝子を変化させると考え、５００回分を廃棄してしまった事件を報じている。この薬剤師はＱアノンの主張を信じて、まもなく（ストームによって起こるとされていた）大停電が起こると妻に告げて怯えていたという。

この稿を書いている２０２１年4月末の時点で、アメリカの感染者が３２１０万、死者が57万人超で、今でも感染者も死者数も世界一である。医療関係者の不安と疲労も非常に大きい。

理不尽な現実に耐えきれなくなったとき、人間は理不尽であっても納得のいく説明を求めるようになる。理不尽な世界を説明してみせるものとして、陰謀論が選ばれる場合が多いことは従来から指摘されている。巨大な悪の組織があれば、様々な理不尽な悲劇も説明がつくということだろう。

「政府がディープステートに乗っ取られている」というＱアノンの主張と、**「医師と製薬会社は結託して健康な人に不必要なだけでなく、害さえもたらすワクチンを打とうとしている」**という反ワクチンの主張が一緒になった。そうやってミルウォーキーの薬剤師も正常な判断力を失ってしまったのだろう。

反ワクチン運動は、自然派志向者の支持を受けて、消費者運動のスタイルで国や製薬会社を訴えてきた。だから、一見するとリベラルな運動のように見える。だが、実際にはＱアノンと共通する部分も多い。

例えば、対象に合わせて恐怖と不安をあおる陰謀論などを利用する点だ。「政府に強制されてワクチンを打っても大丈夫か。子供が副作用を起こさないか心配」と考える母親たちにアピールするために、１８６０年代の種痘（しゅとう）（天然痘の予防接種）の反対運動活動家たちは母親たちを怯えさせようとして、官僚や医者が悪魔や魔女と結託していると触れ回った。

現在の反ワクチン運動団体と活動家も、自然派志向者向けには数々の添加物の危険性を強調する。キリスト教保守派に多い中絶反対運動の賛同者に対しては、ワクチン開発の過程で中絶された胎児の細胞を使っていて不道徳だと主張する。

ご存じない人のために解説しておくと、新型コロナウイルス用のメッセンジャーＲＮＡワクチンは、細胞の利用を必要としない。だが他のワクチンの生産過程で妊娠中絶された胎児の組織由来の細胞株が使用されているのは事実だ。しかし、１９６０年代初頭に中絶された胎児の細胞株が使われているというのが真相だ。反ワクチン活動家が言うように、**現在中絶された胎児が毎日製薬会社に運び込まれているという事実はない。**

ワクチン開発のための実験用であっても、胎児の細胞株を使うのは許せないと考える人はいるだろう。だが、ワクチンの開発方法は1つではないし、今後は細胞を使わない方法も増えていくだろう。

使われているのはあくまで昔の胎児の組織由来の細胞株であることや、新型コロナウイルス用のワクチンに胎児の組織由来の細胞株が使われていないことがわかっても、反ワクチン活動家は、今度は遺伝子組み換えの恐怖を打ち出してくる。さらにメッセンジャーＲＮＡワクチンを打った人に近づくと、有害な副作用がうつるという主張まで出てくる。

反ワクチン活動家は、人々に科学と政府に対する不信感を植えつけ、誘導するために誤った情報の発信を続けるだろう。Ｑアノン信奉者と同じように、反ワクチン活動家も自分たちなりの正義の戦いを続けているのだ。

　新型コロナウイルスの流行で、ワクチンの有効性を改めて体感する人が増えている。そうした中で、勢力を失いつつある反ワクチン運動と、行き場を失ったQアノン信奉者が合体するのを阻止するのは難しいかもしれない。また、Qアノン信奉者と反ワクチン運動が融合することで、すでにアメリカという一国を超えて世界に広がっているQアノンが、もっと多くの信奉者を集める道を開くことになるのかもしれない。

　あらゆる陰謀論をそのもとにおさめる「大きな陰謀論テント」となったQアノンには、これからもさらに警戒する必要がありそうである。（ナカイサヤカ）

参考文献

「【解説】Qアノン陰謀論とは何か、どこから来たのか　米大統領選への影響は」（２０２０年９月25日、マイク・ウェンドリン、ＢＢＣニュース）

https://www.bbc.com/japanese/features-and-analysis-53929442
「The men behind QAnon - ABC News」

(https://abcnews.go.com/Politics/men-qanon/story?id=73046374)

「How Ex-QAnon Followers Escaped The Cultish Conspiracy Theory - Rolling Stone」

(https://www.rollingstone.com/culture/culture-features/ex-qanon-followers-cult-conspiracy-theory-pizzagate-1064076/)

「How three conspiracy theorists took 'Q' and sparked Qanon」

(https://www.nbcnews.com/tech/tech-news/how-three-conspiracy-theorists-took-q-sparked-qanon-n900531)

「Who are QAnon supporters? The QAnon subreddit, analyzed with data. - Vox」

(https://www.vox.com/2018/8/8/17657800/qanon-reddit-conspiracy-data)

「Human Trafficking Facts」

(https://polarisproject.org/myths-facts-and-statistics/)

「American Parents Are Unreasonably Afraid of Abduction | Fatherly」

(https://www.fatherly.com/parenting/are-american-parents-unreasonably-afraid-of-abduction/)

「Prison Is 'Living Hell' for Pedophiles - ABC News」

(https://abcnews.go.com/US/prison-living-hell-pedophiles/story?id=90004)

「Capitol Riot Exposed QAnon's Violent Potential | Voice of America」

(https://www.voanews.com/usa/capitol-riot-exposed-qanons-violent-potential)

「Pizzagate: Anatomy of a Fake News Scandal - Rolling Stone」

(https://www.rollingstone.com/feature/anatomy-of-a-fake-news-scandal-125877/)

「How Arizona Patriots have built a community around conspiracy theories」

(https://www.azcentral.com/in-depth/news/local/arizona-investigations/2020/10/01/how-arizona-patriots-have-built-community-around-conspiracy-theories/3486382001/)

「Suspect in Hoover Dam standoff writes Trump, cites conspiracy in letters | Las Vegas Review-Journal」

(https://www.reviewjournal.com/crime/courts/suspect-in-hoover-dam-standoff-writes-trump-cites-conspiracy-in-letters/)

「How The Bizarre Conspiracy Theory Behind "Pizzagate" Was Spread - BuzzFeed News」

(https://web.archive.org/web/20161205124843if_/https://www.buzzfeed.com/craigsilverman/fever-swamp-election?utm_term=.jtAgpXVKE#.dbQGB5dy6)

「Dissecting the #PizzaGate Conspiracy Theories - The New York Times」

(https://www.nytimes.com/interactive/2016/12/10/business/media/pizzagate.html)

「What is QAnon? What does WWG1WGA mean? The conspiracy theory that explains everything and nothing - CBS News」

(https://www.cbsnews.com/news/what-is-the-qanon-conspiracy-theory/)

「Quitting QAnon: why it is so difficult to abandon a conspiracy theory | Financial Times」

(https://www.ft.com/content/5715176a-03b3-4ee9-a857-c50298ffe9da)

「QAnon: a timeline of violence linked to the conspiracy theory | QAnon | The Guardian」

(https://www.theguardian.com/us-news/2020/oct/15/qanon-violence-crimes-timeline)

「American Psychological Association QAnon: How the Anti-Vaxxers Got Red-Pilled - Rolling Stone」

(https://www.rollingstone.com/culture/culture-features/qanon-anti-vax-covid-vaccine-conspiracy-theory-1125197/)

「Speaking of Psychology: Why people believe in conspiracy theories, with Karen Douglas, PhD」

(https://www.apa.org/research/action/speaking-of-psychology/conspiracy-theories)

「トランプ逆転を信じた、陰謀論「Qアノン」信者の落胆と困惑」Rolling Stone Japan（ローリングストーンジャパン）

(https://rollingstonejapan.com/articles/detail/35259/1/1/1)

CNN.co.jp「宗教を利用するQAnon、警戒心の薄いキリスト教徒が標的に」

(https://www.cnn.co.jp/usa/35161430.html)

「Qアノンの謎めいた存在「Q」は2人の人物、スイス企業が投稿文から解析｜DG Lab Haus」

(https://media.dglab.com/2021/01/19-afp-01-3/)

「Qアノンと日本発の匿名掲示板カルチャー」（清義明、論座 - 朝日新聞社の言論サイト）

(https://webronza.asahi.com/national/articles/2021030500011.html)

「【5ちゃんねるの皆さんへ】ジム・ワトキンスがどれほど危険人物かお伝えします、フレデリック・ブレナンより［ヒアリ★］」

(https://asahi.5ch.net/test/read.cgi/newsplus/1603629031/)

「フィラデルフィア小児病院ワクチン教育センター」

「胎児細胞」
(https://www.chop.edu/centers-programs/vaccine-education-center/vaccine-ingredients/fetal-tissues)
「How White Evangelical Christians Fused with Trump Extremism - The New York Times」
(https://www.nytimes.com/2021/01/11/us/how-white-evangelical-christians-fused-with-trump-extremism.html?action=click&module=Spotlight&pgtype=Homepage)
「Dispelled kidnap myths do little to allay parents' fears – The Denver Post」
(https://www.denverpost.com/2010/11/27/dispelled-kidnap-myths-do-little-to-allay-parents-fears/)
「QAnon explained: the antisemitic conspiracy theory gaining traction around the world | US news | The Guardian」
(https://www.denverpost.com/2010/11/27/dispelled-kidnap-myths-do-little-to-allay-parents-fears/)
『ファンタジーランド――狂気と幻想のアメリカ５００年史』（カート・アンダーセン、山田美明・山田文 訳、東洋経済新報社、２０１９年１月）
『アメリカを動かす宗教ナショナリズム』（松本佐保、筑摩書房、２０２１年２月）
「Escaping the Rabbit Hole: How to Debunk Conspiracy Theories Using Facts, Logic, and Respect」（Mick West, Skyhorse, 2018/9/18）
「Tales From The Rabbit Hole Conspiracy Theory Related Interviews with Mick West TFTRH Conspiracy Culture Conversations」
（https://www.tftrh.com/）
「QAnon reshaped Trump's party and radicalized believers. The Capitol siege may just be the start」（By Drew Harwell, Isaac Stanley-Becker, Razzan Nakhlawi, Craig Timberg）
『Washington Post』（Jan. 14, 2021）
（https://www.washingtonpost.com/technology/2021/01/13/qanon-capitol-siege-trump/）
『町山智浩のアメリカの今を知るTV In Association With CNN』（BS朝日、２０２１年3月19日放送）

Qアノンは日本人にも大事な真実を伝えている（Jアノン陰謀論）

陰謀論

Qアノンの影響を受けた日本の陰謀論者「Jアノン」

２０２０年11月に一般投票が行われたアメリカ大統領選挙では、不正に票の操作が行われた。その結果ジョー・バイデンが勝利したが、真実の勝者はドナルド・トランプである――。

アメリカでQアノンと呼ばれる一群が大統領戦時に唱えた陰謀論だ。彼らは昨年（２０２０年）の大統領選よりも前、２０１７年からアメリカの匿名掲示板（日本でいえばかつての2ちゃんねるや現・5ちゃんねるのようなもの）で増殖した陰謀論者たちだ。大まかにまとめると彼らの主張は、アメリカには悪魔を崇拝する小児性愛者たちの秘密結社が存在し、それがディープステート（影の政府）として政府を支配しているというものだ。リベラル的な政府高官や米民主党の政治家、ハリウッドスターたちはこの結社に属しており、こうした影の勢力と闘っているのがトランプ大統領（当時）なのだという。これが、大統領選で不正が行われたとする主張につながった。

こうした主張に基づくトランプ支援運動は、なぜか日本でも盛り上がりを見せた。悪魔崇拝や小児性愛といった類の主張は前面に出てはこなかったが、アメリカを牛耳るディープステートは中国共産党と結託しており、バイデンもその一味だという。

それらと闘うトランプは神に選ばれた大統領であり、中国共産党の脅威を退けるためにはトランプが再選されるべきだ。そんな主張を掲げるデモや街宣が日本全国（主に東京都内）で２０２０年11月から翌年1月までの間に少なくとも十数回も展開された。Qアノンの影響を受けた日本の陰謀論者「Jアノン」たちである。

真相

反中国共産党運動がQアノンに便乗

トランプ自身も大統領選で不正が行われたと主張し、複数の州で訴訟を起こしたが、いずれも主張が退けられたり提訴を取り下げるなどして、不正の存在を認める司法判断は1つも下されなかった。ジョージア州では州全体の票の再集計も行われたが、結果は覆らなかった。

しかし不正があったと信じるQアノンを含むトランプ支持者たちは、2021年1月6日に連邦議会を襲撃し、自らと警官双方に計5人の死者を出す事件まで起こす。これによって一気に、Qアノンを単なる荒唐無稽な陰謀論ではなく社会的脅威として扱う機運が高まった。

大統領選以前からのQアノンの陰謀論は、匿名掲示板で「Q」を名乗る人物が投稿した内容に依拠（いきょ）している。悪魔崇拝の秘密結社やディープステート云々についても客観的根拠は存在しない。

この「Q」に匿名を意味する「アノン（アノニマス）」を組み合わせたのが、「Qアノン」の由来だ。蔑称（べっしょう）ではなく彼ら自身が名乗っている。

その中心は極右的な思想を持つ人々だが、中国出身者たちによる反中国共産党運動が便乗している。中国からアメリカに亡命した実業家・郭文貴（グオ・ウエングイ）氏が開設したウェブメディアや、郭氏がトランプの元側近スティーブン・バノンとともに設立した「新中

郭文貴（グオ・ウエングイ）氏
（2017年4月）

スティーブン・バノン
（2017年）

国連邦」などだ。また中国本土で弾圧されてきた法輪功（ファールンゴン）も、機関誌『大紀元（エポック・タイムズ）』を通じて大統領選の不正を書きたてた。しかし前述の通り、不正説については後に裁判を通じて否定されている。

反ワクチンを唱える陰謀論とも重なる

日本にも「Qアノン」を名乗る一群が出現し、ネット上で本家Qアノン発の情報を日本語に翻訳して発信する等の活動を展開した。これを「狭義のQアノン」と呼ぶなら、日本の路上で繰り返されたデモや街宣の主要勢力は少々顔ぶれが違う。幸福の科学や日本サンクチュアリ協会（統一教会＝現・世界平和統一家庭連合の分派）といった保守系宗教団体の信者たちだ。日本でもこれに新中国連邦や法輪功が加わった。

これらは「Qアノン」を自称しておらず、中国共産党批判の色合いが濃い。狭義のQアノンも含め、これら日本のトランプ支援運動の総称として、日本語圏のネット上で生まれた言葉が「Jアノン」だ。

その顔ぶれも言説もネット上では多種多様で、大統領選決着後も、トランプが「緊急放送システム」を使って全世界に緊急放送を行うとか、改めて大統領に就任することになったとか、米国本土侵攻のため米国境に25万人の中国軍が待機中だとか、バイデン大統領は人間ではなくゴム人間あるいはホログラムであるといった、もはや陰謀論と呼ぶことすらはばかられる壮大なスケールの言説が飛び交い続けている。新型コロナウイルスは中国の生物兵器であるとか、ワクチンを打つと体内にチップを埋め込まれるといった類いの話もある。

新型コロナ対策を軽視し「マスクをしない自由」などを主張するトランプ支持者は多く、Qアノン的な陰謀論は反ワクチンを唱える陰謀論とも重なっている。

「トランプが今ディープステートと闘っている」

「JAPAN LOVES TRUMP」「不正開票を許さない！STOP STEAL」などのプラカードを掲げた12人の集団が、東京・霞が関の首相官邸前の歩道に立つ。1人を除き全員女性。日本語がややたどたどしい、アジア系外国人とおぼしき人も複数いた。

「腐りきったマスコミに持ち上げられ、バイデン側は、大統領ごっこを楽しむのも今のうちでしょう。不正選挙の真相を明らかにするため、トランプ大統領は今週から本格的に動き始めています」

２０２０年11月12日。「トランプ大統領を支援する会」「日米同盟強化有志連合」「自由と人権を守る日米韓協議会」３団体合同による路上集会だ。２週間に１度、定期的に開催されている。このとき、大統領選挙は11月３日に行われた一般投票でバイデンが過半数の選挙人を獲得し、その勝利はすでに事実上確定していた。

「中国共産党を終焉させることができるリーダーはトランプ大統領しかいません。トランプ大統領、左派勢力に囲まれ、左派メディアによる妨害や攻撃を受けながら、どんなに叩かれても叩かれても、あなたは必ず奇跡的逆転勝利を成すに違いありません。神様があなたを見守り導いてくださるからです！」

通行人に配布されていたビラには、こんな文言が。

〈悪魔の勢力共産主義は、血で血を洗う闘争の歴史を繰り返し、一党独裁を打ち立て、人々を奴隷にしてきました。「天倫、人倫に反する共産主義は、70年ないしは73年を超えることが出来ない」という天理がありますが、そのとおりに、ソ連は崩壊しました。（略）中国共産党と勇猛果敢に戦いを挑んでいるトランプ大統領が、１９４９年に樹立された中華人民共和国を終焉させる、伸るか反るかの戦いが、昨今の米中戦争です。〉

神とか悪魔とか天理とか、ほんのり宗教臭い。

およそ2週間後の11月25日。３００人ほどが日比谷から銀座にかけてデモ行進を行った。

「トランプ大統領再選を応援しよう！」

「アメリカ大統領選の不正選挙は民主主義の崩壊だ！」

「トランプ大統領は立派な大統領だ！」

「日本もトランプ大統領とともに世界の繁栄を目指そう！」

トランプの顔を模したマスクをかぶったトランプ・コ

スプレの男性がラジカセでヴィレッジ・ピープルの「Y．M．C．A」をかけながら踊っていた。トランプ大統領はLGBTの権利の実現には逆行する立場。なのに、トランプ・コスプレイヤーがゲイをテーマにした歌で踊るという、シュールな光景だ（本場アメリカでも大統領選のための集会でトランプ陣営が「Y．M．C．A」を使用しており、作詞者でありヴィレッジ・ピープルのリードボーカルであるビクター・ウィリスは英国BBCで「楽曲の使用をやめてほしい」と呼びかけた）。

デモ終了後には数寄屋橋（すきやばし）交差点付近で演説会。

「私たち日本人、あるいはアメリカの人々が戦っているのは、まさに最後の聖戦であることを知っていただきたいんです。コロナの問題もあります。この闘いから逃げることはもう誰にもできない。マスクをしてコロナと闘うか、違った角度からコロナと闘うか。様々な闘いはあれども、コロナとの闘いからもはや人類は逃げることはできない。そしてそういった中で、アメリカでトランプが今ディープステートと闘っている。私たち日本人もまた闘わなければならないときに来ています」

演説したのは、後述する幸福の科学の職員で一般社団法人「武士道」の代表者。演説後には『コロナの真実あなたの目覚めが世界を救う。』と題する「武士道」の冊子が聴衆に配布された。

冊子を開いてみると「水増しされているコロナ死者数」「無意味どころか悪いことばかりのマスク着用」「ワクチンに入っている奇妙な成分」といった調子。マスコミ批判等を展開した上で、〈コロナが世界を襲う今こそ、世の中が「おかしい」ということに気がつくチャンスです〉という。

同時に配られた同団体の冊子『コロナから世界維新へ』は、目次を見ただけでも凄まじい。〈古来より悪魔モロクを祀る者たち〉〈悪魔の手先となった日本政府〉〈携帯電話用電波の）5Gとスーパーシティの危険性〉〈「チップ埋め込み」を企む者〉〈秘密の秘密の組織〉〈悪魔勢力とバチカンの謎〉〈悪魔を出し抜け！〉〈悪魔の手先「自民党」を粉砕すべし〉。この手の話が227ページにも及ぶ分厚い冊子にびっしり書かれている。

「マスコミをコントロールする力が、中国共産党の工作」

さらに4日後の11月29日には、1000人以上はいそうな大規模デモ隊が日比谷から丸の内まで練り歩いた。

「アメリカ大統領選挙は善と悪の闘いだ！」

「闘いはこれからだ！」

「不正選挙は民主主義を破壊する重大犯罪だ」

「中国の驚異から日本とアジアを守ろう！」

「Take down CCP（中国共産党を倒せ）」

「We Love Trump!」

「Make America great again!（偉大なアメリカを再び）」

「Make Japan great again!（偉大な日本を再び）」

新約聖書の言葉を印刷した横断幕を持つ一群もいた。理由を尋ねると、「聖書にトランプという言葉が登場している。トランプの登場が聖書で予言されていたので、その部分を引用しています」という。横断幕にはこう書かれていた。

2020年11月29日のデモで掲げられた聖書の言葉

〈主ご自身が天使のかしらの声と神のラッパの鳴り響くうちに、合図の声で、天から下ってこられる。その時、キリストにあって死んだ人々が、まず最初によみがえり…「テサロニケ4章16節」〉

神のラッパ（the Trump of God）がトランプ大統領のことだという。同じく聖書の黙示録では、「神のラッパ」は人類滅亡（天変地異）の合図なのだが…。もっと詳しい話を聞きたかったが、「主催者から渡されただけなのでわからない」という。参加者独自の横断幕ではなく主催者が配布したオフィシャルなメッセージであることだけはわかった。

前述の新中国連邦の旗を掲げる一群もいた。デモ隊の最低でも1～2割、もしかしたらそれ以上が中国系ではないかと思えるほど、あちこちで中国語が飛び交っている。

デモ先導車のドライバーも、新中国連邦の小さな旗を持ちつつの片手運転だ。デモ隊の周囲の歩道では法輪功が『大紀元』等の新聞を配り、その『大紀元』の記者自身がデモを動画撮影するなどの取材もしていた。

年が明けて1月6日。またまた日比谷から銀座にかけて1000人近い規模のデモ行進が行われた。シュプレヒコールは、前の2つのデモ行進を混ぜたようなものだった。


「トランプ大統領の再選を応援しよう！」

「アメリカ国民は中国共産党に負けるな！」

「日本もトランプ大統領とともに世界の繁栄を目指そう！」

「アメリカ大統領選の不正選挙は民主主義の崩壊だ！」

「アメリカと日本のマスコミは真実を報道せよ！」

「中国の脅威から日本を守ろう！」

「中国発新型コロナウイルスの真相を究明しよう！」

「Fight for Trump!」

「Take down CCP」

「Make America great again!（偉大なアメリカを再び）」

「Make Japan great again!」

「ウィズ・セイビア！（主とともに）」


最後の「ウィズ・セイビア」は、2020年終盤からの幸福の科学のキャッチコピーだ。年末の恒例行事「エル・カンターレ祭」では同タイトルで教祖・大川隆法総裁の法話も行われている。セイビアとは「救世主」の意味で、幸福の科学においては言うまでもなく教祖・大川隆法氏を称えるフレーズだ。

デモ後にはまた数寄屋橋付近で演説会。前述の一般社団法人「武士道」の代表者を含む幸福の科学信者のほか、他団体の関係者や保守活動家らしき人々がマイクを握った。

「トランプが再選すると信じるなんて馬鹿な連中だと

揶揄する人たちがいます。しかし私たちはトランプ再選を信じているというよりも、トランプ再選が正義だと信じているわけです！」

「これは我々民主主義や自由を愛する者と独裁を愛する者との闘いなんだ！　負けるわけにはいかねえ！　絶対勝利するぞ！　ゴッド・ブレス・アメリカ！　ゴッド・ブレス・ジャパン！」

「日本国民ほとんどの人がこの偏向報道に騙されているんですけれども、気がついておりません。これだけマスコミをコントロールする大きな力が、実は中国共産党の工作。これに私たちが巻き込まれているんだという、目を覚ます大きなきっかけにもなったものだと思っております。アメリカも日本もほとんどのマスコミが中国共産党の統一戦線の配下にあるんです」

路上の主力は２つの宗教勢力

日本のトランプ支援のデモや集会は、大統領選の一般投票が行われた２０２０年11月からバイデンの勝利が確定した1月までの間だけでも大小無数に開催されてきた。

特に頻繁だったのは、２週間おきに首相官邸前で開催された前述の①「トランプ大統領を支援する会」、②「日米同盟強化有志連合」、③「自由と人権を守る日米韓協議会」の3団体による合同集会だ。この定期集会を除いても、デモや路上集会の数は少なくとも12回。連邦議事堂襲撃事件の影響で1日遅れの1月7日にトランプの敗北が確定して以降も、日本でのデモや集会は繰り返された。

前述の11月29日、日比谷から丸の内までのデモの主催は④「トランプ米大統領再選支持集会・デモ実行委員会」。11月25日と12月23日に銀座でデモ行進を共催した⑤「トランプ・サポーター・イン・ジャパン」と⑥「チェンジジャパン」。この2団体が協賛し⑦「不滅の正義を守る会」の主催で12月27日に名古屋でもデモが行われた。④⑤⑥は、1月6日銀座での「最後の戦い」のデモを共催した。①は12月24日にも首相官邸前で「クリスマス集会」を開催した。

「最後の戦い」に敗れて以降は、1月17日に⑧「日本の自由と平和を守る会福岡」が福岡でデモ行進。東京・虎

2020年11月15日に開かれた首相官邸前集会

ノ門の米国大使館前では①が2度の集会を行い、1月28日には同じ場所に⑨「米国愛国者を支援する会」なる新たな団体も現れた。

多くの団体が入り乱れていてわかりづらいが、大まかに2系統の運動に分けることができる。

1つはサンクチュアリ協会系。前出の①～④、⑧⑨がこれにあたる。

サンクチュアリ協会は、霊感商法や正体を隠しての偽装勧誘が問題視されている統一教会（現・世界平和統一家庭連合）の分派で、「7男派」とも呼ばれる。2012年に教祖・文鮮明（ムン・ソンミョン）が死去した統一教会では、後継者争いが起こった。

文鮮明
（2010年、David Roberts提供）

このうちサンクチュアリ協会は、文鮮明の7男・亨進（ヒョンジン）氏を直接の指導者として2015年に分派して設立された（法人設立は2016年）。亨進氏は2021年1月6日の連邦議事堂襲撃事件の日にも、連邦議会を取り囲むトランプ支持者たちの抗議活動に参加している。

日本の首相官邸前で集会を繰り返していた①②③にはいずれも、それぞれ別々のサンクチュアリ協会関係者とおぼしき人物が関わっており、このうち②には現・サンクチュアリ協会会長で過去に日本の統一教会の会長を歴任した人物が関わっている。④と①②③の関係ははっきりわからないが、配布しているチラシのデザインがよく似ていること、①②関係者が④のデモに毎回のように参加していること、①と④がフェイスブックの同一ページ内で告知活動を行っていることなどから考えて、④と①②③はそれなりに近しいかメンバー・支援者が重なっていると思われる。

福岡でのデモを主催した⑧も代表者がサンクチュアリ協会の地方支部代表者。④はこのデモにも「協賛」として名を連ねている。⑨は、①の集会告知画像を流用した告知を行っており、やはりサンクチュアリ協会の関係者が参加している。

いずれも各団体が丸ごとサンクチュアリ協会の信者や幹部ばかりとは言い切れない。信者ではない保守活動家等との混合である可能性はある。実際に一連のデモには、日頃別団体の中国や北朝鮮に対するヘイトスピーチ街宣等に参加している活動家の姿もあった。

もう1つは幸福の科学系だ。⑤⑥⑦がこれにあたる。このうち⑤⑥は、幸福の科学信者であることを公言している人物が代表を務め、幸福の科学の政治部門である「幸福実現党」の外務局長や教団職員がデモや街宣で行動を共にしている。⑦の代表者は、過去に幸福実現党公認候補として衆議院選挙に立候補したこともある人物だ。

サンクチュアリ協会系は宗教団体がらみであることを表向きは表明していないが、幸福の科学系はデモの冒頭のあいさつや終了後の街宣で、主催者たちが信者であることを堂々と表明している。しかし宗教法人や幸福実現党による公式活動ではない。職員や信者たちが「自主的に」行っている政治活動だ。

彼ら自身がSNS等を使って呼びかけ、それに信者や、信者ではないが共鳴するシンパたちがデモにやってくる。教団や政党による動員や公式な支援はないようだ。デモや街宣で使用されている車両も、前述の一般社団法人「武士道」という団体の街宣車である。

コロナに関しては、幸福の科学の基本的な教えは、大川総裁の法力や信者たちの信仰による「信仰ワクチン」「信仰免疫」によって感染や重症化を防ぐことができるのでマスクは不要、というものだ。それはそれで大丈夫なのかという気はするが（実際、信者や職員に数十人規模で感染者が出たと大川総裁自身が信者に報告している）、これは陰謀論ではなく大川総裁を地球至高神として絶対視する個人崇拝の問題だろう。

一方でトランプを支持するという基本路線は、教祖・大川隆法総裁自身がトランプの守護霊を呼び出したと称する「霊言」を交えて打ち出してきたものだ。トランプの再選を「予言」してもいた。

「武士道」関係者を含む信者たちのトランプ支援運動が教団の公式活動でないにしても、細部の主張に教義と別の要素が加わっていたとしても、一連のデモが教祖や教団の方針に沿ったものであることに変わりはない。

主目的は「反中国共産党」か

多数のデモ主催団体をこうしてよく見ると、主要勢力はたったの2つの宗教団体。しかしそれがすべてというわけでもなく、細かく見ると別の団体が参加したり便乗して、実に多彩な顔ぶれになっていた。

特に多彩だったのは、サンクチュアリ協会系の④が11月29日に銀座で行ったデモだ。前述のように新中国連邦が関わり、南ベトナム旗や韓国旗を掲げている個人参加者もいた。前述の「Y．M．C．A」をかけて踊る幸福の科学系のトランプ・コスプレイヤーも参加していた。

4日前にやはり銀座で行われた幸福の科学系⑤⑥によるデモの際、④の関係者と思しき人物も参加しており、主催者に「29日のデモにこののぼり持ってきてよ」などと参加を促していた。新中国連邦は、後述する記事でルポライターの安田峰俊（みねとし）氏が「Cアノン」と呼ぶ中国系アノン。実質的に「Jアノン・オールスター&Cアノン連合軍」だ。

2021年1月6日の「最後の戦い」では、④⑤⑥、つまりサンクチュアリ協会系と幸福の科学系の2大勢力が公式に共催となった。新中国連邦の姿はなく、いわば「Jアノン・オールスター」。

冒頭で触れた「日本版Qアノン」とも呼ぶべき狭義のQアノンも参加したり、動画撮影（ネット中継等）に駆けつけたようだ。デモ隊の人数もさることながら、沿道やデモ隊先頭付近で追走しながら携帯電話をかざして動画撮影をする人々も10～20人くらいはいただろうか。

また、ほぼすべてのデモの周囲で法輪功信者が新聞等を配ったり、法輪功系メディアが「取材」してネットで報じるといった形で便乗していた。

とはいえ路上活動においては主要勢力がQアノンそのものではないからか、「Qアノン」を自称するプラカード等はほとんど見られない。演説等でも、直接「Qアノン」に言及して支持や連帯を表明する場面も、見た限りでは見当たらない。

大統領選で不正が行われたという類いの陰謀論は強くアピールされていたが、悪魔崇拝だの秘密結社だのといったアメリカの国内政治についての主張は目立たず、代わりに中国共産党批判の要素が強調されていた。

1月17日に福岡で開催されたサンクチュアリ協会系デモ（⑧が主催、④が協賛）については、安田峰俊氏が「デイリー新潮」で〈博多でトランプを支援する「Jアノン」デモ密着で見えた正体〉としてリポートしている。

記事によると、こんなシュプレヒコールだった。

「バイデンは、トランプの票を盗むな！」
「トランプは、法と秩序を守る善の大統領だ！」
「中国共産党による不正選挙介入を、追及しよう！」
「ゴッド・ブレス・トランプ！」

記事で安田氏は、こう書いている。

〈なお、旭日旗を持っている男性はマスクを着用しておらず、チベット旗・東トルキスタン（ウイグル）旗・南モンゴル旗・満洲国旗と「人権・信仰」と書かれた文字がプリントされた腕章を付けて歩いていた。星条旗と旭日旗が同時に掲げられた下で、満洲国旗の腕章をつけた人が「ゴッド・ブレス・アメリカ！」などと叫んでいる光景はかなりシュールだ。〉

安田峰俊氏は、このデモでは法輪功や新中国連邦は確認できなかったとしているが、「Make America great again」の赤い野球帽をかぶった在日中国人ユーチューバーに出会ったとして、こう書いている。

〈彼女はもともと政治に関心が薄いタイプだったそうだが、「武漢肺炎」（＝新型コロナウイルスの反体制派中国人の間での呼称）の流行を契機に目覚めてしまったらしい。ディープ・ステートの存在についても「陰謀論」だとは

考えておらず、「真実」であると堅く信じている。〉

デモをオーガナイズした2大勢力は宗教団体がらみではある。しかしそれを核として、2つの宗教いずれとも立場や属性が異なる人々が集結し混沌とした顔ぶれになっていたのが、日本におけるトランプ支援の一連のデモだ。

その参加者たちに共通しているのは、ただトランプを支持しているという点だけではなく、「反中国共産党」という主張である。むしろこれが主目的のようにすら見える。

中国当局による人権侵害にさらされているチベット、ウイグル、内モンゴルへの支援を表明する参加者が限定的とはいえ存在していた点も、これに当てはまる。

反中共・不正選挙説は、政治スタンスや宗教対立も越えさせる

言うまでもなく、路上での主要勢力である2つの宗教団体も、もともと反中共を掲げてきた。

サンクチュアリ協会の人々が分派前に所属していた統一教会は、中国共産党に批判的だった。前回大統領選でトランプが当選を確実とした2016年より前、例えば2014年にも、統一教会系メディア『世界日報』に〈天安門25年、中国共産党独裁に未来はない〉とする社説が掲載されている。

統一教会は1960年代に日本で「国際勝共連合」を設立し、反共運動を展開してきた。日本共産党は言うまでもなく、中国や北朝鮮についても共産主義国家である点を批判し続けている。

この点で統一教会は日本の保守運動と深く関わり連携してきた。かつて安倍晋三前首相が統一教会の合同結婚式に祝電を送ったことなどから、自民党政権との関係の深さでも知られている宗教団体である。

サンクチュアリ協会が統一教会から離脱したのは2015年。教祖・文鮮明死後の後継者争いが原因で、反中国共産党という思想面では統一教会と大きな違いはなさそうに見える。

首相官邸前でトランプ支持のための定期集会を開いて

いた3団体のうちの1つ②「日米同盟強化有志連合」は、今回の大統領選より2年も前の2018年から、首相官邸前での集会の動画をユーチューブで配信している。当初から、日の丸、星条旗、トランプ支持ののぼりなどを掲げた集会だったが、当時は「安倍首相を応援しよう」と書かれたプラカードを多数並べていた。今回の大統領選でのトランプ支持、中国共産党批判の集会でも、締めくくりでは「フレーフレー菅総理！」と叫んでいた。

親自民、親トランプ、反中共といういずれの路線も、本家・統一教会と同じだ。

一方の幸福の科学は、中国について、神を信じない「唯物論、無神論」の覇権国家として批判し続けている。対中国も意識しつつトランプを支持する路線も、今回の大統領選以前から教祖・大川隆法氏自身が打ち出している。親トランプ・反中共という点ではサンクチュアリ協会と同じ立場だが、しかし安倍政権や菅政権に対するスタンスは真逆だ。

幸福の科学は1990年代には自民党の三塚博を総理大臣にすることを目指す政治活動を行い、比較的最近でも2007年参院選で丸川珠代氏を支援し初当選を後押しするなど、自民党寄りではあった。しかし2009年に独自に幸福実現党を結成すると、一部で自民党と選挙協力をする場面もありつつ（現都知事の小池百合子氏も、このときの衆院選では幸福実現党と選挙協力し共同街宣もしている）、2012年の第二次安倍政権誕生以降は政権に対して批判的な色合いを強めていく。

ナショナリスティックな傾向、国防強化論、反共産主義、原発賛成など、安倍政権との共通点は少なくない。しかし「安倍政権は幸福実現党の政策をパクった」かのように批判してみたり、国防面においては日本の核武装など安倍政権以上に過激な政策を謳ったりもしている。トランプを支持する一連のデモの中でも、関係者が「自民党は保守ではなくリベラル」として、中国に対して強固な姿勢を示さない菅政権を批判した。

この点がサンクチュアリ協会とは異なる。しかも両者には、政治的スタンス以上に重要な宗教上の因縁もある。

サンクチュアリ協会がまだ統一教会から離脱するより前の2010年。幸福の科学・大川隆法氏は、当時存命中だった統一教会教祖・文鮮明の守護霊を呼び出したと称してその言葉を記録し、書籍『宗教決断の時代　目からウロコの宗教選び（1）』として出版した。

文鮮明を地獄に住む蜘蛛であるかのように扱う等の内容を含んでいたことから、統一教会は幸福の科学に対し2度にわたって抗議文を送り、謝罪と訂正を要求。幸福の科学はこれを拒否し、2014年にも大川隆法氏が別の著書『忍耐の法』で、文鮮明がイエス・キリストについて「偽物である」としているかのように述べたとして、統一教会は3度も幸福の科学に抗議書を送りつけた。ここでも幸福の科学は謝罪と訂正を拒否している。

サンクチュアリ協会が統一協会を離脱するのはこの翌年。離脱後も文鮮明の教えを信奉する姿勢は維持しているのだから、文を侮辱した（と統一教会において捉えられている）幸福の科学とは本来、相容れないはずだ。

しかも幸福の科学側は知ってか知らずか、前述のように、サンクチュアリ協会関係者も参加するデモで大川隆法氏を称える教団のキャッチコピー「ウィズ・セイビア！」をコールとしてデモ隊に叫ばせた。傍から見ても、サンクチュアリ協会に対してかなり冒涜的な行為だ。

しかしそのデモの終了後の街宣でも、サンクチュアリ協会系団体の関係者が幸福の科学関係者と一緒になって演説していたりする。

反中共、そして大統領選での不正という陰謀論は、彼らの政治的スタンスや宗教上の対立すらも脇に置いて連帯するほどの重要な要素なのだ。少なくとも彼らにとっては。

Jアノンは日本の保守運動さえ超えて拡散している

基本的な部分で異質な2つの宗教勢力ですら相互に便乗する構図は、Jアノン全般についても言える。一連のデモ等に参加した狭義のQアノン、安田峰俊氏がCアノンと呼ぶ一群、チベット、ウイグル、南モンゴル、南ベトナム等々、中国共産党による人権侵害を批判し抗おうとする人々、新型コロナウイルスに関する中国の責任を追及する人々、国によるコロナ対策に疑問を呈しマスクやワクチンを忌避する人々。

そのすべてがサンクチュアリ協会や幸福の科学の教義に賛同しているわけではない。そもそもサンクチュアリ協会系のデモはそれとわかるよう明示されておらず、知らずに参加している人も多いはずだ。

反中共・親トランプ、そしてその主張を支える「選挙で不正が行われた」という陰謀論は、宗教対立すらも軽々と越え、それ以外の互いに異質な人々をも飲み込んでいる。

もともと日本の保守運動には、似た傾向が見いだせる。例えば幸福の科学は、大川隆法氏による『新・日本国憲法試案』で、（恐らく意図的ではなく結果的にではないかという印象ではあるが）天皇制を従来より格下げする提言をしている。

〈天皇制その他の文化的伝統は尊重する〉とだけ定め、天皇の位置づけを憲法で定めず法律に委ねるとする。同時にこの憲法試案では大統領制導入を謳う。日本共産党が掲げる「天皇制なき共和制」に極めて近い内容だ。右派から見れば「反日左翼」的憲法案とも言えそうだ。

しかし幸福の科学は、世界のリーダーとしての日本の繁栄を謳い、靖国神社への集団参拝を行ってアピールし、沖縄基地問題で反対派の住民や左翼を批判し、従軍慰安婦や南京大虐殺は捏造だと主張して、極右的な側面も強く打ち出している。ＳＮＳやユーチューブを通じてこれに賛同するネトウヨもいれば、ネット上に限らず幸福の科学の政治活動部分に賛同したり、行動をともにする右派も少なくない。

日本最大の右派組織「日本会議」ですら幸福の科学信者に講演させたり、日本会議事務総長・椛島有三（かばしまゆうぞう）氏が幸福の科学信者と共著を出したりしている。

右派にとって天皇の位置づけは極めて基本的なもののように思えるが、それ以外の目先の各テーマで一致していたり全体的な雰囲気が保守っぽかったりすれば、必ずしも対立しない（個別に見れば、右翼活動家には幸福の科学に批判的な人も少なくはない）。

これに対してＪアノンのすごいところは、これよりさらに柔軟に幅広く垣根を越えている点だ。

映画監督の増山麗奈（れな）氏は、一時的にせよＱアノンに感化された。もともと反原発活動家の側面も持ち、２０１

9年参院選で社民党公認候補（落選）だった人物だ。増山氏を左派と決めつけていいかよくわからないが、少なくとも保守運動とは逆の陣営に関わってきた人物だ。

その増山氏はバイデンが大統領に就任した後の2021年2月、自身がQアノンの陰謀論を信じていたことを反省し総括する記事を「ハーバー・ビジネス・オンライン」に寄せた。

〈よく考えれば「トランプは唯一無二の救世主」という主張は何の根拠もないことがわかるのだが、1人でインターネットの動画を深夜見ていて、周りのSNSに賛同者しかいなくなると、人は冷静さを失う。

最初にショックを与えて外部と遮断させ、その恐怖から逃れたいという状況につけ込んで説得するというのは、カルト宗教組織やテロ組織でも用いられる洗脳の常套手段だ。実は、深夜1人でネットサーフィンをしていた私は、こうした洗脳を受けているのと同じ状態になっていたのだと思う。〉（「アメリカ大統領選の「陰謀論」にハマってしまった私～やらかした当事者が振り返る～」より）

この記事の中で増山麗奈氏は〈アメリカだけでなく日本でもトランプ支持が広がった理由の一つには、おそらくマスメディアに対する不信感もあるのだろう〉と指摘している。

Qアノンに限ったことではないが、「マスメディアが報じない真実」をネット上で主張する人々は様々な分野に存在している。そこではもはや「マスコミが報じない」という枕詞（まくらことば）をつけることが「真実であることの証明」であるかのごとく扱われ、逆にその荒唐無稽さを指摘する人々からは「ネットde真実」などと揶揄される。

Qアノン的な陰謀論は新型コロナウイルスをめぐる陰謀論にもつながっている。コロナの起源を中国の生物兵器とする言説や、感染拡大をマイクロソフト創業者のビル・ゲイツ（コロナ対策の研究に費用を拠出するなどしていた）やワクチンを売って儲けようとする人々による陰謀だとする言説などだ。携帯電話の5G電波によって人をマインドコントロールするチップがコロナワクチンに仕込まれているといった類いの陰謀論もある。

これらがトランプ支持運動と混ぜこぜになり、本稿でも触れたように、トランプ支持のデモの場で主催者関係者がコロナ関連の陰謀論冊子を配って回るといったことも行われている。

ＳＮＳを規制しても、陰謀論的世界観はますます強まる

日本のフリーチベット運動に関わる知人が、困ったような表情で私にこう話してくれた。

「フリーチベットに賛同している人は真面目で純粋な自然派志向の人も多い。ワクチンに対する抵抗感からネットを通じてＱアノン的な陰謀論に感化されるケースがあり、フリーチベット運動の一部にＱアノンが発生してしまっている」

チベット問題は中国当局による人権侵害の問題だ。フリーチベット運動は中共批判の側面も含んでいるが、反ワクチン志向の陰謀論は反中共・親トランプを主目的としない層にも侵食している。「自然派」の人々やスピリチュアル方面にも、同様にワクチンを忌避する人々がいるからだ。スピリチュアルやニセ科学的な健康法等に共感している人間は左派にもいる。

一連の陰謀論は、実に様々な方面に向けた「フック」を備えている。

昔から存在してきた複数の陰謀論のパッチワークだからかもしれない。ディープステート云々も、政治家や著名人が人知れず「ゴム人間」にすり替わっているという類いの主張も、ワクチンを製薬会社や国家の陰謀だとする言説も、コロナ以前から、トランプが大統領となるより以前から、存在してきた。

これらを寄せ集めて改めて火をつけたのがＱアノン。日本国内に関して言えば、そこに油を注いで幅広い連帯を実現してみせたのがＪアノン、といったところだろうか。

すっかり燃え広がってしまった多面的な陰謀論は、バイデンが大統領に就任しトランプを支持する意味合いが薄れていっても、おそらく鎮火しない。この先も中国共

産党による人権侵害の問題は存在し続けるし、中国はアジア諸国にとっての脅威であり続けるし、コロナ禍も続く。

陰謀論者が望む報道をマスメディアが行うようになるとは考えにくいから、「マスコミが報じない真実」はこの先も彼らにとっては有効だ。大手IT企業はSNS等でニセ科学や陰謀論を唱える投稿やアカウントを削除する対策を強めている。規制される側は、自分たちが社会的に抹殺されようとしているという陰謀論的世界観をますます強めていくだろう。

様々な分野でこの手の陰謀論は語り継がれ、場合によっては予期せぬまったく別の分野や文脈で新たなムーブメントが発生してもおかしくない。

Qアノンの陰謀論は「連邦議会襲撃事件につながった陰謀論は危険だ」という単純な話では片付かない。アメリカの国内情勢やトランプ関連以外の要素への関心が強い「Jアノン」は特に、悪い意味で無限の可能性を秘めている。（藤倉善郎）

参考文献
デイリー新潮（ネット配信記事）〈博多でトランプを支援する「Jアノン」　デモ密着で見えた正体〉（安田峰俊、新潮社）
論座（ネット配信記事）〈Qアノンと日本発の匿名掲示板カルチャー〉（清義明、朝日新聞社）
『宗教と政治の転轍点　保守合同と政教一致の宗教社会学』（塚田穂高、花伝社）

2020年アメリカ大統領選挙で民主党側が大規模な不正を行った

陰謀論

不正選挙を行った証拠がこれだけある！

2020年アメリカ大統領選挙は共和党現職ドナルド・トランプと民主党元副大統領ジョセフ（ジョー）・バイデンの一騎打ちとなり、前回の選挙と同様に勝敗予測が難しく、デッド・ヒートと化したことは記憶に新しい。接戦の結果、民主党勝利と判定されたが、早くも集計の最中から民主党側の不正を示す膨大な情報が出てきた。

例を挙げよう。

○「日本の反トランプ派でさえ認めているが、両候補の支持者を見てもトランプ派は熱狂的でバイデン派はそうではない。にもかかわらず、バイデンへの投票数の方が多いという選挙結果が出た。疑われて当然だ」

○「バイデンが〝不正選挙の大規模な仕組みを確定した〟と語っていた」

○「投票時に死亡していた人々がバイデンに投票していた」

○「ウィスコンシン州で選挙人登録数を超える投票があり、他の州でも同様の事態が起きていた」

○「共和党が有利な州では投票記載にサインペンが提供されているが、これだとインクが滲み集計機が読み取れず、トランプ票が無効となる」

○「トランプに投票した用紙が大量に廃棄されたり、焼却されたりした」

○「ドミニオン・ヴォーティング・システムズ社製（以下、ドミニオンと表記する場合もある）の投票集計機を通すと、特定の係数でトランプ票をバイデン票としてカウントする設定となっていた」

○「アメリカの特殊部隊が、ドイツにあるサイトル社のサーバー群を回収する目的で襲撃をかけた。そして、サイトル社を管理するCIAと米国特殊部隊との間で銃撃戦となった。サイトル社はCIAの管理下でドミニオン社のデータ管理をしていた。双方に死者が出たが、サーバーの中に不正の証拠データが確認された」

○「ミシガン州の開票中に、バイデンの得票数だけが突然上昇した」

○「開票が進むにつれ、両候補の累計得票数が大体均等に増えるのでなく、〝バイデン・ジャンプ〟と呼ばれるほどバイデンの方が増えていた」

○「開票作業場の防犯カメラ映像を解析したところ、封がされていない、偽の票が入っている箱が作業机の下から取り出されていたことが判明した（通常は投票が終わったら投票用紙を箱に入れて封をする）」

○「これらの膨大な不正の証拠は、通商補佐官ピーター・ナヴァロの手で80ページ強の報告書、通称〝ナヴァロ報告〟としてまとめられた。だが、メディアからは無視され、裁判所も証拠採用を却下する異常事態となった」

こうした情報の他にもネット時代にふさわしく、アメリカ政府の極秘情報アクセス権を持つ「Q」と呼ばれる人物が、アメリカ版5ちゃんねるである8ちゃん（8chan、現在は8kun）でトランプを擁護（ようご）した。そうすることで、「Q」はトランプの支持者を勇気づけ、トランプ側は集計無効の数多くの提訴を行った。

だが、トランプを追い落とそうとするアメリカの影の政府ディープステート（DS）に牛耳られた裁判所が、トランプ側の提訴をことごとく却下してしまった。

2021年1月6日、トランプは支持者を動員し、議会周辺で平和的なデモを呼びかけた。だが、支持者の中に極左組織アンティファのメンバーが潜入していた。彼らはトランプ派を装って議事堂に潜入し、破壊活動を行った。ついにトランプの政治生命を葬ることに成功したのであった。

2020年の大統領選をめぐるこれらの事態は、日本ではごく少数の既存メディアでしか報じられなかった。だが、独自に活動した人々により、ネット動画、ブログ、ツイッターで拡散され、広く知られることとなった。

過去の大統領選でも陰謀はあった

実はアメリカ大統領選挙で陰謀があったという話は目新しくはない。戦後の選挙でも事実複数存在した。

大統領選挙が11月なので、その直前に自分の側に有利になる政策を行う、〝オクトーバー・サプライズ〟（10月の奇襲）は大統領選における慣用語となっている。いくつか実例を紹介しよう。

古くは1960年の民主党ジョン・F・ケネディ上院議員対共和党リチャード・ニクソン副大統領（当時）の一騎打ちのときのこと。CIAは各大統領候補者に国際情勢に関する極秘情報を説明し、何を言ってはならないかを理解してもらう習慣があるが、CIAの親ケネディ派が公式説明前に極秘にケネディと接触し、彼が有利になる情報を提供したことがあった。

候補者同士の討論会でケネディは、アメリカのミサイル戦力はソ連に劣るという〝ミサイル・ギャップ〟というフェイク・ニュースを流した。ミサイル・ギャップが生じたのは共和党政権の不備だと訴え、それがケネディの勝利へつながった。

ヒューバート・ハンフリー
（1965年頃）

1968年の民主党ヒューバート・ハンフリー副大統領（当時）と共和党元副大統領ニクソンの対決では、当時泥沼化していたベトナム戦争を終結すべく民主党政権が和平交渉開始に向けて尽力していた。ところが、アメリカの同盟国南ベトナムの首相にニクソン側が極秘に接触し、交渉を拒むよう働きかけていた。そのため、交渉は頓挫した。

リンドン・ジョンソン大統領（当時）もヒューバート・ハンフリーもこの事実を知りながら、公表することはなかった。ジョンソンは選挙の当事者でなく、ハンフリーは生来温厚で争うことを嫌ったためであった。この〝ベトナム和平妨害工作〟がなくとも南ベトナム側が交渉を開始する可能性は低かったが、万が一〝ベトナム和

ベトナム駐留米軍兵士に勲章を授けるリンドン・ジョンソン（1966年）

平妨害工作〟があっても交渉開始にこぎつけられれば、ハンフリーが勝っていたことは間違いないし、妨害工作を公表しても勝っていただろう。〝大統領選挙に勝つために、和平交渉を妨害し戦争を続行させる〟というあまりに卑劣な策略が露見していたら、ニクソンは永久に失脚する可能性が高かった。

1972年の民主党ジョージ・マクガバン上院議員対リチャード・ニクソン大統領（当時）の対決では、ニクソンは圧勝間違いなしの選挙だった。ところが民主党選挙対策本部に盗聴器を仕掛ける一派の侵入事件、いわゆるウォーターゲート事件を起こしてしまった。ウォーターゲート事件が1974年の大統領弾劾裁判開始へとつながり、ニクソンは自ら辞任した。

ジョージ・マクガバン

圧勝間違いなしの選挙で不正が行われたため、動機は未だに謎で、リチャード・ニクソン本人は生涯にわたり自らの指示を否定した。動機の1つに民主党側が前述の和平交渉妨害の証拠を握っていたら選挙敗北どころか政治生命が終わるため、民主党が証拠を持っていたかどうかを知る目的があったともいわれている。

1980年の民主党ジミー・カーター大統領（当時）と共和党元カリフォルニア州知事ロナルド・レーガンが戦った大統領選は、当時イランのアメリカ大使館員がイラン政府に拘束されていた〝アメリカ大使館人質事件〟の最中の対決であった。カーター政権は大統領選前の人質解放を望み、イランと交渉していたが、レーガン側密使がイラン側に人質を解放しないよう働きかけていた。

　人質解放は大統領選挙後となったため、この陰謀の実在を信じる人は多く、〝オクトーバー・サプライズ〟といえばこの工作を指すこととなった。

真相

選挙管理人全員を従わせるのは無理

　個別事例の検証は後ほど行うとして、ここではまず大前提を確認しておきたい。アメリカは地方自治色が強く、大統領選の投票システムも地域ごとに異なり、複雑である。そのため、「大規模な不正投票の仕組み」を構築することは事実上不可能だ。

　過去の（疑惑を含む）投票や集計に絡む不正・陰謀を見ても、特定の州どころか特定の市の市長が票操作を行ったとか、特定の州の総投票数の優劣がおかしいというレベルである。

　なぜ2020年になったら突然空前レベルの選挙不正システム構築が可能になったのか。全米で数千人いる選挙管理人（公務員でもある）の目を盗んで、バイデン派はどうやって不正準備を行ったのか。

　トランプ派が言う不正が事実なら、とんでもない規模の準備が必要だが、なぜ事前に陰謀の計画が漏れなかったのか。

　郵便局員から選挙管理人までというと、全米各州に渡っており、地域的に東西南北に散らばっている。職種も統括も管理も異なる数多くの組織の上から下まで、バイデン派の息がかかるようにしないと、隠蔽もうまくいかない。そんな陰謀は現実的に不可能だ。

ジョージア、ミシガン、ペンシルヴェニア、ウィスコンシンの4つの激戦州で不正があったとして、テキサス州の共和党関係者が選挙結果を覆そうとする訴訟を起こした。だが、この4つの州だけでも相当範囲が広い。やはり組織的に不正を行うのは不可能だろう。

　とりわけ、今回の選挙で大きな争点となった郵便投票は、有権者の身元確認や記載署名確認等が極めて厳しい。アメリカの選挙を研究しているロヨラ大学法科大学院ジャスティン・ラビット法律学教授によると、21世紀のアメリカ選挙では統計上、3000万分の1以下の票でしか、なりすまし不正は確認されていないという。そう考えると、トランプ派の言う郵便投票に関する不正疑惑を真に受ける人は、選挙システムと選挙の実情を知らないとしか思えない。

優勢だったバイデンが不正をする必要はない

前回2016年の大統領選ではメディアの予想を覆し、ドナルド・トランプが勝った。そのときも勝敗予測は当たらなかったが、総得票数では今回ほどひどくは外さなかった。2016年の選挙と同様に、今回もメディアはトランプの敗北を予測したが、今度は外さなかった。

選挙不正論の根本的疑問は、ジョー・バイデンは終始劣勢だったトランプに勝つのに「大規模な不正選挙システム」を構築する必要などなかったのではないか、ということだ。

しかも、総得票数における両者の差はさほどなく、「大規模な不正選挙システム」を利用してもこの結果だったとしたら、メディアの調査結果がとんでもないレベルの誤りだったことになる。どういうことかというと、メディアの調査結果が誤りだった場合のみ、劣勢だったバイデン側が「大規模な不正選挙システム」を構築する理由が出てくるからだ。

事実、不正を唱える人の間ではバイデンの総得票数は公式の数字の半分以下という説もある。その説を信じる人は、バイデンが「大規模な不正選挙システム」を構築したという説を素直に受け入れたのか、自分の結論に合わせてバイデンが劣勢だ、という「隠れた事実」を創作したのだろうか。

嘘をついてきたトランプの主張を疑うべき

次に問題なのは、大統領本人を含むトランプ政権の面々は前例がないほど多くの嘘をついていたことだ。これはレッテル貼りでも何でもなく、日米のトランプ支持者たちでさえ認めている。

ワシントン・ポスト紙のファクトチェック・スタッフによる著作『Donald Trump And His Assault on Truth（ドナルド・トランプと彼による事実への攻撃）』では、就任から3年間で1万6241回の嘘をついたという。両親の出身地も嘘だったし、大統領就任後の自分の労働時間が誰よりも長いと言ったが実際にはかなり短かった。元FBI長官ジェームズ・コーミーが極秘情報を漏らしたと言うが、その事実もない等、大から小まで、個人的なことから機密に関わることまで、のべつまくなし嘘をついていたという。

だからトランプ陣営が「不正選挙による敗北」と言い始めたら、まず疑ってかかる必要があった。にもかかわらず、アメリカだけでなく日本の支持者たちも、トランプ陣営の言うことを鵜呑みにし続けた。これでは政治家と支持者の関係ではなく、まるで教祖様と信者だ。

「トランプ陣営から出た情報を、嘘だと決めつけるのはやめよう」「既存メディアの情報を疑ってかかろう」ならまだわかるが、そこまでトランプ陣営の言うことを信じるのでは「トランプ陣営から出た選挙関連情報は全部真実で、既存メディアのトランプ関連情報は全部嘘だ」と言っているのに等しい。

「人は見たいものしか見ず、見たくないものは見ない」という「確証バイアス」に囚(とら)われると昨今よくいわれるようになった。実際、親トランプで極右の大手メディアや、公共性が低く政治的に左か右に傾いている独立系メディアを見て陰謀論にはまるケースが増えている。そうしたメディアやYouTubeの映像を見て「我が意を得たり」と喜び、陰謀論を信じるようになるのだろう。

今回の選挙陰謀論はまさにその典型で、「保守速報」「アノニマスポスト」などの保守系まとめサイトの影響が大きかった。

ちなみに、ドナルド・トランプは2016年の大統領選挙のときの候補者討論会でも民主党候補ヒラリー・クリントンの不正を訴えていた。このとき選挙で敗北していたら、2020年のときと同様、不正選挙と言い張ったことだろう。

過去の陰謀と比較しても現実味なし

先に、選挙絡みで実際にあった陰謀をいくつか紹介した。1960年の大統領選挙のときに、民主党ジョン・F・ケネディと共和党リチャード・ニクソン副大統領

（当時）が一騎打ちをし、ＣＩＡの親ケネディ派が極秘にケネディと接触し、情報提供をしたと述べた。このとき、ＣＩＡの親ケネディ派と接触した民主党ケネディ側の関係者は多く見積もっても10人もいなかった。

１９６８年の民主党ヒューバート・ハンフリー副大統領（当時）と共和党元副大統領ニクソンの対決のときに、ベトナム戦争を戦っていた相手である南ベトナムの首相にニクソン側が極秘に接触し、交渉を拒むよう働きかけていた話も書いた。このときに関わった共和党ニクソン側は、ニクソン側・仲介者・南ベトナム側の人物を合計しても10人強だ。

リチャード・ニクソン

１９７２年のウォーターゲート侵入事件でも、民主党選挙対策本部への侵入に関わったのは10人以下。１９８０年の共和党レーガン候補側のイランのアメリカ大使館人質解放妨害工作も、関係者は10人程度だった。

これらの事件のうち、ウォーターゲート事件の場合、ワシントン・ポスト紙に対し、ＦＢＩの内通者〝ディープ・スロート〟ことマーク・フェルト捜査官の情報提供もあって、翌１９７３年には事件は問題化した。その結果、ニクソン大統領（当時）は１９７４年に辞任を余儀なくされたが、他の事件の場合は真相が公になるにはかなり時間がかかった。

概していうと、アメリカ政府が主導する謀略や陰謀の鉄則は、現場の下っ端、すなわち実動部隊を極力少なくすることだ。

逆に関わった人数が多くて計画が失敗に終わった例は数えきれないほどある。ここでは2つだけ例を挙げよう。

例えば１９６１年、ケネディ政権の〝ピッグス湾事件〟は、ＣＩＡの指揮下にある反カストロ亡命キューバ人１４００人強をグアテマラの訓練キャンプで戦闘訓練させ、彼らが独力でキューバに侵攻したように見せかける計画だった。だがその計画の情報はアメリカメディアとフィデル・カストロに漏れており、侵攻はしたがカス

フィデル・カストロ
（1950年代頃）

トロ側の迎撃がうまくいき失敗した。

１９６４年８月、ベトナムのトンキン湾を航行していたアメリカ駆逐艦マドックスのレーダー手が敵である北ベトナムの攻撃があったと錯覚し、共に航行していたターナー・ジョイと協力して〝反撃〟を開始した。北ベトナムの通信を傍受・解析していたアメリカ諜報機関ＮＳＡはベトナム語の翻訳を誤り、北ベトナム側が米艦船を攻撃する模様を通信していたとアメリカ政府に伝えた。

アメリカは北ベトナムを空爆し、ジョンソン大統領（当時）は北への攻撃指令権限を大統領に付与する通称〝トンキン湾決議〟を議会に提出した。そして圧倒的大差で可決された。

ところが、駆逐艦擁護のためにすぐ発進したアメリカ機パイロットは、二艘の駆逐艦が蛇行しつつ何もない海面を攻撃し続ける異様な光景を目撃していた。このケースでは駆逐艦員たちは錯覚しているだけで、嘘はついていなかった（意図的創作はしていなかった）。

逆にＮＳＡ側は、ほどなくして自分たちの誤訳に気づき、隠蔽をしてしまう。そのため、アメリカ機パイロットの証言は長いこと公にならなかった。

敵である北ベトナム側は事件をでっち上げたと批判したが、当時の報道を読むと、アメリカ側は政治家もメディアもアメリカ国民も北ベトナム側の主張を信じなかった（もちろん実際にはアメリカ側が「錯覚」と「誤訳」をして攻撃したので、北ベトナム側が正しかった）。

当初楽勝と思われたベトナム戦争は泥沼化し、厭戦気運がアメリカを被った。「そもそもなぜ我々はベトナムで戦っているのか？」という疑問が高まり、事件から３年後の１９６７年頃から事件をめぐる疑惑が本格化し、真相確認の公聴会は１９６８年になってやっと開かれた。だが、トンキン湾決議に反対したただ２人の上院議員の１人、ウェイン・モースのもとにはトンキン湾事件の数日後に事件はおかしい、という内通が来ていたのだ。

アメリカ政府主導で行われた過去のそれぞれの陰謀の規模、事実を知る当事者の数、特に情報が漏れやすい実動部隊の数と質を考慮すると、２０２０年大統領選の民主党側の空前の大規模の不正に現実味はない。不正を言い立てたほぼ全員が共和党トランプ側なのもおかしすぎる。

不正の根拠を個別に検証してみた

ここからは大統領不正選挙説の証拠・証言を1つずつ検証してみよう。

○「日本の反トランプ派でさえ認めているが、両候補の支持者を見てもトランプ派は熱狂的でバイデン派はそうではない。にもかかわらず、バイデンへの投票数の方が多いという選挙結果が出た。疑われて当然だ」

もともとトランプ支持者は熱狂的だが、新型コロナウイルスの関係でバイデン側は屋外での選挙活動を最小限にとどめた。新型コロナウイルスの存在さえ疑う人もいるトランプ側はそうしなかった上、トランピストと呼ばれるトランプ支持者たちはマスクをつけない人も多かった。そこで、トランプ支持者の集会が熱狂的に見えただけの現象だった。

○「バイデンが〝不正選挙の大規模な仕組みを確定した〟と語っていた」

ネタ元はジョー・バイデンがそう語る動画だが、ぱっと見てかなり変だ。なぜわざわざ自分から不正を告白するのだろうか。

これは、トランプ支持者による選挙関連の数多くのフェイク・ニュースでもあっという間にネタが割れたものだ。オリジナルは26分弱のポッドキャスト・インタビューで、バイデンの発言部分の15秒ほどが切り取られて拡散した。

該当箇所で、バイデンは「トランプ派が支持者以外の人を投票から遠ざけようとしている」ので、「我々はアメリカ政治史上、最も大規模で包括的な有権者不正組織（voter fraud organization）を作りました」と語っている。

この「最も大規模で包括的な有権者不正組織」とは、多くの弁護士を集めて、有権者が自分の票が脅かされていると感じたときに相談できる団体を組織しているとバイデンは言いたかったようだ。

バイデンは「有権者不正（救援）組織」と言いたかったらしいが、「有権者不正組織」と言ったため、その部分が切り取られた。その上で「不正選挙の大規模な仕組みを確定した」という説明を流されることになった。

オリジナル映像を観ればすぐ嘘はばれるが、バイデン支持派でない限り30分近いやりとりを観たくはないのだろう。オリジナル映像を観ずに信じた人が多かったのだろう。

○「投票時に死亡していた人々が、バイデンに投票していた」

死者が投票していたと報告された各例は、死者投票の割合がそれぞれ均等だったわけではなかった。

〝死者による投票〟とされたもので〝死者投票数〟が比較的少ない件に関しては、生きている人と故人が同姓同名だったのをトランプ支持派が錯覚して、死者投票と思い込んだ例があった。それから有権者登録時に生年月日を仮記載するために西暦は適当な数字を入れ、月日を「1月1日」と入れる場合がある。そのときに生年月日が遠い昔になり、死者と錯覚されたこともあった。

死者投票が大規模にあったといわれた件は、ペンシルヴェニア州で実に2万1000人の死者がまだ登録されており、少なくとも1万2192人が有効登録だったという話だ。トランプ支持派によれば、これだけの数の死者たちはバイデンに投票したという。

これは投票の3日後に保守系のワシントン・タイムズ紙が報じたネタだった。実際には有権者の実数に合わせた有効登録者の更新は前年に済んでおり、亡くなった人の登録は選挙時には削除済みで問題はなかった。

古いデータを選挙時の実数に見せかけて、「死者が投票した」ことにするデマだった。

○「ウィスコンシン州で選挙人登録数を超える投票があり、他の州でも同様の事態が起きていた」

大統領選数日前の登録数を投票数の分母に使うと確かにそうなるが、投票直前に駆け込みで有権者登録があり実数が増えたからだ。選挙時には登録数以上が投票した現象は起きていない。

他にウィスコンシン州の投票率が高すぎるという疑惑もあったが、もともと同州の投票率は高かったのだ。

○「共和党が有利な州では投票記載にサインペンが提供されているが、これだと集計機が読み取れず、トランプ票が無効となる」

トランプ支持者の間では、該当のサインペンメーカーであるシャーピー社の名をつけた〝シャーピーゲート〟と呼ばれている説だ。だがこれが本当なら、とてつもない数の未集計が生じる上、トランプ支持者を選んでシャーピーを渡さないとバイデン票も無効となる。常識では考えられない変な話だ。

もともとはツイッターで拡散した話だが、該当選管はその事実はないと否定した。

○「トランプに投票した用紙が大量に廃棄されたり、焼却されたりした」

道に廃棄された郵便物の写真がツイッターで広まり、そう説明するツイートに膨大な数の〝いいね〟がついた。その上、トランプ大統領（当時）自らもツイッターでこの情報を広め、報道官も会見で説明したが、根拠は説明されていなかった。

他にも山中に置いてある長細いコンテナに紫色の物体が詰め込まれている動画があるが、キャプション曰く「民主党員がトランプ票を送ってきた場所を突き止めた」という。

「道に廃棄された郵便物の写真」は、捨てられた封筒に投票用紙が入っていたとしても、開封して調べない限り誰に対する票かわからない。

「トランプの票を大量に廃棄、埋めた」として、ツイッターで拡散した写真

写真を解析して（解析が可能であればだが）裏付けを取ったという話もない。

「山中に置いてあるコンテナに紫色の物体が詰め込まれた動画」は遠目なのでよくわからない。紫色の物体が〝トランプ票〟だと言われても判断のしようがない。

「トランプ票80枚の焼却動画」というのもあるが、こちらは少しましだ。だが、共和党の正副大統領候補に印がついた投票用紙を屋外で火にくべているが、用紙が本物かどうかはわからない。

結局、大半は何を意味するかさえわからない変な話で、報道官がこれらの疑惑を紹介する発言を聞いた記者たちも困惑していた。

「廃棄されたトランプ票」はニュースで過去に報道された、郵便局員の郵便物廃棄写真にそのようにキャプションをつけた典型的なフェイク・ニュースだ。「トランプ票大量廃棄現場」動画は、２０１６年に「腐った鳥肉廃棄」として出回ったものだった。

では「トランプ票80枚の焼却動画」はどうか。動画自体が出所不明な上、票を持つ手がカメラに向けて共和党候補に印がついている部分を意図的に向けるのも不自然だった。これもフェイクで、用紙は本物の投票用紙でなくサンプルであったため、反バイデン親トランプの偽動画だったことが判明している。

どれもこれも稚拙なデッチあげだが、親トランプ派はそのレベルのニュースでも信じる人が多いのだろう。

○「ドミニオン・ヴォーティング・システムズ社製の投票集計機を通すと、特定の係数でトランプ票をバイデン票としてカウントする設定となっていた」

これはかなり変な話だ。ドミニオン社製集計機を導入した州ではトランプ勝利の結果もあるが、不正の結果、大差でトランプ勝利だったはずが小差になったというのだろうか。

また、トランプ側の要請で、手作業で票の再集計を行った複数の州にはドミニオンを導入していた州もある。だが結果はほぼ変わらず、集計機不正がなかったことを証明する結果となった。

ドミニオン社は名誉毀損でトランプ側近と不正を報じ

た保守系メディアを訴えたが、被告の1人であるトランプの元弁護士シドニー・パウエル側の裁判での主張によれば、パウエルは世間の人々の意見を共有していただけだという。原告ドミニオン社側による「集計機不正説は突拍子もない不可能な話だ」という主張こそが、分別のある人なら不正説を受け入れないことを示しているということ。

要は、集計機不正説はドミニオン側が言う通りのヨタ話で信じる人もいないから、名誉毀損ではないと言いたいらしい。さんざん「ドミニオン社の集計機は不正だ」とあおっていた人物がそのような主張をするとは……と、あきれた人が多かった。

他方、保守系メディアの方では訂正番組を放送した。その上で、その後にドミニオン社集計機不正説を主張する人が出演したときは「番組の意見ではありません」とキャスターが語るという奇妙な構成となっていた。

日本でも、消費者が企業の商品を褒めたたえる宣伝番組で「個人的な意見です」「効能を示すものではありません」という字幕が出る。ドミニオン騒ぎから数ヶ月が経った今では、「大統領選挙の結果を覆した集計機不正説」は化粧品の効能や健康飲料や寝具の利用者の意見を紹介するときと同様に、注意喚起コメントが必要なレベルに落ちたようだ。

ドミニオン社製集計機疑惑に関しては不正がなかったことが証明されているのに、今も不正を信じている人が多い。

○「アメリカの特殊部隊が、ドイツにあるサイトル社のサーバー群を回収する目的で襲撃をかけた。そして、サイトル社を管理するCIAと米国特殊部隊との間で銃撃戦となった。サイトル社はCIAの管理下でドミニオン社のデータ管理をしていた。双方に死者が出たが、サーバーの中に不正の証拠データが確認された」

これが事実なら国際的大事件だが、ドイツやアメリカのあらゆるメディアで報じられておらず、SNSにしか出ていない。ネタ元はドイツ語のツイートだったが、陸軍もサイトル社もこの情報を否定している。サイトル社によれば同社は投票データの集計に関わっておらず、フランクフルトにはサーバーもオフィスもないという。

アメリカのサイバーセキュリティ・インフラストラクチャー・セキュリティ庁クリス・クレブス局長はツイッターでこれらの事象を否定したが、直後に解任されている。解任されたのはトランプが言う不正選挙説を否定し続けたからという事情があったようだ。

○「ミシガン州の開票中に、バイデンの得票数だけが突然上昇した」

両候補の得票数折れ線グラフを見ると確かにそうだが、郵便投票の結果をデータ更新した結果だった。もともと選挙前から郵便投票は民主党有利と予想されていたが、事実そうなっただけだ。

どういうことか。直接投票より郵便投票の方がチェック項目が多く集計に時間がかかる。そのため、郵便投票の方が更新で出る数値が遅れる傾向があり、バイデンの得票数だけが上昇したように見えたというわけだ。

○「開票が進むにつれ、両候補の累計得票数が大体均等に増えるのでなく、〝バイデン・ジャンプ〟と呼ばれるほどバイデンの方が増えていた」

前項に同じで、不自然でも何でもない。〝バイデン・ジャンプ〟というネーミングが陰謀論をあおったようだ。

「偽の票が入っている箱が作業机の下から取り出されていた」として拡散した画像

○「開票作業場の防犯カメラ映像を解析したところ、封がされていない、偽の票が入っている箱が作業机の下から取り出されていたことが判明した」

開票作業に一区切りついた（と思われる）後で机の下から箱を出している映像はあるが、「トランプに投票した用紙が捨てられている写真」と同様に、キャプションに裏付けがない。裏付けなしに、そう説明されているだけだ。中に何が入っているかは映像からはまったくわからない。

　不正との主張があった後の映像解析と聞き取り調査の結果、当日の集計作業が終了した後で続行が命じられ、再開時に票の入った箱を取り出しただけだったと判明している。問題の箱はメディアや立会い人がいた時間帯にも存在しており、密かに持ち込まれたわけではない。「密かに持ち込まれた」という話もミスリードだった。

○「膨大な不正の証拠は通商補佐官ピーター・ナヴァロの手で80ページ強の報告書、通称〝ナヴァロ報告〟としてまとめられた。だが、メディアからは無視され、裁判所も証拠採用を却下する異常事態となった」

　〝ナヴァロ報告〟は保守層の間では絶賛されたが、内容の大半は旧来の主張の焼き直しだった。不正の証言を多数紹介しているが、アメリカの選挙システムからしてほとんどあり得ない内容だった。

　投票結果に影響がない話や、今では誰も相手にしなくなりネタ元のトランプの元弁護士シドニー・パウエルでさえ「ドミニオン社が言う通り、誰も信じないデマ」と言って信憑性を否定した〝ドミニオン集計機の不正〟も取り上げるような内容だった。大量の情報源を明記してはいるが、トランプ側の調査結果を公式調査のように説明しており、客観的で公正な調査だったとは言えない。

ピーター・ナヴァロ（2018年）

　ピーター・ナヴァロは1960年の大統領選挙のときに民主党ケネディ候補が不正をしたという前例があることで今回の民主党不正も同様だと主張していた。だが、60年前と今ではシステムの近代化や投票チェックのデータベース化などで格段の違いがあり、まったく意味がない言い分だった。

　ピーター・ナヴァロとしては不正選挙を主張するための決め手となるようにという意図で、この報告書を作成したようだ。

　以上で述べたように「不正選挙説」はどれも調べると根拠がないし、裁判所も不正の訴えを「根拠なし」として退けている。

　選挙に（大規模な）不正なしという各州や自治体、選挙監視人の判断は正しいと言えるだろう。特にトランプ側の主張を最高裁が却下したことで大規模不正の可能性はゼロとなったと言える。（奥菜秀次）

参考文献（本文中で言及したものは略した）

『The Deep State: The Fall of the Constitution and the Rise of a Shadow Government』（Mike Rofgren, Penguin Books）
『Qアノン 陰謀の存在証明』（高島康司、成甲書房）
『The QAnon Deception: Everything You Need to Know about the World's Most Dangerous Conspiracy Theory』（James A Beverley、Independently Published）
『月刊Hanada』（飛鳥新社、２０２１年１～３月号）
『月刊Will』（ワック、２０２１年１～４月号）
『中央公論』（中央公論新社、２０２１年５月号）
『現代思想』（青土社、２０２１年５月号）
「トランプ応援団のデマとファクトチェックを集めてみた」（ウェブサイト）及び、多数のウェブサイト
その他、奥菜秀次による、アメリカ大統領選挙関連未発表原稿を資料として参考とした。

第2章

私たちの生活に関わる陰謀論

東日本大震災は「人工地震」によって起こされた⁉

陰謀論

核爆弾を爆発させることで、大地震を発生させた

２０１１年３月11日、宮城県沖を震源とするマグニチュード９・０の大地震が発生。東北から関東にかけての広い地域で甚大な被害が出た。世に言う東日本大震災である。

実はこのときの超巨大地震には不自然な点がいくつかあった。まず、地震が起きたときに記録される地震波の波形。この波形が３つの山を示しており、不自然で異様だったのだ。当時の報道によれば、「３回の巨大地震が連続して起きていた。このような複雑な壊れ方は世界的にも極めてまれだ」という。

次に震源の深さが浅いこと。東日本大震災の震源の深さは地下10㎞しかなかったのである。なぜ、こんなにも浅いところで地震が起きたのか？

それには、地球深部探査船「ちきゅう」が関係している。この船は、海底で穴を掘ることができるのだが、２０１１年３月11日に宮城県沖で海底を掘削していた。さらに、動画投稿サイトのユーチューブには、「ちきゅう」の乗組員が「ＬＷＤ」という特殊な装置を使って「人工地震を発生させる」と発言している動画もある。

こうした点からわかるのは、東日本大震災の地震が自然に起きたものではなく、人工的に起こされた地震だったということである。おそらく世界の覇権を握ろうと企む陰謀組織、もしくは海外の敵対国が、日本を従えるための脅しとして仕掛けた人工地震だったのだろう。

そうした連中が「ちきゅう」を使って海底を掘削し、

そこに核爆弾を仕掛ける。東日本大震災のときに使われたのは、異様な波形からして3つ。それを連続して爆発させることによって、あの未曾有の大地震を発生させたと考えられるのである。

日本攻撃のための人工地震・津波実験が行われていた

このような話は荒唐無稽に思えるだろうか？　だが、根拠は他にもあるのだ。例えば日本では、昭和初期から人工地震が何度も起こされており、その様子が新聞記事でも報じられていた。

また、人工地震を起こすことが可能な、いわゆる「地震兵器」も、1976年にはその使用を禁止する条約が国連総会で採択されている。日本も1982年にこの条約に加入しており、外務省のウェブサイトでは条約文を確認できる。

さらに2005年にはアメリカ軍から機密文書が公開され、第二次世界大戦中の1944年に、アメリカ軍とニュージーランド軍が共同で行っていた人工地震・津波実験が明らかになった。これは「プロジェクト・シール」と呼ばれるもので、当時、アメリカの敵国であった日本を攻撃するため、密かに行われていた実験である。

同プロジェクトの文書によれば、爆弾を爆発させることで、地震と30メートル超の大津波を発生させることに成功。爆弾は海底プレートから8キロ以内に仕掛ければ、1年以内に狙った場所で地震と津波を起こせるという。日本人は知らなかったが、昔から日本は人工地震や人工津波の標的にされていたのだ。

このように、人工地震は決して荒唐無稽なものではない。いくつもの根拠があり、その技術や兵器としての存在は明確に認められているのである。

いつまでも無知であってはいけない。そろそろ真実に目を向け、犠牲者の無念を晴らすためにも、人工地震を起こす連中に立ち向かうべきである。

真相

人工地震説は今や百万単位の人たちが知る陰謀論に

人工地震の陰謀論は現在、人気があるようで、ユーチューブではたびたび取り上げられている。例えば「少年革命家ゆたぼんチャンネル」では、2020年にアップされた「【削除覚悟】人工地震の真実！」という動画が5万5000回超の再生数。同じく2020年にアップされた「Naokiman Show」の動画「人工精霊・地震は存在するのか?!」は約170万回の再生数を記録している（2021年5月現在）。

オカルト作家や陰謀論者の本でも人工地震は定番の題材であるし、陰謀論を主張するブログでもたびたび話題にされている。

さらに、2021年2月13日に宮城県と福島県で最大震度6強の地震が起きた際には、一時、SNSのツイッターで「人工地震」というワードがトレンド入りする盛り上がりを見せた。

もはや人工地震説は、ごく一部の人が知るマイナーな陰謀論ではなく、数万から百万単位の人たちが知る陰謀論になっているようである。

こうした人工地震説は大きな地震が起きるたびに話題になるが、なかでも定番化しているのは、東日本大震災は人工地震によって引き起こされたというものである。「陰謀論」で取り上げたような数々の疑惑があり、自然に起きたとは到底考えられないという。

はたして、そうした疑惑の真相はどうなっているのだろうか？　ここからは個別具体的に疑惑とされるものの検証を行っていく。

地震波に不自然な点があった？

まず、「陰謀論」にある「地震が起きたときに記録される地震波の波形が3つの山を示しており、不自然で異様だった」とされる件。これは「当時の報道」でも扱われたという。

そこで調べたところ、その「当時の報道」とは、20

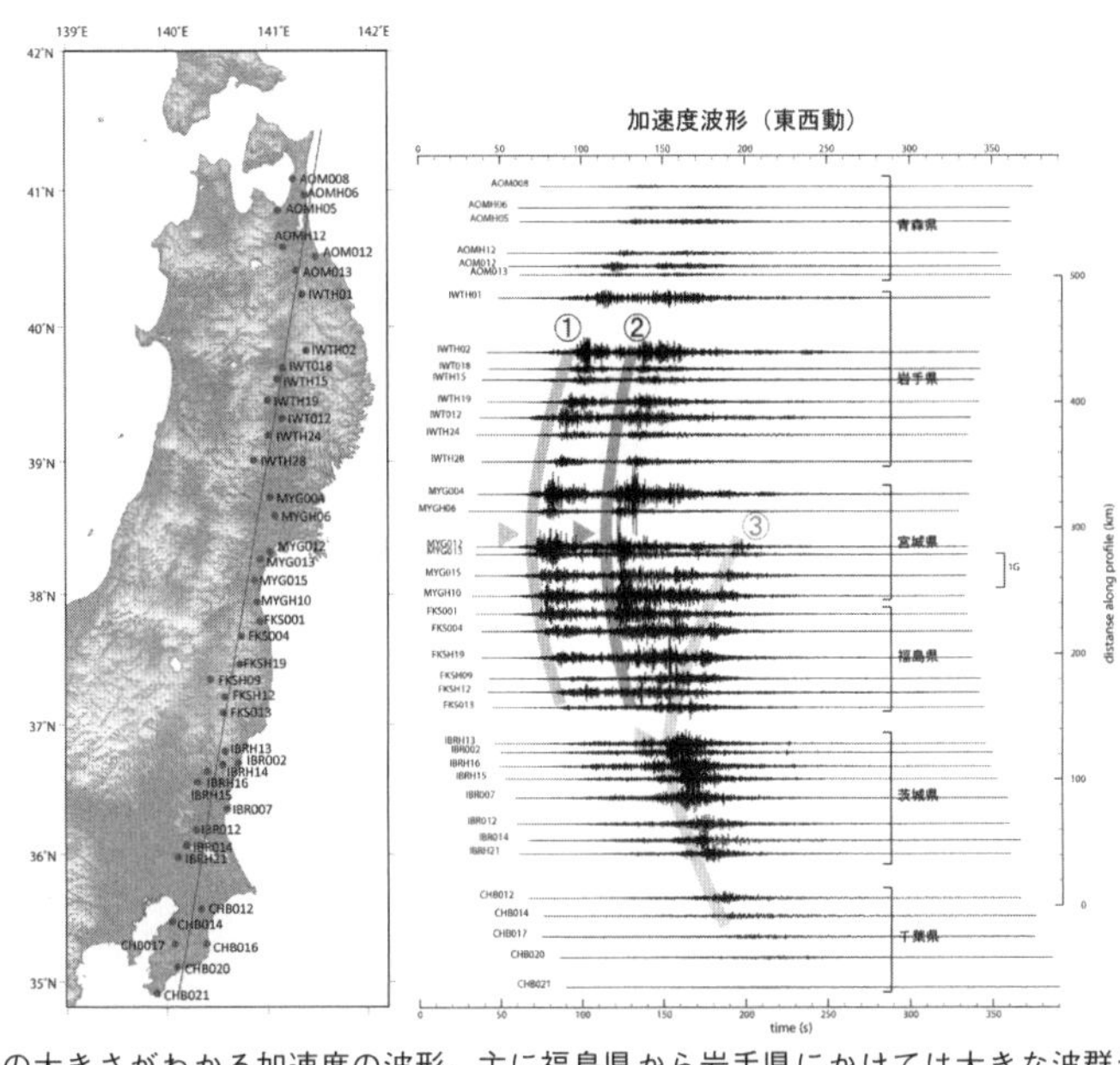

地震の大きさがわかる加速度の波形。主に福島県から岩手県にかけては大きな波群が２つあり、茨城県より南は大きな波群が１つになっている。これにより、地域によって大きな揺れを感じた回数や時間に違いがあることがわかる（出典:「2011年３月 東北地方太平洋沖地震」東大地震研 広報アウトリーチ室）。

11年3月13日に朝日新聞デジタルで配信された、「地殻破壊3連鎖、計6分　専門家、余震拡大に警鐘」という記事だった。この記事には、東日本大震災の地震波を分析した気象庁・地震予知情報課の横田崇課長の会見内容として、「陰謀論」の冒頭で紹介したのと同じく次の発言が紹介されている。

「3回の巨大地震が連続して起きていた。このような複雑な壊れ方は世界的にも極めてまれだ」

ここでは、記録された地震波が3つの大きな山を示していたことから、「3回の巨大地震が連続して起きていた」と言っている。続く「複雑な壊れ方」は後述するプレート（岩盤）の破壊を指す。

たしかに発言の中では「極めてまれ」と言われているが、その意味は「とても珍しい」であり、不自然だとか、あり得ないという意味ではない。複数の巨大地震は珍しくとも、実際に起こるものなのである。

東日本大震災で起きた地震は、その後、詳細に分析が行われ、次のようにして起こったことがわかっている。

①宮城県沖の太平洋プレート（岩盤）が、日本海溝に沿って東から日本列島（陸）のプレートの下に沈み込む。その際、陸のプレートの先端が一緒に引きずりこまれ、歪み（ひずみ）が蓄積。

②2つのプレートの接する部分が、長年蓄積した歪みに耐えられなくなり、その部分で断層（岩盤の破壊）が発生。陸のプレートの先端が跳ね上がるように大きくすべる断層運動（破壊すべり）が起きて、地震になる。

③東日本大震災の地震では、その破壊すべりが三陸沖、宮城県沖、福島県沖にわたる南北500キロ、東西200キロの広大な範囲で起きた。

④なかでも大きな破壊すべりは3回。最初は3月11日14時46分の地震発生時。宮城県沖で約1分続く（第一波）。このときの強い揺れが東日本全体に伝わった。

⑤続いて少し南側の領域が連動し、壊れ始める（第二波）。

⑥第二波とほぼ同じ頃、茨城県北部の沖合いでも破壊すべりが始まる（第三波）。このときの強い揺れは茨城県と栃木県に伝わった。

このように地震発生前の状態（①）、地震発生の仕組み（②）、連動して起きた破壊すべりの様子（③〜⑥）は詳しくわかっている。

とくに地震波の観測については、規模の大きな地震でも振り切れずに記録できる強震計という観測機器があり、日本では全国に700ヶ所以上設置されている。また日本以外に世界中の地震観測点でも、東日本大震災で起きた地震波の観測と分析は行われている。

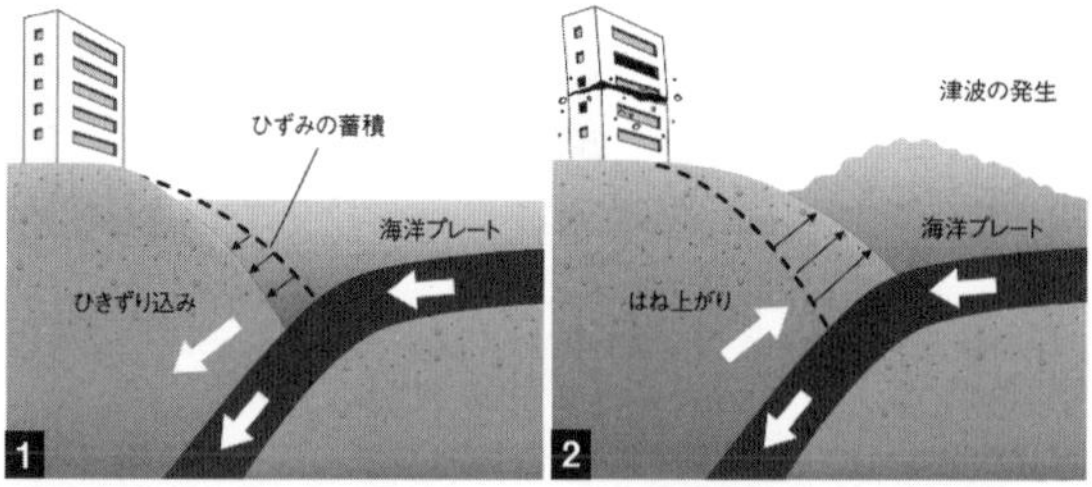

地震発生の仕組み。海洋プレート上で断層運動が起きると津波も発生する（出典:『地震がわかる！』地震調査研究推進本部）。

そうした分析結果はいくつも発表されているが、これまで不自然な点はまったく報告されていない。

震源の深さは地下10キロだった？

次に震源の深さについて。「陰謀論」では「東日本大震災の震源の深さは地下10kmしかなかった。なぜ、こんなに浅いところで地震が起きたのか？」という。また、ほかの地震も扱う陰謀論では、東日本大震災の地震以外でも、なぜか震源の深さが地下10kmに集中しているという。

だが、実際の震源の深さを調べてみれば、そのような事実はないことがわかる。次に示すのは、2000年以降に日本で起きた震度6以上、かつ死者が出た大地震と震源の深さのリストである。

芸予(げいよ)地震（2001年）　51km
十勝沖地震（2003年）　45km
新潟県中越地震（2004年）　13km
福岡県西方沖地震（2005年）　9km
能登半島地震（2007年）　11km
新潟県中越沖地震（2007年）　17km
岩手・宮城県内陸地震（2008年）　8km
岩手県沿岸北部地震（2008年）　108km
駿河湾地震（2009年）　23km
東北地方太平洋沖地震（2011年）　24km
熊本地震（2016年）　12km
大阪府北部地震（2018年）　13km
北海道胆振(いぶり)東部地震（2018年）　37km
福島県沖地震（2021年）　55km

ご覧のように、東日本大震災の地震（東北地方太平洋沖地震）の震源の深さは24km。ほかの地震も深さはバラバラである。

ちなみに、気象庁から発表される震源の深さの値には、「速報値」と「暫(ざん)定値」、それに「確定値」というものがある。

「速報値」は地震発生直後に発表される情報で、その計算には限られた地震観測点のデータのみが使われる。

「暫定値」は速報値より多くの地震観測点のデータが使われるが、多くなる分、算出に時間がかかり、通常、発表は地震が発生した日の翌日になる。最後に「確定値」は、暫定値をさらに精査して最終確定した情報である。発表は翌月で、この確定値が正しい情報になる。

陰謀論で震源の深さは10kmが多いといわれるのは、正確さより速さを優先する速報値に、きりのいい値として10kmが使われやすいからだろう。実はほとんどの場合、その後に訂正されるのだが、速報値・暫定値・確定値というものがあることを知らないと、不正確な情報だけで陰謀論を主張することになってしまう。気をつけたい。

「ちきゅう」は何ができるのか

続いては地球深部探査船「ちきゅう」の陰謀論について。その前に「ちきゅう」とは、どんな船で、どんなことができるのか説明しておきたい。

同船は国立研究開発法人海洋研究開発機構（JAMSTEC／ジャムステック）の中にある地球深部探査センター（CDEX）という部門が運用している科学掘削船だ。

全長は210メートル（新幹線8両分くらい）、幅38メートル（フットサルコートくらい）、船底からの高さは130メートル（30階建てのビルくらい）もある、なかなか大きな船である。

「ちきゅう」の目的は、海底を掘削することで断層の試料を採取したり、温度や圧力を計測したりすることで巨大地震の発生メカニズムを解明すること。ならびに海底下の生命圏の探査や、地殻の下にあるマントルへの到達と調査も目的としている。

地球深部探査船「ちきゅう」（出典:「地球深部探査船『ちきゅう』とは」http://w3.jamstec.go.jp/chikyu/j/）

掘削するときは、船上にある高さ70メートルのやぐらからパイプを海中に下ろしていく。そのパイプの内側には海底を掘るためのドリルが通るようになっていて、しばらく掘ったら最初のパイプより細いパイプを下ろして、穴が崩れないように内側をセメントで固定。次はさらに細いドリルで掘り進んでいき、またさらに細いパイプを下ろして内側を固定……といったことを繰り返していく。

穴は深くなればなるほど細くなっていき、最後に通せるパイプの直径は21・5センチになってしまう。これは、かなり小柄な女性の足のサイズと同程度だ。

また、「ちきゅう」が掘削可能な深さは7000メートル（7㎞）しかない。掘削途中でサンプルを採取しない試験掘削の場合、最速で掘ることが可能だが、それでも3700メートルを掘り進めるのに1ヶ月はかかるという。7000メートルなら約2ヶ月もかかる計算だ。

つまり、もともと「ちきゅう」が掘れる穴は小さい上に、深さも最深で7000メートル、さらに時間もかなりかかるということである。これでは陰謀論でいわれるような、誰にも見つからず、こっそり穴を掘って爆弾を仕掛けることなど不可能だろう。

そもそも東日本大震災の地震は、前述のように震源の深さが24㎞だから、**「ちきゅう」が海底に穴を掘っても到底届かない**のである。

「ちきゅう」が宮城県沖で海底掘削をしていた？

「ちきゅう」の陰謀論が根本的なところから成り立たないことは説明したとおりだが、ほかの話はどうだろうか。

まず、東日本大震災の当日に「ちきゅう」が宮城県沖で海底掘削をしていたという話は事実無根である。大震災当日に限らず、それ以前にも同船が宮城県沖で掘削をしたことは一度もない。

「ちきゅう」が2011年3月11日にいたのは青森県の八戸（はちのへ）港だった。当時、3月15日に八戸沖で研究航海が予定されており、その前に八戸の子供たちを招待して、「ちきゅう」の船内を見学してもらうところだったのである。

地震発生時の14時46分には、「ちきゅう」の乗組員のほかに、八戸市立中居林（なかいばやし）小学校の5年生48人と引率の教論４人が船内にいた。船は上下に大きく揺れたものの、ケガ人は無し。だが、すぐに大津波警報が発令されると緊急離岸が決定された。大きな津波の場合、岸の近くにいては船体が岸壁に打ちつけられる危険があり、下船してしまうと津波に飲み込まれる危険があるからだ。

緊急離岸するという判断は幸いし、「ちきゅう」の船体は最小限の損傷を受けただけで済んだ。船内にいた人たちも全員無事である。ただ、湾内には津波によって岸壁にあったコンテナや車などが流れ込んでいたため、すぐには身動きがとれない状態になった。

東日本大震災で津波が発生したときの八戸港の様子。「ちきゅう」の船上から乗組員によって撮影された（出典:「Tsunami hits the CHIKYU at port of Hachinohe on 11 March 2011 - Part1」https://www.youtube.com/watch?v=u5ohGBAr2mE）。

そこで同船にいた人たちは船内で一泊することになり、翌３月12日の昼には、海上自衛隊のヘリコプターで子供たちが救助された。

このときの様子は、当時、ニュースになっている。また、八戸港で津波に遭遇した際の様子は、船のデッキからビデオカメラで撮影・公開もされている。さらに、当時小学生だった子供たちの中には、安全を最優先して自分たちを守ってくれた「ちきゅう」の乗組員に憧れ、成人して船の機関士になった人もいる。

東日本大震災の地震が起きたとき、「ちきゅう」は宮城県沖で海底掘削などしておらず、２００㎞以上離れた八戸港にいた。この事実は覆しようがないのである。

ＬＷＤは人工地震発生装置？

それでは「ちきゅう」の乗組員が、「人工地震を発生させる」と発言していた動画の件はどうか。

問題の動画はユーチューブにいくつかアップされているが、それらでは「ちきゅう」の乗組員が「ＬＷＤ」というドリルのような装置を前に、その使い方を説明する中で次のような発言がある。

「その他、人工地震等を発生させまして、その地震波を測定するための装置です」

　これが、「ちきゅう」で人工地震を起こしていることの決定的な証拠になるという。本当だろうか？

　もともと動画は、2007年の9月から11月に行われた「ちきゅう」の科学探査の様子をまとめたもので、JAMSTECのウェブサイトにて次のタイトルで公開されていたものである（現在はリニューアルにともない閲覧不可。ネット上にある人工地震発言の動画は、この動画を転載したものか、一部を切り取ったもの）。

「Deep Sea Drilling Vessel CHIKYU Expedition 314-02」(http://www.jamstec.go.jp/chikyu/jp/ChikyuImages/video3.html)

　動画内では、JAMSTECの掘削操業監督（当時）、阿部剛氏がLWDの説明をしている。だが、そのLWDは人工地震発生装置ではない。正式名を「Logging While Drilling」（掘削同時検層）といい、意味は、「穴を掘っている間に記録する」だ。文字どおり、ドリルで穴を掘っている間、リアルタイムで様々なデータ（電気抵抗、地層の密度、音波など）を記録する装置である。

　この装置と「人工地震」発言の意味については、ASIOSの本『検証 大震災の予言・陰謀論』（文芸社）が詳しい。同書では山本弘氏がJAMSTECの東京事務所を訪れ、関係

（右）LWDを人工地震発生装置として説明していると勘違いされている動画の一コマ（出展:「地下深部掘削船『ちきゅう』関係者の『人工地震』発言」https://www.youtube.com/watch?v=XfR9xzHIs0g）、（左）LWDを撮影した写真。見た目は写真のような円柱状になっており、先端には穴を掘るためのドリル、その上にセンサー部分がある（出典:「孔内計測」https://www.jamstec.go.jp/cdex/j/operations/logging.html）。

者に取材を行った記事がある。

その記事によれば、前出の阿部剛氏が言う「人工地震」とは、「エアガン」と呼ばれる装置で発生させる音波による振動のことだという。エアガンは水深10メートルほどのところにあり、そこから１３０気圧に圧縮した空気を水中に放出。すると大きな泡ができるが、泡は水圧で縮んだり、反動で広がったりを繰り返す。その過程でボンボンと振動することにより、音波になるという。この音波は地層の境界ではね返ってくるため、それをマイクで録音。そうすることで地層の調査ができるそうだ（この技術は１９５０年代に開発されたもので「反射法地震探査」という。ＪＡＭＳＴＥＣ以外の研究機関も使っている）。

反射法地震探査の仕組み（画像はJAMSTEC「統合国際深海掘削計画」より）

ちなみに音波による地中の振動を、人間はほとんど感じることができない。また、音波を発生させるエアガン自体、「ちきゅう」には搭載されていない。エアガンは他の調査船にあり、「ちきゅう」は音波による振動を測定するだけである。

このように、「ちきゅう」が人工地震を仕組んでいる実行犯だという陰謀論は、どれも成り立たないことがわかるだろう。

新聞で人工地震が報道されていた？

続いては、人工地震の新聞報道について。「陰謀論」によれば、過去には日本で人工地震を起こすことがよく行われており、その様子が新聞で報道されていたという。ネットでは、そうした新聞の記事がスキャンされた画像の状態でいくつも紹介され、人工地震の根拠として拡散されている。

たしかに、新聞で報道されているとなれば信憑性は高くなりそうだ。けれどもネットで拡散されている画像を確認してみると、画質が悪く、見出しは読めても本文は読めないことが多い。

本当に、陰謀論でいわれるような人工地震のことが報道されているのだろうか？　筆者は出回っている1つ1つの画像にある新聞記事を、図書館へ行って実際に確認してみることにした。その結果、わかったのは次のことである。

大部分の記事で扱われていた「人工地震」の中身は、地質調査を目的とした小規模な実験だった。日本や海外では、爆薬を地下に仕掛けて爆発させ、その震動による地震波を測定することで地質を調査することが行われてきた（地質によって地震波の伝わり方が異なるため、違いを分析することで地下の構造がわかるようになる）。

そうした実験で使われる爆薬の量は一定ではない。今回確認した記事の中で最も多くの爆薬が使われたのは、1957年12月に岐阜県の御母衣ダム建設にともなう地質調査のときで86トン（『読売新聞』1958年3月5日）。最少は1936年8月に新潟県刈羽郡柏崎で行われた鉱脈探査のときで2キロだった。（『読売新聞』1936年8月23日）。

参考までに、東日本大震災を起こした地震の規模、マグニチュード9・0のエネルギーは、一般的なTNT（トリニトロトルエンという化合物）の爆薬に換算すると4億8000万トンにもなる。

また、前述の「日本で人工地震を起こした様子が報道されていた」として出回っている記事だが、そのときの実験で爆薬を仕掛けるために掘られる穴の深さは、最も深いもので100メートルしかなかった（『読売新聞』1984年3月12日）。一方、東日本大震災における地震の震源の深さは24㎞である。

つまり、記事にある**「人工地震」と東日本大震災の地震とでは、そのエネルギーも地下の深さもまるでケタ違い**なのだ。こんな比較にならないものを持ってきて、「だから昔から人工地震はある」という根拠にすることはできない。

それでは、ほかの少数の記事はどうだろうか。それらには穴を掘っていなければ、爆薬も使っていないものも人工地震大きすぎた！
新幹線ダイヤ乱れる
震度「1」の予定が「4－5」
「地盤弱かった」

見出しはセンセーショナルなため人工地震を報じた中で最も拡散されている記事。中身は地質調査の実験場近くにあった変電所の感震器が80ガル（震度4～5相当）の加速度を感知。システム上、安全確認をする必要があり、新幹線が減速運転するようになったという話。新幹線に物理的な被害が出たわけではなく、変電所の感震器が瞬間的に反応しただけだった（出典：『読売新聞』１９８４年3月12日）。

あった。例えば、１９３５年5月に東京で地盤の強弱を知るために実施された調査では、高さ3メートルのやぐらを地上に設置し、そこから重さ40キロの鐘を下ろして震動を起こすということが行われていた（『読売新聞』１９３５年6月1日）。

他方、１９３８年2月に東京試験機製作所で行われた耐震実験では、2メートル四方の鉄板の上に小型の建物をのせ、モーターで鉄板を震動させることで建物の耐震性能を測定していた（『読売新聞』１９３８年2月18日）。

第二次世界大戦中には、アメリカが戦争で人工地震を起こす計画

科學日本の大殺陣
搖ぐ搖ぐ大地は搖ぐ
もの凄い人工地震
祕められた資源を探る實驗果す
青山博士ら揚々と凱旋

こちらも見出しは大げさだが、内容は深さ3メートルの穴を掘って、約2キロの爆薬を埋め、爆発させて鉱脈を探ったという話。ネットで出回っている記事の中では最少の爆薬量。（出典：『読売新聞』（１９３６年8月23日）

があるという記事もあった。しかし実際に記事で書かれている内容は、その計画（天文学的な量の爆薬を多数の潜水艦を使って日本の沿岸に沈める）が荒唐無稽な上に、「こんな苦労をしてもどの程度の地震が起こるか測定不可能という結論が出てご破算になった」と、人工地震を否定するものだった（『読売新聞』１９４５年1月9日）。

ほかには一部、地質調査のために原爆を使う人工地震計画を報じたものもある（『朝日新聞』１９５５年9月21日、

『読売新聞』1957年9月7日)。原爆の場合、爆発の規模がダイナマイトなどより大きい分、地質調査できる範囲は広がる。

とはいえ、自然に起きる地震と原爆による人工地震では規模がまるで違う。記事でも、次のようなことが書かれていた。

「天然地震からみれば微少なもの」「人工地震に比べると普通の地震は桁違いなエネルギーを持っている。関東大震災のエネルギーはおよそ10の26乗エルグで、これは広島に投下された原爆エネルギーのおよそ100万倍といわれる」(『朝日新聞』1955年9月21日、なおエルグはエネルギーおよび仕事量を表す単位)

やはり、新聞報道にある「人工地震」は規模が小さすぎるのだ。

ちなみに人工地震の新聞報道に関する陰謀論では、1992年以降、情報統制が始まり、人工地震について報じる新聞記事はなくなったといわれている。なんでも、3年後の1995年に起きた阪神・淡路大震災から、人工地震を起こす地震兵器が実戦投入されるようになったからだという。

ところが筆者が確認したところ、**そのような事実はまったくなかった。1992年以降も前出のような人工地震を報じる記事は普通に書かれ続けている。**

地震兵器を禁止する条約が国連で採択された?

続いては、「陰謀論」の「1976年には地震兵器の使用を禁止する条約が国連総会で採択されている。日本も1982年にこの条約に加入し、外務省のウェブサイトでは条約文を確認できる」という件について。「陰謀論」では、その話から地震兵器なるものが実在し、禁止されたのだと話が展開していく。

だが、それは早とちりだった。どういうことか説明しよう。問題の条約は、正式名を「環境改変技術の軍事的使用その他の敵対的使用の禁止に関する条約」という。この条約ができたきっかけは、1960年代から70年代にかけて行われたベトナム戦争にあった。

当時、アメリカ軍は、ゲリラの隠れ場所となるジャン

◎環境改変技術の軍事的使用その他の敵対的使用の禁止に関する条約

（略称）環境改変技術敵対的使用禁止条約

昭和五十二年五月十八日　ジュネーヴで作成
昭和五十三年十月五日　効力発生
昭和五十七年六月四日　国会承認
昭和五十七年六月四日　加入の閣議決定
昭和五十七年六月九日　加入書寄託
昭和五十七年六月九日　公布及び告示
（条約第七号及び外務省告示第一八八号）
昭和五十七年六月九日　我が国について効力発生

目次

外務省のウェブサイトで公開されている「環境改変技術の軍事的使用その他の敵対的使用の禁止に関する条約」の文書の一部（出典：https://www.mofa.go.jp/mofaj/gaiko/treaty/pdfs/B-S57-0129.pdf）

グルを枯れさせるため、枯れ葉剤を大量散布して環境に重大な悪影響を及ぼしていた。それが国際社会で問題となり、国連総会はアメリカ軍の枯れ葉作戦を強く非難する決議を採択。ジュネーブの軍縮委員会で、こうした兵器や技術を禁止する条約の検討が行われ、1976年に国連総会にて前出の条約が正式に採択された（条約の発効は1978年。日本は1982年にこの条約に加入）。

このようなきっかけと経緯であるため、**地震兵器が実在したから禁止されたということはない。**

それにもかかわらず、なぜ地震兵器とこの条約が結びつけられたのか。それは、条約が禁止する「環境改変技術」の一例に、人工的な地震が挙げられることがあるからだ。

実は、もともとの条約には、次のように書かれていて、具体例はない。

〈『環境改変技術』とは、自然の作用を意図的に操作することにより地球（生物相、岩石圏、水圏及び気圏を含む。）又は宇宙空間の構造、組成又は運動に変更を加える技術をいう〉（第二条）

かなり包括的であり、あいまいである。そこで外務省のウェブサイトでは同条約について、次の解説がなされている。

〈環境変更技術の軍事利用禁止とは、現在あるいは将来開発される技術により自然界の諸現象を故意に変更し（例えば地震や津波を人工的に起したり台風やハリケーンの方向を変える）、これを軍事的敵対的に利用することを禁止しようとするものである。

禁止の対象が必ずしも現在の技術のみでないため具体的な技術の使用を禁止できず、そのため技術の使用の結果が「広範、長期、重大」なものを禁止しようとするものので、その意味であくまでも予防的軍備管理措置である〉

ここで「例えば地震や津波を人工的に起したり」という形で人工的な地震の例が出てくることから、陰謀論に取り込まれたわけである。しかし、前述のように条約成立のきっかけと経緯に地震兵器の実在云々といった話は関係していない。また、条約そのものにも「地震」や「人工地震」、「地震兵器」といった具体例は書かれていない。

人工地震の例が出てくるのは、将来的な開発も含む話の中である。だからこそ「具体的な技術の使用を禁止できず」「予防的軍備管理措置」となっているのだ。地震兵器なるものが具体的に実在するとは主張されていない点には留意が必要である。

「プロジェクト・シール」は実行可能か？

最後は、第二次世界大戦末期に、アメリカ軍とニュージーランド軍が共同実験していたという「プロジェクト・シール」について。

このプロジェクト自体は実在していた。プロジェクトの文書がニュージーランドで公開されたのは１９９９年。「陰謀論」では、２００５年にアメリカ軍から機密文書が公開されて知られるようになったとされるが、それはほとんど日本でしか広まっていない話だ。

海外では閉鎖された陰謀論者のウェブサイトに、そうした文書とされるものがかつてアップされていたことがある。けれども、それが本当にアメリカ軍、もしくは他の公的機関から公開されたものだという確証はない。にもかかわらず、日本ではそうした真偽不明の情報が拡散され、判で捺(お)したように同じ紹介文がコピーされ続けている。

実際に確認できる「プロジェクト・シール」のあらましはこうだ。１９９９年にニュージーランドでプロジェクトの文書が公開。それを同国の作家で映画製作者のレイ・ワルがニュージーランド公文書館で見つけ、マスメディアを通じて広めたことで世に知られるようになった。現在、プロジェクトに関する文書は同公文書館のオンラインデータベースに登録されており、オンラインでも閲覧可能になっている。

そうした文書にはどういったことが書かれているのか。

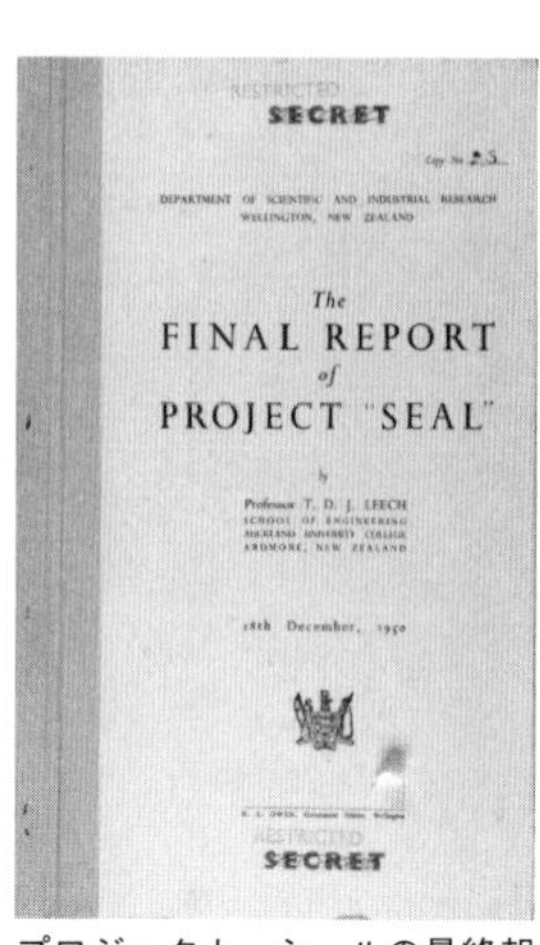
SECRET

DEPARTMENT OF SCIENTIFIC AND INDUSTRIAL RESEARCH
WELLINGTON, NEW ZEALAND

The
FINAL REPORT
of
PROJECT "SEAL"

by
Professor T. D. J. LEECH
SCHOOL OF ENGINEERING
AUCKLAND UNIVERSITY COLLEGE
ARDMORE, NEW ZEALAND

18th December, 1950

SECRET

プロジェクト・シールの最終報告書の表紙（出典：「The Final Report of Project “Seal”」）

読んでみてわかったのは、主に次のことである。

１９３６年から１９４１年頃、アメリカ海軍中佐のE・A・ギブソンは、太平洋の島にあるサンゴ礁(しょう)を一掃するため爆弾を使っていた。すると、予期せぬ大きな波が時折発生することを知った。そこから着想を得たギブソンは、１９４１年1月13日、ニュージーランド参謀本部長のエドワード・パティックに、人工的な高波を起こす技術の開発を提案。いくつかの検討を経て、同年５月5日、オークランド大学の科学開発部長、T・D・リーチ教授をリーダーとする研究チームが発足。人工津波計画「プロジェクト・シール」が始動した。

なお、ここで1つ指摘しておかなければならないのは、同プロジェクトの研究対象が人工的に津波を起こすことだったという点だ。**人工地震は最初から研究対象に含まれていない。**

さて、このように始動した「プロジェクト・シール」は、１９４４年6月6日からニュージーランド北部のファンガパラオア半島にある要塞跡地で本格的に実験が行われるようになった。実験では、幅約３７０メートル、長さは約60メートルのプールにて、毎回、約0・03〜約270キロの爆薬が使われたとしている。

そして実験を重ねた結果、とくに次の3つが重要なポイントであるとわかったという。

○**爆弾の数**。1つでは効率が悪く、大きな波が発生しない。

○**爆弾の間隔**。爆弾は一ヶ所に集めるのではなく、適切な間隔で横に並べることで、爆発によって発生した波に方向性を与えられる。

○**爆弾を設置する深さ**。水深が深いと水中で爆発のエネルギーが吸収されてしまう。そのため最も適切な深さは水面に近い比較的浅めの位置。そこから少しでもズレると波のエネルギーが急激に下がる。

これらのポイントを踏まえ、「プロジェクト・シール」が出した結論は、次のようなものだった。

○攻撃対象の沿岸から約8㎞沖合いに、2000トンのTNT爆弾を10等分して適切に配置。それらを爆発させた場合、高さ約9〜12メートルの波を発生させることが可能。

ところが、この研究結果は実戦で試されることはなかった。戦時中で情報伝達がうまくいかず、当初の水中深くでの実験失敗だけが軍の上層部に伝わったこと、ならびに1944年の終わり頃には太平洋戦争で連合国側が優勢になってきたことがあり、「プロジェクト・シール」の優先順位が低下。1945年1月8日に同プロジェクトは閉鎖されることになったのである。

これが「プロジェクト・シール」の概要だった。「陰謀論」では「爆弾を爆発させることで、地震と30メートル超の大津波を発生させることに成功。爆弾は海底プレートから8キロ以内に仕掛ければ、1年以内に狙った場所で地震と津波を起こせる」としているが、そのようなことはプロジェクトの文書には書かれていない。

なお、「プロジェクト・シール」は先述のように人工地震とは関係しないが、もしこのプロジェクトを東日本大震災のときに使用する計画があったと想定した場合、はたして実行可能だっただろうか？

少しでも検討してみれば、まるで不可能だとわかる。東日本大震災のときに津波が押し寄せたのは、青森県から千葉県にかけての太平洋沿岸地域で、その長さは約800㎞にも及ぶ。「プロジェクト・シール」に従うならば、この長大な範囲の沖合いに爆弾をずらりと並べたことになる。

しかも、そうした太平洋側の沖合いの多くは豊かな漁場である。設置場所の沖合い8㎞などは漁船が頻繁に行き交っている。そんなところの水面近くに、800㎞にも渡ってどうやって爆弾を仕掛けるというのか。

また、何か架空の超技術によって爆弾の設置がクリアできたとしても問題は残る。全長800㎞の範囲で一斉に爆弾が爆発すれば、壮大な水柱がずらりとできてしまうのだ。

そんなド派手なことをやったらバレるに決まっている。陰謀組織は隅田川花火大会でもやりたかったのだろうか？

人工地震の陰謀論はコピペの繰り返し

さて、このように東日本大震災の地震が人工的に起こされたものだという疑惑の数々は、事実無根のデマや勘違いから生まれている。

ユーチューブやブログ、本などで拡散されている情報の多くは、「人工地震の真実」なるものを暴いたものではない。誰かのデマや勘違いを、お手軽にコピーして転載（コピペ）したものばかりである。

そうした手抜きのコピペ情報から、何かを学ぶことは難しい。ならば、そうしたものとは少し距離を置き、現実に起こる自然地震や津波の対応策を考えていた方がよほど有益ではないだろうか。

本稿を読まれた読者の皆さんが、人工地震なる陰謀論に惑わされることなく、それぞれの対策を地道に進められることを切に願っている。（本城達也）

参考文献
「人工精霊・地震は存在するのか？！」Naokiman Show (https://www.

youtube.com/watch?v=bxXF3kuHJpA）

「【削除覚悟】人工地震の真実！」少年革命家ゆたぼんチャンネル（https://www.youtube.com/watch?v=AYfLnwaTh8o）

『最強の都市伝説5』（並木伸一郎、経済界）

「地殻破壊3連鎖、計6分　専門家、余震拡大に警鐘」『朝日新聞デジタル』２０１１年３月13日配信（http://www.asahi.com/special/10005/TKY201103130302.html）

『地震がわかる！』（地震調査研究推進本部）

「２０１１年３月　東北地方太平洋沖地震」東大地震研　広報アウトリーチ室（https://web.archive.org/web/20210412023237/www.eri.u-tokyo.ac.jp/PREV_HP/outreach/eqvolc/201103_tohoku/）

「東北地方太平洋沖地震による地震動の特徴」『日本地すべり学会誌』（大野晋、Vol.50 No.2, March 2013）

「東北地方太平洋沖地震の概要」井出哲、東京大学　大学院理学系研究科・理学部（https://www.s.u-tokyo.ac.jp/ja/story/newsletter/43/1/features/04.html）

「話題の研究　謎解き解説」海洋研究開発機構（http://www.jamstec.go.jp/j/about/press_release/quest/20170111/）

「震度データベース検索」気象庁（https://www.data.jma.go.jp/svd/eqdb/data/shindo/index.html）

「防災情報のページ」内閣府（http://www.bousai.go.jp/）

「〈速報〉福島県沖地震で死者」『福島民報』（https://www.minpo.jp/news/moredetail/2021022583948）

「震度・マグニチュード・地震情報について」気象庁（https://www.jma.go.jp/jma/kishou/know/faq/faq27.html）

「『ちきゅう』概要」地球深部探査センター　ＣＤＥＸ（https://www.jamstec.go.jp/cdex/j/spec.html）

「『ちきゅう』とは」地球深部探査船「ちきゅう」（https://www.jamstec.go.jp/chikyu/j/about/）

「JAMSTEC最前線：地球深部探査船『ちきゅう』のスゴイ装備。横浜マリンタワーより神戸ポートタワーより高い櫓はなんのため？」Motor-Fan（https://motor-fan.jp/article/10012532）

「【東日本大震災】子どもたちの歌声が、船内の空気を変えた。探査船「ちきゅう」の被災体験が絵本に」『ハフポスト』（https://www.huffingtonpost.jp/entry/song_jp_5c80a39ee4b0e62f69e9be03）

「恩田船長インタビュー　３月11日に何が起きたのか『ちきゅう』を襲った大津波」『「地球発見」ウェブマガジン』（https://www.jamstec.go.jp/chikyu/j/magazine/future/no12/index.html）

「探査船で一夜を過ごした小学生ら救出　青森」『日テレNEWS24』（https://www.news24.jp/articles/2011/03/12/07178044.html）

「東日本大震災：被災児童が機関士に　八戸港の船中で東日本大震災経験　小松幸生さん（20）／青森」『毎日新聞』（https://mainichi.jp/articles/20200911/ddl/k02/040/022000c）

「Integrated Ocean Drilling Program（IODP）Nankai Trough Seismogenic Zone Experiment（NanTroSEIZE）Deep-Sea Drilling Vessel Chikyu Successfully Completes Expedition 314」JAMSTEC（http://www.jamstec.go.jp/e/about/press_release/20071116/）

「地球深部のデータを、掘削とともにリアルタイムで計測　掘削同時検層（ＬＷＤ）」『「地球発見」ウェブマガジン』（https://www.jamstec.go.jp/chikyu/j/magazine/graphic/no16/index.html）

「孔内計測」ＪＡＭＳＴＥＣ　地球深部探査センター（https://www.jamstec.go.jp/cdex/j/operations/logging.html）

『検証 大震災の予言・陰謀論』（ＡＳＩＯＳ、文芸社）

「地球を打診 至極簡単な設備」『読売新聞』（１９３５年６月１日付朝刊、第７面）

「揺ぐ〳〵大地は揺ぐもの凄い人工地震 秘められた資源を探る実験果す 青山博士ら揚々と凱旋」『読売新聞』（１９３６年８月23日付朝刊、第７面）

「揺れるぞ 関東大震災以上 家屋、ビルの耐震建築検討へ河野教授 あす珍しい人工地震の実験」『読売新聞』（１９３８年２月18日付夕刊、第２面）

「玄界灘の底深く〝人工地震〟実験」『読売新聞』（１９４１年５月６日付朝刊、第３面）

「人工地震で対日攻勢 敵アメリカ笑止な皮算用」『読売新聞』（１９４５年１月９日付朝刊、第２面）

「人工地震で九名ガス中毒 釜石」『読売新聞』（１９５３年９月13日付夕刊、第３面）

「原爆による人工地震計画」『朝日新聞』（１９５５年９月21日付夕刊、第３面）

「最大の人工地震成功 今暁、茨城で ふきあがる地下水六本」『読売新聞』（１９５６年12月５日付朝刊、第７面）

「震度Ｖで大成功 今暁、茨城で人工地震」『読売新聞』（１９５７年８月26日付朝刊、第７面）

「原爆で人工地震 ネバダで14日に初実験」『読売新聞』（１９５７年９月７日付朝刊、第７面）

「人工地震に成功 御母衣ダム」『読売新聞』（１９５８年３月５日付夕刊、第５面）

「深夜の人工地震 新潟で本土横断の地殻構造を調べる」『読売新聞』（１９６１年11月10日付朝刊、第11面）

「人工地震 日本列島は生きている 地殻の構造をさぐる 注目される海洋実験」『読売新聞』（１９６５年３月31日付夕刊、第３面）

「地震 発生待つより制御研究を」『読売新聞』（１９７３年８月30日付朝刊、第７面）

「〝気象兵器〟で米ソ交渉」『読売新聞』（１９７５年６月18日付朝刊、第４面）

「恐るべき環境・気象破壊兵器」『読売新聞』（１９７５年６月20日付朝刊、第７面）

「人工地震大きすぎた！ 新幹線ダイヤ乱れる 震度『１』の予定が『４—５』」『読売新聞』（１９８４年３月12日付朝刊、第23面）

「人工地震感じちゃった！ 東海道新幹線 徐行し遅れ」『朝日新聞』（１９８４年３月12日付朝刊、第23面）

「環境改変技術の軍事的使用その他の敵対的使用の禁止に関する条約」外務省（https://www.mofa.go.jp/mofaj/gaiko/treaty/pdfs/B-S57-0129.pdf）

「戦争法における自然環境の保護：環境変更禁止条約及び第一追加議定書とその後の展開」『同志社法学』（瀬岡直、55巻1号）

「環境破壊兵器禁止条約とは」コトバンク（https://kotobank.jp/word/環境破壊兵器禁止条約-1520326）

「わが外交の近況 第２部 第４章 第２節 軍縮問題」外務省（https://www.mofa.go.jp/mofaj/gaiko/bluebook/1977_1/s52-2-4-2.htm#ab6）

「The Final Report of Project "Seal"」Archives New Zealand (https://ndhadeliver.natlib.govt.nz/delivery/DeliveryManagerServlet?dps_pid=IE15476402)

「The Best Kept Secret of World War Two — Project Seal, the

tsunami bomb」『NBR』（https://www.nbr.co.nz/article/best-kept-secret-world-war-two-%E2%80%94-project-seal-tsunami-bomb-ck-134614）

「The US And New Zealand Secretly Tested The First Tsunami Bomb」『INSIDER』（https://www.businessinsider.com/the-us-and-new-zealand-secretly-tested-the-worlds-first-tsunami-bomb-2013-1）

「Military archives show NZ and US conducted secret tsunami bomb tests」『ABC』（https://www.abc.net.au/am/content/2013/s3663487.htm）

「今回の津波被害の概要」内閣府防災情報（http://www.bousai.go.jp/kaigirep/chousakai/tohokukyokun/1/pdf/3-2.pdf）

84ページの画像の出典：JAMSTEC「統合国際深海掘削計画」（http://www.jamstec.go.jp/j/about/press_release/20090730）

私たちは「思考盗聴テクノロジー」を使った「集団ストーカー」に狙われている

陰謀論

集団ストーカーの犯人は宗教団体や警察か

エレクトロニック・ハラスメントとかマイクロウェーブ・ハラスメントと呼ばれるものがある。ある集団が最新の「思考盗聴テクノロジー」を用いて、特定の市民を攻撃し、苦しめているというものだ。

彼らは被害者の心の中を遠隔から読み取る一方で、下品な内容や中傷するような内容の声を、被害者の頭の中に「放送」する。「殺す」「死ね」などと脅迫してくることもある。また、被害者の肉体を操って、痛み、かゆみ、めまい、心臓の動悸、下腹部への異常な感触を起こしたりもする。

こうした集団は、いわゆる「集団ストーカー」と同一

視されることが多い。彼らはターゲットの近所に住みつき、ときには職場に集団で入り込んで、日常生活を監視・盗聴する一方、ターゲットが外出する際には大勢でつきまとって嫌がらせをする。その手法は次のようなものである。

○アンカリング＝通行人のふりをして、すれ違いながらターゲットをにらみつけたり、咳払いをしたり、同じ色の服を着た人がいたり、不自然なしぐさをする。

○コリジョンキャンペーン＝人や車や自転車でターゲットの行く手をさえぎったり、きわどい距離ですれ違ったりする。スーパーのレジや駅の改札などで列を作り、ターゲットの行動を妨害する。

○ガスライティング＝ターゲット宅に侵入し、ゴミ箱などの位置を変えたり、調味料の味を変えたり、服を違うサイズのもの

と交換したりする。車に侵入してシートやミラーの位置を変えたり、ヘッドライトを点灯させてバッテリーを上げたりする。
○ノイズキャンペーン＝水を流す音、洗濯機の音、大声による会話、貧乏ゆすり、子供の騒ぎ声、工事の騒音、車やバイクの排気音、広報車や宣伝カーなど、ターゲットの周りで気になる音を立てる。
○ブライティング＝夜道で車のヘッドライトを浴びせかける。
○ほのめかし＝友人との何気ない会話の中で、ターゲットが部屋で1人でいたときの行動について間接的に言及したり、暗証番号や電話番号と同じナンバーの車を出現させたり、個人情報が漏れていることをほのめかしたりする。
○テクノロジー犯罪＝電磁波といった目に見えない媒体を用い、電気製品から悪口を流したり、睡眠を妨害したりして、身体・精神に影響を及ぼす。

この他にも、「外出するたびに上空にヘリコプターを飛ばす」「パソコンなどの電化製品の調子をおかしくする」など、様々な嫌がらせの手口が報告されている。こうした集団ストーカーの犯人として、日本では某大手宗教団体、アメリカではＣＩＡやＦＢＩの名が挙げられる。警察もこうした陰謀の一味で、被害を訴えても取り上げてもらえないことが多い。

真相

思考を読む技術はどこまで進歩しているか

２０１０年4月、チップメーカーのインテルが、カーネギーメロン大学やピッツバーグ大学と共同開発中の「人の思考を読み取るソフトウェア」を発表した。被験者に「納屋」「家」「ねじ回し」などの単語を見せながら、ｆＭＲＩ（機能性ＭＲＩ）によって被験者の脳をスキャンすることにより、どの単語のことを考えているかを読み取るというものである。

さらに２０１７年7月、カーネギーメロン大学の研究者らが「ＡＩで人の思考を読み取ることに成功」と発表した。被験者に事前に伝えておいた２４０種の文章を思い浮かべてもらいながら、被験者の脳をモニタリングすることにより、そのとき何を思い浮かべていたかを読み取るというものだ。２３９通りのＭＲＩの結果をＡＩに学習させた時点で２４０番目のデータを与えると、対応する言葉を見事予測。反対に、言葉から脳の活性化される部分を予測させることも87パーセントの精度で的中させることができたという。

ｆＭＲＩは脳の中で酸素の消費量の多い部分、つまり活発に活動中の領域を測定するものである。人間の脳は、計算している場合、しゃべっている場合、何かを思い出している場合などで、活動する領域が異なる。だからｆＭＲＩで調べれば「この人は今、計算しているな」「何かを思い出しているな」というのがわかる。さらに「家」について考えている場合と「ねじ回し」について考えている場合も、微妙に活動領域が違っている。

それらの違いをコンピューターに記憶させれば、被験者が考えているのが「家」なのか「ねじ回し」なのかがわかるわけである。

だが、これでどんな人間の思考も読めるというわけではない。人によって同じ単語を見ても脳の活動領域は異なるのだ。

１人の被験者で長時間のモニターを続け、どんな単語を見ればどの部分が活動するのかをコンピューターに学習させなくてはならない。単語と活動領域の対応表が完成して初めて、どんな単語のことを考えているかが読み取れるようになる。

無論、活動表にない単語のことを考えていても読み取れないし、一度もモニターされたことのない人の思考も読めない。当然、その逆——被験者に声を聞かせることも難しい。

磁気で脳の活動に干渉して声を聞かせたり映像を見せたりすることも、将来的には可能になるかもしれない。だが、そのためには被験者の脳をあらかじめ徹底的に調べ、どんな刺激を与えたらどんな声が聞こえるかを知る必要があるだろう。

ヘルメットや電極を装着せずに、思考の「盗聴」は不可能

遠く離れた人間の脳をこっそりモニターするのも不可能である。ｆＭＲＩは非常に大きな装置で、被験者はそ

のトンネル状の内部に頭を入れないといけないのだ。将来的に小型化できるかもしれないが、頭から装置をすっぽりかぶらなくてはいけない点は変わらないだろう。

それにＭＲＩは強い磁気を用いる装置で、近くにある金属製品を吸い寄せてしまう。検査は密閉された室内で行われ、被験者はヘアピン、ライター、時計、磁気カード、ホックの付いたブラジャーなど、金属を用いているものをすべて事前にはずさなくてはならない。

２００１年にはニューヨークで、ＭＲＩ検査室に誤って置かれていた酸素ボンベが時速30km以上で装置に向かって引き寄せられ、検査を受けていた6歳の男児の頭に直撃して死亡させるという事故も起きている。それぐらい強力な磁力なのだ。屋外での使用など言語道断である。

脳波を測定するだけならそうしたことは起きない。だが、脳波は思考の内容を反映してはいないため、ｆＭＲＩのように、脳の活動状態をモニターすることで思考を読むことはできない。

ｆＭＲＩと同様に、脳波も遠方からモニターすることはできない。脳波はきわめて微弱である上、顔面の筋肉などが発する電気信号（アーチファクトと呼ばれる）とまぎらわしいのだ。

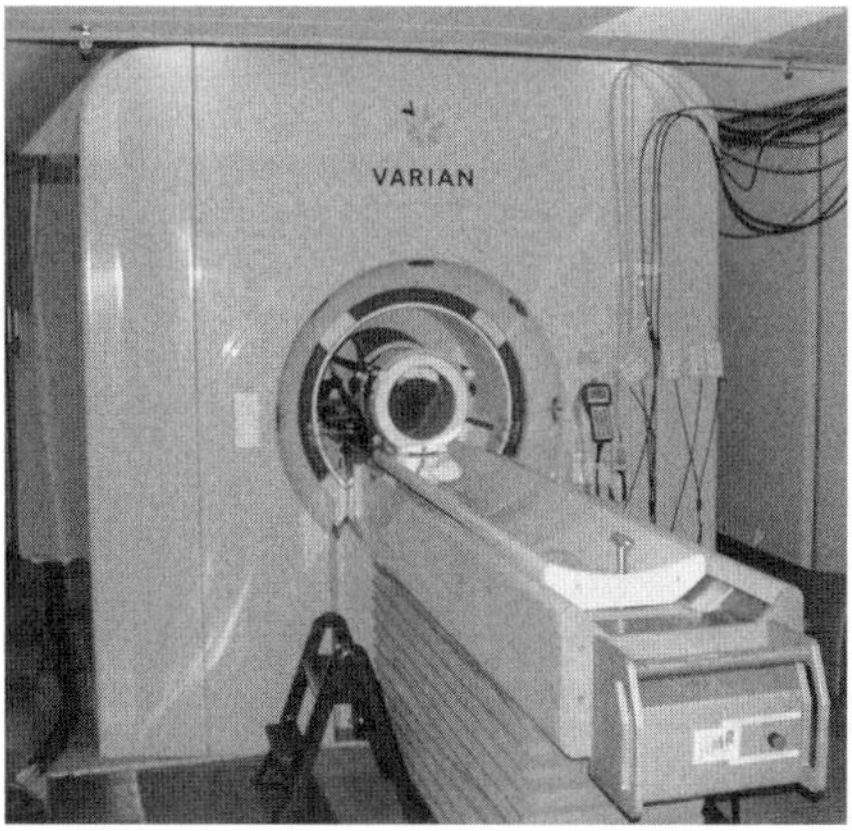

fMRIスキャナー

すなわち、被験者の思考を読むためには、どうしてもヘルメットや電極を頭に装着する必要があり、被験者の協力が必要なのである。誰かの思考を遠隔からこっそり「盗聴」することは、現在の科学では不可能だし、将来的にも困難だろう。

「被害者」が撮影した映像はどれも日常の一場面

アンカリング、コリジョンキャンペーン、ガスライティング、ノイズキャンペーン……自分が集団ストーカーの被害者だと信じている人たちは、これらの事例が自分だけをターゲットにして起きていると思っている。だが、実際にはすべての人間に等しく起きていることは言うまでもない。

通行人が咳払いするのも、自転車やバイクとすれ違うのも、スーパーのレジで自分の前に人が並ぶのも、ゴミ箱がいつもの場所に見当たらないのも、近所の騒音に悩まされるのも、パソコンが不調になるのも、誰もが日常的に経験しているはずだ。普通の人はそんなことにいちいち何らかの意図を感じたりはしない。多少、不快になるだけのことだ。

ガスライティングという用語はイギリスの演劇『ガス燈』（1938年）に由来する。その映画化『ガス燈』（1944年）では夫により精神的に追いつめられていく妻の役を若きイングリッド・バーグマンが演じた。画像はその『ガス燈』のポスター

YouTubeでもこうした「集団ストーカー被害者」が撮影した「証拠映像」が多数アップされている。それらを見てみると、彼らが「アンカリング」「コリジョンキャンペーン」と称しているものは、どう見てもただの通行人や郵便配達、駐車中の車、すれ違うバイクなど、ありふれた日常の一場面でしかないことがわかる。

言い換えれば、本当に「集団ストーカー」が実在し、そんな地味な嫌がらせをしていたとしても、ターゲットが普通の人なら、まるで気がつかないということである。だいたい、大勢の人間を動員して1人の人間を監視してつけ回すだけでも、けっこうな手間と予算がかかるはずだ。

「外出するたびに上空にヘリコプターを飛ばす」とかいう話にいたっては、まったく非現実的である。ヘリコプ

ターは1時間チャーターするだけで何十万円もかかるのだ。

その人物がいつ外出するか予想できないのだから、そのためだけにヘリコプターを常時待機させておかねばならないことになり、年間では億単位の出費になるだろう。ターゲットがよほどの重要人物ならまだしも、その集団はいったい何の目的で、一般市民に対してそんな無意味なことをやっているのだろうか。

探偵が調査したら、どれも思い違いだった

盗聴発見を専門にしている探偵の古牧和都(こまきかずと)氏は、著書『集団ストーカー』(晋遊社)の中で、自らの豊富な体験をもとに、「集団ストーカーなるものは実在しない」と断言している。依頼者から訴えがあって調査に行っても、どれも単なる思い違いにすぎなかった。

柱の穴を「盗撮カメラ」と思う人。ただのガス警報機を「盗聴器」と思う人。冷蔵庫のコンプレッサーの音を恐れる人。電話が料金未払いで使えなくなったのを「電話に細工された」と思う人。小牧和都氏までストーカーの一味だと決めつける人……無論、どの事例でも盗聴器など発見されなかったし、監視カメラをしかけても不審な人物など映っていなかった。

周囲の人から悪口や中傷を受けているという人にボイスレコーダーを持たせ、声を録音させる場合もある。それらも聞き間違いであることがほとんどである。例えば、被害者は「暗いしさ～感じ悪い」と言われたと思い込んでいたが、実際に録音されていた声は「倉石さん、時間わかる?」だった。

中には、「液体の水晶をかけられて、そこに光ケーブルを接続されて脳波を盗聴されている」「人工衛星から超音波とレーザー光線を使って脳波を盗聴してくる」などと、科学的にあり得ないことを主張する依頼人もいたという。

NPO法人と聞くと信じる人が多い

「テクノロジー犯罪」と呼ばれる手法においても、被害内容は既存の「ノイズキャンペーン」や「ガスライティング」などと大差ない。幻聴・幻覚・身に覚えのない日

常の変化などの発生源を、電磁波や超音波と定めたものだ。しかし、問題なのは電磁波によるテクノロジー犯罪が存在するということを謳う団体がＮＰＯ法人となっていることである。これにより無名の団体に比べ、組織に権威性が与えられてしまった。

　この団体は「テクノロジー犯罪の撲滅に取り組む」といいながら、あるかどうかもわからないテクノロジー犯罪の「被害者」の相談に乗り、「被害者」を救済するとして会費の徴収などを行っている。

　もちろん電磁波によって他人を支配するという理論は、これまで述べてきたように非科学的なものだ。だが、被害者本人はともかく、被害者から相談を受けた家族や友人が調べる際に「法人」という言葉を見ると、たとえ内容が非科学的なものであっても、テクノロジー犯罪というものが存在すると無条件に信じてしまう可能性が高い。これが厄介な面である。

　先に挙げた古牧和都氏は、著書『集団ストーカーと言う被害妄想　ガスライティングと言うマインドコントロール』（Kindle版）の中で、当該ＮＰＯ法人の集会などに参加していた一般の人々は「テクノロジー犯罪の被害にあった」と訴えているが、実際に調査を行うと、被害者が言うような「犯罪の形跡等は一切無かった」という。そして、古牧氏が「テクノロジー犯罪があった」と訴える被害者にカウンセリングを受けることを奨めたところ、「被害」を訴える人のすべてに何かしらの精神疾患が見つかったという。

「思考盗聴」の訴えは１９３０年代から存在していた

　クリス・フリス『心をつくる』（岩波書店）には、Ｌ・パーシー・キング（仮名）という人物の次のような手記が紹介されている。

〈かれらの姿はどこにも見えなかったが、一人の女が「アンタは逃げられれやしない。待ち伏せして、すぐに捕まえるよ！」という声を私は聞いた。さらに奇妙なことに、「追っ手」の一人は私の考えていることを一語一語、正確に繰り返してきた。私はこれまでのやり方で追っ手をまこうとした。今度は地下鉄に乗ってかれらから逃げることにした。地下鉄の出入り口を走って上り下りしたり、電車に乗り降りしたり、そんなことを夜中に日付が変わるまでやった。しかし、どこの駅でも地下鉄を降りると、追っ手の声はそれまで同様すぐそばに聞こえるのだった。私は疑問に思った――どうやってこれほど大勢の追っ手が姿を見せずに私をつけ回すことができるのだろうか？〉（同書より）

これは現代の「集団ストーカー」および「思考盗聴テクノロジー」の実例と思われるかもしれない。そうではない。この文章は1940年代に書かれたものなのだ。

L・パーシー・キングは、追っ手たちは他人の思考が読めるだけではなく、「ラジオ音声」を発する能力を持った超能力者だと信じた。彼らの体内の赤血球に含まれる鉄分が磁力を帯びており、声帯が振動すると電波を発信して、遠く離れた他人の脳に声を響かせることができる……というのだ。

日本では1939年、著名な精神医学者の村上仁（まさし）氏が、『精神神経学雑誌』に発表した「幻聴に関する精神病理学的研究」という論文の中で、幻聴に苦しむ人の例をいくつか紹介している。

34歳の女性の場合、出産後から精神に変調をきたし、「赤（共産党）に入れ」というラジオの声が聞こえるようになった。転居してもその声はつきまとった。

声は数人の隣人のものであり、彼らは自分や夫を陥（おとしい）れようとしている……と彼女は訴えた。入院してインシュリン療法を受けると、幻聴は消失した。

何者かに心を読まれているとか、電波が聞こえるという訴えは、近年になって生まれたものではなく、1930年代からすでに存在していたのだ。CIAもまだない時代である。

ラジオのなかった時代には、頭に響く声は神や悪霊のものと解釈されただろう。牧師のジョージ・トロスは、1714年に出版された自伝の中で、自分が20代から無数の幻影や声につきまとわれてきたことを語っている。

村上仁氏が紹介している45歳の男性の場合、以前から守護神のようなものに行動を指図（さしず）されていたという。このように他者によって精神や肉体を操られているという感覚は、「させられ体験（作為体験）」と呼ばれ、やはり精神病理学では昔からポピュラーな症例である。

あなたも発症する可能性がある

幻聴はアルコールや薬物の影響、脳の損傷によっても生じる。健常者でもストレスが蓄積すると幻聴が聞こえることがある。しかし、させられ体験や、「悪意に満ちた集団が自分をつけねらっている」という被害妄想をともなう場合、すべての事例が幻覚だと言い切れるわけではないが、まずは統合失調症の可能性を疑うべきだろう。

統合失調症に関しては、多くの誤解がまかり通っている。例えば「珍しい病気」「自分がそんなものにかかるはずがない」と思っている人が多い。しかし、成人の統合失調症の発症率は0・8～1パーセント程度とされている。日本人の人口1億2000万人なので、その中の0・8～1パーセントといえば約100万人である。

仮にこの本の読者が1万人いるなら、その中の100人ぐらいは統合失調症を発症する（あるいはすでに発症している）可能性があるのだ。かつては遺伝的要因が強いと思われていたが、現在では遺伝は一因にすぎず、親族に統合失調症患者がいなくても発症する場合が多いことがわかっている。

厄介なことに、重度の統合失調症の人には病識がない。自分が病気であることを自覚することができなくなるのだ。

統合失調症の人たちの主張は健常者には支離滅裂に聞こえるが、本人の中ではきわめて筋が通っているように思える。「それは妄想だ」とか「幻聴だ」と決めつけられると、強く反発する。

幻聴は多くの場合、きわめてリアルである。それを耳にした者は、実際に誰かが話しかけてきているように感じるのだ。幻聴の内容は、本人の不安や妄想が反映されていることが多い。

健康な人でも頭の中で自分を責めたり自問自答したりすることがよくあるが、それが自分ではない者の声として聞こえるのだ。だから、本人の気にしている欠点を嘲笑したり、罪やプライバシーを暴きたてるものが多い。

また「誰かに狙われているかも」「盗聴されているかも」と不安を覚えている人には、その不安を裏づける声が聞こえる。

統合失調症は完全治癒が難しい。だが近年では新薬が次々に開発されており、それらを連続して服用することで、症状がほぼ治まる（寛解と呼ばれる）ことが多くなった。

実際、幻聴や集団ストーカー妄想に悩まされていた人が、薬を飲んだ後、「幻聴が消えた」「妄想が消えた」と報告していることが多い。薬を飲みながら健常者と同じように働いている人も大勢いる。

問題は、世間の統合失調症に対する無理解にある。マスメディアはこの病気をタブー視していて、テレビも雑誌もめったに取り上げない。そのため、正しい知識が普及せず、誤った知識や偏見がはびこっている。中にはそんな病気が存在することすら知らない人もいる。

また、ガスライティングにおいては、それまで気にも留めなかった日常の現象に対して、「不特定多数に敵意を抱かれている」という理由で攻撃されていると思い込むことが多い。そのため、「他者と上手く接することができない」と思っている人が「攻撃されている」と被害妄想を抱くことも多いようだ。

さらに厄介なのは、近年になってインターネットの普及により、「思考盗聴」「集団ストーカー」という概念が広まってしまったことだ。統合失調症をはじめ、なんらかの悩みを抱えた人が自分の「思考盗聴」「集団ストーカー」体験をブログやホームページに書く。それを読んだ別の人が、「私と同じ体験をしている人がいる」「やっぱり妄想ではなかったのだ」と確信してしまう。「思考盗聴」「集団ストーカー」体験者たちが結束して、「被害者の会」を結成することもある。そうしたグループがすでに日本にも存在する。

彼らは、「陰謀組織が自分たちを精神疾患と決めつけることで、社会的に抹殺しようと企んでいる」と信じている。だから病院に行くことを強く拒絶する。

繰り返すが、精神疾患でも病院に通いながら日常生活を送っている人は大勢いる。一時は入院していても、寛解して社会復帰する人も多い。「精神疾患だと診断されると社会的に抹殺される」という考え方こそ、まさに精神疾患に対する偏見であり、改めなくてはならないのだ。

最近のニュースで心配なのは、精神疾患のような症状の人々が起こす騒ぎが過剰な取り上げ方をされることである。確かにそういった騒ぎは時に第三者の生活や生命をも脅かす一大事に発展することもある。

しかし、その症状は本人の責任によって生じたものではない。誰か1人を悪者にできるものではないのだ。

適切な治療さえ受ければ症状がよくなるかもしれない人が、「集団ストーカー」という妄想を信じたために、救われることを拒否して、自ら苦しい道を選んでいる。彼ら自身も被害者なのだ。

だからそんな被害者をさらに鞭打つような行為は慎んでほしいものだ。そして、精神病理学のさらなる発展により、できることならそうした苦しみからすべての人が解放されることを望んでいる。（山本弘）

参考文献

「An Anti-Governmental Stalking Activity Site（AGSAS）」(http://antigangstalking.join-us.jp/)

「インテル、人の思考を読み取るソフトウェアを披露――最先端技術の研究で」(http://japan.cnet.com/news/ent/story/0,2000056022,20411925,00.htm)

「失敗百選 ～MRIにボンベが引き込まれて男児に衝突～」(http://www.sydrose.com/case100/257/)

「集団ストーカーの歴史と分析」(http://www.johoguard.com/SSK.html、リンク切れ)

「AIが読心術を体得。fMRIデータを深層学習、脳活性化パターンから人の思考を予測 - Engadget 日本版」(https://japanese.engadget.com/jp-2017-06-30-ai-fmri.html)

「テクノロジー犯罪被害ネットワーク｜NPO法人ポータルサイト - 内閣府」(https://www.npo-homepage.go.jp/npoportal/detail/01300686、リンク切れ)

『統合失調症がよくわかる本』（E・フラリー・トーリー、日本評論社）

『心をつくる』（クリス・フリス、岩波書店）

『ニューロ・ウォーズ』（ザック・リンチ、イーストプレス）

『集団ストーカー』（古牧和都、晋遊社）

『統合失調症の精神症状論』（村上仁、みすず書房）

『手記から学ぶ統合失調症』（八木剛平、金原出版）

『集団ストーカーと言う被害妄想 ガスライティングと言うマインドコントロール』（古牧和都、Kindle）

有害物質を大量に含んだ雲「ケムトレイル」が空に浮かんでいる！

陰謀論

目的は地球温暖化阻止、生物兵器のためのテスト、宇宙からの軍事作戦か？

ケムトレイル（英語ではchemtrail。chemは英語の「化学」「化学物質」のchemicalの略、trailは「跡」「痕跡」といった意味）をご存じだろうか？　これは、一見飛行機雲のように見える、筋のような空に浮かぶ雲なのだが、実はその中に、とんでもない有害な物質が大量に含まれている、というものである。

どんな化学物質なのかというと、二臭化エチレン（殺虫剤として使われる）、アルミニウム（アルツハイマー病の原因物質との関連が指摘される）、バリウム（放射性物質）、さらにはアスベストや放射性物質のトリウムなどである。聞くだけでも恐ろしいことだが、なぜそんなものが空に浮かんでいるのだろうか。

1つは地球温暖化の阻止のためである。大気中に微粒子を大量にばらまくことによって太陽光を妨げ、温暖化の阻止を狙うのだ。

もう1つは、将来的な生物兵器のためのテスト。空から大量の細菌やウイルスなどをばらまくことにより、広範囲に健康被害をもたらすための作戦である。そのためのテストを行っている姿が、ケムトレイルなのである。

ケムトレイルにはさらにほかの目的もある。金属性の物質をばらまくことで大気は伝導性のプラズマと化し、軍事的にも非常に有用な状態になる。おそらくこれは、軍が進めている宇宙からの軍事作戦とも関連があるのだろう。

今、あなたが空を見上げて、そこに筋のような雲があったら、気をつけなければならない。それは実はケムトレイルで、そこからあなたにとって害のある物質が、大量にばらまかれているかもしれないのだ。

そして、あなたを含め、多くの人が、その物質によって徐々に体をむしばまれているかもしれない。

真相

エアロゾルとは大気中にある微粒子

この「ケムトレイル」が最初に出てきたのは、グローバリゼーション研究センターのエイミー・ワーシントンが２００４年に唱えた説である。このケムトレイル説を載せているglobalresearch.caは、まさに陰謀論の大規模ポータルサイトという感じである。

２０２１年４月現在では新型コロナウイルス関連や２０２０年アメリカ大統領選挙関連の陰謀論がヘッドラインを飾っているが、このサイトの中に、２００４年に掲載されている「ケムトレイル　核戦争時代のエアロゾルおよび電磁気兵器」という論文が今でも掲載されている。

この論文は、ケムトレイルとは「エアロゾルおよび電磁気兵器」だと述べているわけだが、ではこのエアロゾルとはなんだろうか？　エアロゾルとは大気中にある微粒子のことで、これ自体は様々なものを含む。

例えば火山から噴出されるものもある。火山灰がさらに細かくなった物質だけではなく、火山から噴出される硫化水素、二酸化硫黄などが元になってできる「硫酸ミスト」と呼ばれるものもある（これが人為的に作られると光化学スモッグなどの原因となる）。

さらには、海水から塩などが飛び散ってできるもの、森林火災などによる煤煙などもある。大きさは直径で１００マイクロメートル（０・０１ミリ）以下という小さなものである。

では何のために、こんなことを軍・政府・秘密組織が行っているのだろうか？　エイミー・ワーシントンによると、目的としては「陰謀論」で挙げた通り、１つは温室効果を食い止めるために、太陽光の遮蔽効果があるエアロゾルを大気にばらまくことで、温室効果を防げるかどうかというテスト。

2つめは生物化学兵器のテスト。上空から細菌やウイルス、有毒な化学物質をばらまくことで、それがどのくらいの効果を示すのかをテストするのだという。

3つめは、大気を導電性に変えることで（ワーシントンは「プラズマ」という言い方をしているが、本来プラズマとは、高温によって電気が流れやすい状態になった気体のことを意味している。ただ大気に電気を通すような微小片をまいただけではプラズマとはいわない）、兵器などがより効果的に使えるというものである。それぞれ、見ていくことにしよう。

大気中のエアロゾルが急増したという情報はない

まずエアロゾルについて。そもそもエアロゾルはどのくらい大気中にあるのだろうか。このあたりについては、地球温暖化などの観点から、ＩＰＣＣ（気候変動に関する政府間パネル）なども精力的に調べている。それによると、年間で数十億トンが大気中に放出されているとのことである。

ただ、大気には雨もあるし、エアロゾル自身の重さによって徐々に落ちてくるという効果もある。こういったことで減っていく効果と、火山爆発などで大量に放出される効果があり、それらで均衡が取れているといえる。

飛行機にエアロゾルを搭載し、ばらまくことによって温暖化が防止できる……というのはナンセンスである。まず、エアロゾルは自然界起源の方が圧倒的に多い。大きな火山噴火（数年に1度はどこかで起きるだろう）でばらまかれる硫酸ミストの量の方が、飛行機でちまちまばらまいている量よりもはるかに大きいのだ。

「いや、今やアメリカでは民間機を使ってもばらまいているのだ」とか、「何百万（のべ）機もの飛行機で行っているのだ（民間航空便を含む）」とおっしゃる方へ。まず、飛行機というのは、重量物を運ぶのには最も適さない輸送手段である。何しろ小さい。積めるものも限られてくる。

そこにいくらエアロゾルの元の物質を積んだところで、自然界のエアロゾルを上回るような影響を与えられるとは思えない。民間機を利用して「数で稼ぐ」という手段であるが、そもそも民間機は旅客や貨物がメインであって、もしそんなエアロゾルの元になるような物質を積むとしても、そう大した量は積めない。

何百万機も飛んだとしても、ばらまける量は知れている。それに、民間機は航空路という定められたルートを通るわけで、アメリカ中（世界中でもいいが）にばらまけるわけでもない。その点でも効果はますます低くなる。

むしろ、飛行機の飛行によって排出される排気ガスの二酸化炭素や有害ガスの心配をした方がましではないだろうか。

ケムトレイルが話題になってから20年ほど。今のところ大気中のエアロゾルが急激に増加した、という情報はない。ケムトレイル作戦が失敗しているのか、そもそもその程度なのか、あるいはそんなものは最初からないのか、のいずれかである。どれか選べといわれたら、私は迷わず最後を選ぶ。

健康被害が出たら、すぐに報じられる

有害物質や細菌の散布という説については、もしそれによって広範な（あるいは飛行範囲に沿って）健康被害が出れば、すぐに大ニュースとなるはずである。

しかし幸か不幸か、そのようなニュースがあったという話は聞いたことがない。例えば飛行機が通ったあとに肌がおかしくなった、というような話はあるが、それが1人や2人では兵器としても使い物になっていないことの証明である。

「陰謀論」で「ケムトレイルには化学物質が含まれている」として、まず二臭化エチレンが挙げられている。二臭化エチレンは確かに殺虫剤などとして使われていた時代もあったが、現在ではアメリカでも使用禁止となっている。もしそんな物質が大量にばらまかれていたら、各地で行われている物質調査などですぐに明らかになるはずであろう。

次にアルミニウムが挙げられているが、アルミニウムとアルツハイマー病との関連性は確立していない。というより、アルツハイマー病の原因としては、遺伝的な素因などの方がより重要である。アルミニウムを摂取したからといってアルツハイマー病になる、ということはないと考えてよいであろう。

次にバリウムが放射性物質とされている点だが、なぜバリウムが放射性物質なのか、かなり頭をひねらざるをえない。確かに、胃を撮影する際に、バリウムを飲むことが多いが、これが「バリウムが放射線物質だから」というのは誤りだ。

胃をレントゲン撮影する際にバリウムを飲むのは、胃の形をX線ではっきり映し出す「造影剤（ぞうえいざい）」としての役割である。元素としてわりと大型で、かつ比較的手に入りやすく、無害であるという条件で、バリウムが使われるのであろう。

なお、バリウムの化合物には有毒なものが多いが、それを胃の造影剤として飲むわけではない。むしろ人体に安全だから造影剤として飲む用途に使われるのがバリウムである。もっと重たい元素、例えば水銀や鉛を飲みたいとあなたは思うだろうか？

アスベストも挙げられているが、なぜそんなものをばらまくのか、意味がよくわからない。兵器というのは即効性が大事であって、数十年かけて健康被害をもたらすようなアスベストは兵器として最も使い物にならないたぐいのものである。

人類絶滅計画を進行させる悪の組織でもないかぎり、こんなものをばらまいてもしようがない。もっとも、数十年かけて絶滅させようというのであれば、今度は効果もよくわからないきわめて非効率な作戦であることも確かである。

「ケムトレイルにはほかの目的もあり、金属性の物質をばらまくことで大気は伝導性のプラズマと化し、軍事的にも有用な状態になる」というのは、空気を導電性（電気が通るように）にして兵器の有用性を増すということだろう。この話はどうだろうか。

考えられるとすれば、マイクロ波などを通しやすくすることで、人体に影響を与え、究極的には人口を減らすことを目指すという説である。上空の人工衛星、あるいは地上施設などからマイクロ波を発射して人間をコントロールしたり、弱らせたり死に至らしめる…という説である。

このコロナ禍でも、「第5世代携帯電話（5G）の電波が感染拡大を加速している」という陰謀論、というよりは偽情報が流れ、イギリスなどでは実際に5Gの基地局が破壊されるという出来事も起こった。

電波は人間の目に見えないため、「私たちが知らずに影響を受けている」と思われがちであり、その材料とされることが多い。人間が未知のもの、見えないものに抱く本能的な不安を代表しているともいえるだろう。

しかし、私たちが日常生活を送る上で、電波による影響を心配する必要はない。例えば携帯電話の電波については出力に規制が設けられており、人体に悪影響を与えることのないように定められている。

それでも電波、特に携帯電話が使うマイクロ波領域の影響については議論があるが、現時点で我々が日常生活で触れるような電波で健康を多くの人が害しているという証拠はまったくない。逆にもし、健康を害するような電波が私たちのもとに届いていたら大問題だし、誰かが気づくはずである。

電波は遮蔽するのが難しい（だから部屋の中でも携帯電話が使える）ので、1人が受けている（とされる）電波は他の誰かにも気づかれてしまう。逆に集団を狙って電波を使うとしたら、とてつもなく大出力の電波発信装置が必要になってしまう。そうしたら、必然的に世間にバレることとなるだろう。

どうやったとしても、電波によって多くの人に気づかれずに影響を与えるというのは無理筋な話である。

残念ながら、電波による攻撃は、「核戦争時代のエアロゾルおよび電磁気兵器」としてはまったく使えない代物である。

「ケムトレイル」と称するビデオのほとんどは飛行機雲か筋状の雲

また、ケムトレイルの話に必ずといっていいほど出てくるのが「ケムトレイルは飛行機雲とは違う」という話である。ケムトレイルの目撃談でよくいわれるのが、「飛行機雲よりも長く残る」「形が飛行機雲とは違う」「複数の筋がある」というものである。

まず、「長く残る」という点についてだが、飛行機雲も、気象条件によっては非常に長い間存在することもある。また、元の飛行機は数分で空を横切ってしまうので、

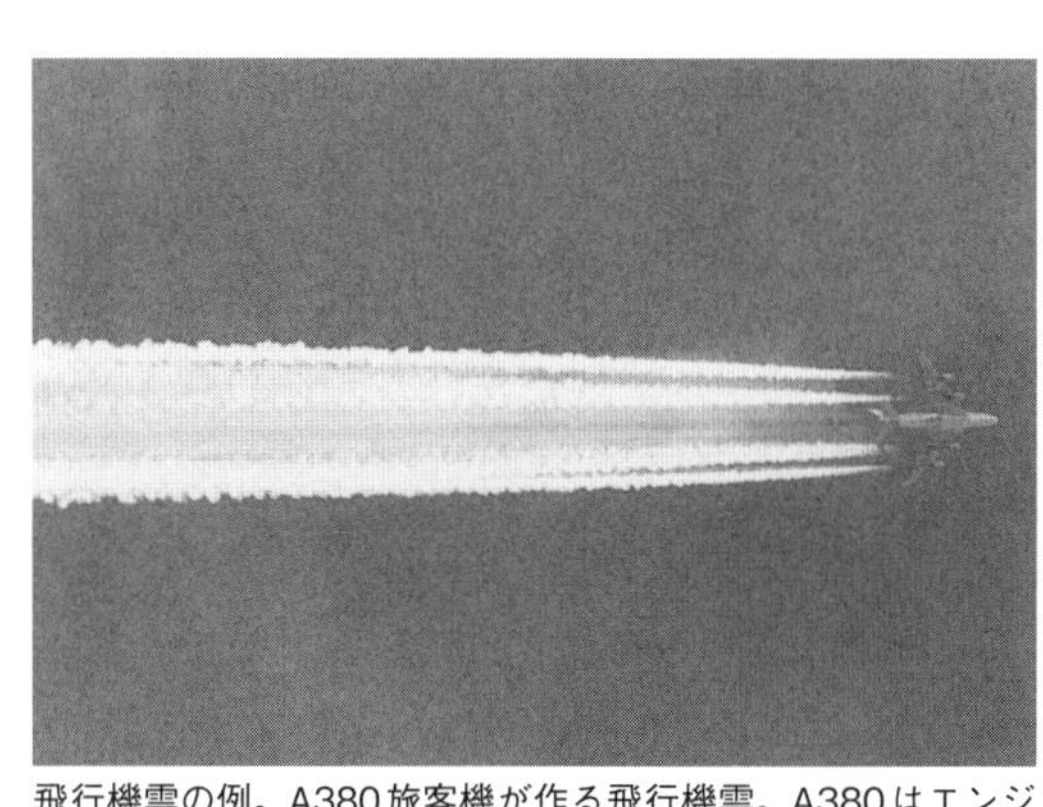
飛行機雲の例。A380旅客機が作る飛行機雲。A380はエンジンが４発ある飛行機なので、４つのエンジンから雲が出てきていることがわかる。

あとに残っている雲だけを見ても、それがいつの時点でできた雲なのかがわからない。そのため、すぐに消えるようにも思えれば長持ちするようにも思える。その点が誤解を招く原因の1つになっているともいえる。

「形」についていえば、「ケムトレイル」と称するビデオにも多数の筋状の雲が出てくるのだが、これもほとんどは飛行機雲、筋状の雲と考えて間違いはないだろう。

複数の飛行機雲が入り乱れるという点についても、航空機が多数飛行するような航空路の上空であれば、それらの飛行機によって雲ができるというのはごく自然なことである。

ちなみに、エアショーなどで飛行機後方から煙を出しながら飛行することもあるが、これは航空機の軌跡を見せやすくするために、飛行機から煙（スモーク）を出しながら飛行するものである。私が大好きな航空レース「エアレース」では飛行中にスモークを出すことが義務づけられているが、このスモークは数分で消えてしまう。長くは残らないのだ。

そもそも、もし極秘に化学物質の散布を行っているのであれば、見ている側に化学物質の散布と飛行機雲のどちらかを区別できる材料があるわけではない。「これがケムトレイルです」と例示できるのは、そのような陰謀を行っている当事者の側でしかないはずである。

ケムトレイルと飛行機雲の違いがあるのであれば、それを具体的な証拠をあげて指摘するのが本来、陰謀論を主張する側の役割であろう。飛行機雲ではなく化学薬品の散布であれば、地上での測定結果なり上空の雲のスペクトル調査結果なり、あるいは飛行機雲発生後の大気を飛行して大気サンプルを取得して検査するなり、何らかの証拠を提示すべきだし、そうできるであろう。

しかしケムトレイル陰謀論を主張する人たちは具体的な証拠を挙げようとしない。結局「そう見える、そう見えない」の水掛け論でしかない。

DARPAの研究は公募であり、研究内容も公開されている

では、このような「巨大」なプロジェクトを、誰が行っているというのだろうか？　エイミー・ワーシントンによると、これらはアメリカ国防総省、DARPA（国防高等研究計画局。「ダーパ」と読むことが多い）、エネルギー省などをはじめ、民間の製薬会社などや防衛企業、大学、さらには国連機関や外国政府（アメリカ以外の政府という意味で）も絡んでいるということになっている。

しかし、まずここでDARPAが問題となる。DARPAは日本語では国防高等研究計画局と呼ばれ、大統領と国防長官直轄の組織である。

「大統領がその『影のプロジェクト』の推進者かもしれないではないか」と主張するあなたに、もう1つの事実をお伝えしよう。実は、DARPAの研究はすべて公募であり、その内容も公開されているのである。

もちろん、DARPAの研究は「国防」絡みということで、軍関係に近い内容も多い。だが軍が参加するとしたら、「公募者」の1人として研究公募に参加する形をとるのだ。

DARPAが有名になったのは、今のインターネットの原型であるARPANETと呼ばれるプロジェクトに資金を提供していたからでもある。これも他の組織から独立し、比較的自由な雰囲気の中で研究が行えるというDARPAの特質が現れているといえよう。

こういったところではあまり隠れた研究は行えそうにない。

言うまでもないことだが、アメリカ空軍はケムトレイルの存在そのものも否定している。飛行機雲やエンジン燃焼ガス、さらには「チャフ」と呼ばれるレーダー妨害用のアルミ片の散布などがどのように行われているかについても解説している。

「チャフ」と呼ばれる、レーダー電波を回避するための物体を放射するB-1B爆撃機。ちなみに、チャフにはアルミが使われている。

「陰謀論」の「金属性の物質をばらまくことで大気は伝導性のプラズマと化す」という話は、ひょっとするとチャフなどが念頭にあって出てきた話かもしれない。だが、チャフはあくまで一時的なものである。

背景にベトナム戦争での枯れ葉剤使用や農薬の空中散布などがあるかも

　ケムトレイル「疑惑」が出てきた背景には、例えばベトナム戦争で、枯れ葉剤を飛行機から大量に散布した結果、ベトナムの人が健康被害に苦しんだというような話があるのかもしれない。あるいはアメリカでは日常的に農薬などを空中散布しているという話も背景にあるのだろう。

　また、日本よりも飛行機が一般的で、日常的に大量に飛び回っているというアメリカの事情もあるだろう。だからこそ、ケムトレイルの話は一般市民へも受け入れられやすかったのかもしれない。

　そこに他の陰謀論などが紛れ込み、いつの間にかケムトレイルという壮大な物語ができあがってしまったのではないだろうか。しかし、これだけ騒がれているわりに、今もって何も世界が変わっていないということ自体、仮説として説得力をもちえていないといえるだろう。陰謀論などによくありがちな問題点であるといえる。

　これまた陰謀論によくありがちな話ではあるが、「政府は何かを企てている」「政府は私たちの知らないところで大きなことを企んでいる」というのは、誰しも一度は思い描いてしまう論理である。しかし、実際にそれを証明しようとするのは至難のわざである。

またたいていの場合、行為そのものに意味がなかったり、あまりに大規模で隠し立てするのが困難だったりと、そもそも陰謀そのものを行うのに意味がないことが多い。

アメリカだけで何十万人、いや、下手をすると何百万人も動員したあげく、やっているとされることは、成果があまりよくわからない「実験」である。軍として、こんなことにお金をつぎ込んでいるようであれば、アフガニスタン紛争の戦費で議会から突き上げられることをもっと真剣に心配しなければならないだろう。

結局のところ、空を見上げたときに飛行機雲を見つけても、そこから「化学物質がばらまかれている」ことを心配する必要はない。（寺薗淳也）

参考文献

「AEROSOL CRIMES & COVER UP, Carnicom Institute」（http://www.carnicom.com/）
「Chemtrails: Aerosol and Electromagnetic Weapons in the Age of Nuclear War（by Amy Worthington）」（http://globalresearch.ca/articles/WOR406A.html）
「大陸起源エアロゾルの海洋への影響 —物質循環に関連して—」植松光夫、エアロゾル研究、vol.14、No.3、pp. 209-213（1999）
アルミニウムの安全性について（Ver.190711）、「健康食品」の安全性・有効性情報（国立研究開発法人 医薬基盤・健康・栄養研究所）、https://hfnet.nibiohn.go.jp/contents/detail970.html
「CONTRAILS FACTS（US Air Force）」（https://www.epa.gov/sites/production/files/2016-10/documents/afd-051013-001.pdf）
「DARPA（Defence Advanced Research Projects Agency）」（http://www.darpa.mil/）

地球は温暖化などしていない

陰謀論

正統派の気象学者がデータを隠蔽しているのではないか

ホッケースティック曲線と呼ばれるものがある。気象学者のマイケル・マンが作成した、過去1000年間の北半球の平均気温の変化を示すグラフで、19世紀まで低かった気温が20世紀になって急に上昇し、まるでホッケーのスティックのように見えることからこう呼ばれている。

このグラフには疑惑がある。歴史上の記録によれば、紀元1000年ごろには温暖な時代があったはずなのに、それが示されていないのだ。

もし現在よりも二酸化炭素の排出量が少なかった時代にも温暖な時期があったなら、現在の地球温暖化は二酸化炭素が原因ではないということになる。地球温暖化を疑問視する懐疑論者たちは、マイケル・マンら正統派の気象学者がデータを隠蔽（いんぺい）しているのではないかと疑っている。

それに関連して、2009年の11月に重大な事件が起きた。イギリスのイースト・アングリア大学のCRU（Climate Research Unit、気候研究ユニット）のサーバーがハッキングされ、1000通以上のメールが外部に流出したのだ。この事件は

イースト・アングリア大学内のCRUが入る建物（2009年）

Climate Research Unitとウォーターゲート事件をひっかけて、クライメートゲート事件と呼ばれる。

中部大学の武田邦彦教授は、著書『温暖化謀略論』（ビジネス社）の中で次のように書いている。

〈ところが、２００９年11月17日に盗まれたクライメートゲート事件のメールには、「中世温暖期のデータを捏造するトリックを終わった」という内容が記載されていた。そして、ホッケースティックグラフに使われた中世のデータは極めて特殊なデータだけを抜き出したものであることが分かってきた。

つまり、「ここ１００年のうちで、20世紀だけ気温が上がった」というのは事実ではなく、捏造されたデータだったことがハッキリしたのである。（後略）〉

都市化による気温上昇を測定しているだけ

他にも地球温暖化への疑問はいくつもある。

元テレビの気象解説者でＷＵＷＴ（Watts Up With That?）というブログの作者であるアンソニー・ワッツは、アメリカ国内の気温観測点はボロボロで、まともに気温を測れないと批判した。ワッツが召集した全国規模のボランティアが、アメリカ国内の１２１８ヶ所の観測点を調べたところ、気温センサーの設置場所がエアコンの室外機の近くだったり、太陽で熱せられるアスファルトの上だったり、観測に適していない点が多いことが明らかになったのだ。

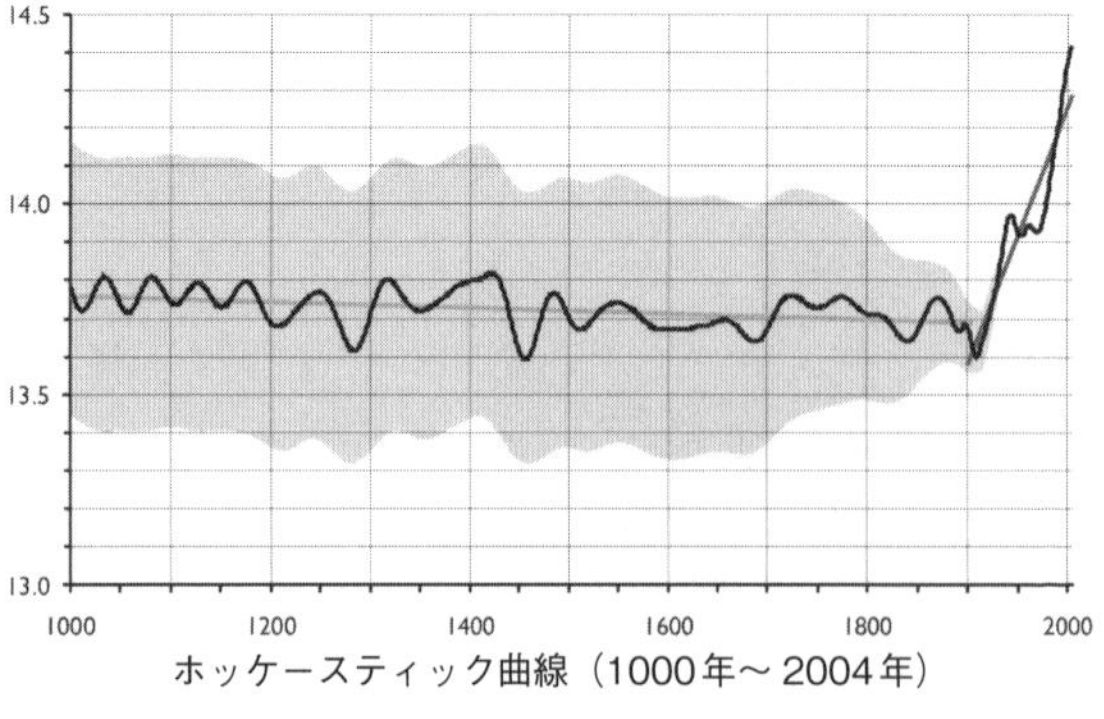

ホッケースティック曲線（1000年～2004年）

アンソニー・ワッツによれば、アメリカ国内で優良な観測点は70ヶ所しかなく、これでは気候変動の論拠には使えないという。「地球温暖化」と呼ばれているものは幻で、実は都市化による局所的な気温上昇を測定しているにすぎないというのだ。

また、ＩＰＣＣ（気候変動に関する政府間パネル）の第4次報告書には、ヒマラヤの氷河が２０３５年までに消滅する可能性が高いと書かれていた。だが、それはオンライン雑誌に載ったインドの氷雪学者の発言がもとであり、査読を通った論文ではなく、何の根拠もないものだった。地球温暖化というのは一部の気象学者によるでっち上げだったのだろうか？

真相

隠されたのは中世のデータではない

まず武田邦彦教授の誤りから指摘しておこう。「トリック」という言葉が使われていたのはＣＲＵ所長フィリップ・ジョーンズが１９９９年1月16日に出したメールであるが、そこには気温の上昇ではなく「気温低下を隠す（hide the decline）作業を完了」とある。また、これは中世の気温のことではなく、１９６１年以降のデータのことだと述べられている。

少し説明が必要だろう。樹木はおもに春から秋にかけてよく生長するが、気温が高い年ほどよく生長するので、その年の年輪の幅が広くなる。だから樹の年輪を調べれば、まだ温度計による測定が行われていなかった時代の気温が推測できる。

実際、１８８０年から１９６０年までの気温を見ると、北半球の樹木の年輪の幅の変化は、4～9月の平均気温の変化とほぼ一致している。ところが１９６０年代に入って、それが合わなくなってきた。温度計が測定している気温は上がっているのに、年輪の幅は狭くなり、そこから推定される気温は下がっているのだ。１９９０年頃には、その差は約3℃にまで広がっていた。

この「逆向き問題」はＩＰＣＣの報告書でも言及されており、秘密でも何でもない。原因はわからないが（環境破壊の影響かもしれない）、１９６０年代以降、年輪は気温の推定には使えなくなっているのだ。

そこでフィリップ・ジョーンズは、ここ１０００年間の気温の変化を示すグラフの中で、１９６０年までは年輪から推定される気温を用い、61年からは温度計による測定値を用いることにした。「トリック」という言葉は偽装や隠蔽を意味するのではなく、科学者の間では問題解決の戦略を意味する。フィリップ・ジョーンズは実際の測定値と矛盾するグラフを、実際の測定値を用いて修正した。それを「トリック」と呼んでいるのだ。これは決して科学的に不正な手法というわけではない。

　また、実際のＩＰＣＣの報告書に記載されている北半球の気温変化のグラフは、複数の科学者が作ったグラフ（19世紀以前の推測値には、非常に大きな誤差がある）を色別に重ね合わせており、決して誰かのグラフを特別扱いしていない。フィリップ・ジョーンズだけがデータを隠蔽しても無意味なのだ。そもそも「逆向き問題」を多くの気象学者が知っている以上、隠蔽などできるはずがない。

フィリップ・ジョーンズの「トリック」疑惑は晴れた

　ただ、フィリップ・ジョーンズにも明らかに非はある。例えばアンソニー・ワッツら懐疑派からのデータの提示の要求を頑なに拒み続けたことだ。彼は懐疑派を毛嫌いしており、その要求を自分たちへの中傷と考えていたらしい。

　データが「敵」の手に渡ることを恐れたフィリップ・ジョーンズは、ＡＲ４（ＩＰＣＣの第4次報告書）に関するメールをすべて削除するよう、メーリングリスト参加者に依頼した。だが、マイケル・マンによれば、「私の知るかぎり、ジョーンズの要請に従った人は誰もいない」という。実際、それらのメールは残っている。

　流出したメールの中には、ある論文をＩＰＣＣの報告書から締め出すと明言した部分もあった。だが、実際にはそれらの論文もＩＰＣＣの最新の報告書に採用されている。フィリップ・ジョーンズやＣＲＵのＩＰＣＣへの影響力は、絶対的なものではないようだ。

　２００９年12月5日、イギリス気象局が世界１０００ヶ所の測定点の気温のデータを発表するという声明を出し、データが隠蔽されているという疑惑を打ち消した。

　２０１０年3月、英国議会下院は調査報告書を発表、「トリック」といった言葉は事実を歪めるような企みを意図したものではないと結論した。翌4月には、ロナルド・オックスバーガ卿の率いる科学評価パネルが、CRUの科学研究には不正は認められないと報告している。

日本では最初のクライメートゲート事件発覚のニュースだけが流れ、フィリップ・ジョーンズらの疑惑を晴らす続報が大きく報じられていない。そのため、その後も『週刊新潮』（2010年4月15日号）に「『地球温暖化』を眉つばにした『世界的権威』のデータ捏造!?」という不正確な記事が載ったり、『温暖化謀略論』のような本（発売は2010年5月）の中で間違った紹介がされているのである。

なお、フィリップ・ジョーンズがデータ開示を拒んだ件については、気候学者の中でも批判の声がある。気候研究者のハンス・フォン・シュトルヒは、外部の研究者との研究データの共有の拒否は科学の基本原則を侵害していると述べた。その反面、ハンス・フォン・シュトルヒは、地球温暖化が世界的陰謀であると信じている人は馬鹿げているとコメントしている。

フィリップ・ジョーンズの態度に賛否両論はあるものの、クライメートゲート事件がデータ捏造だとか陰謀だとか考えている気象学者は1人もいない。

それでも気温は上がっている

気温の観測点が不適切だというアンソニー・ワッツの批判に対しては、NOAA（米海洋大気庁）が反論している。観測データは都市化の影響を補正しているから問題ないというのだ。

その証拠に、アンソニー・ワッツが選んだ70ヶ所の優良な観測点のデータをもとに気温変化のグラフを作り、1218ヶ所の（その大半が不適切だとワッツが考える）観測点のデータから作ったグラフと重ねてみると、2本のグラフはぴったり一致したのだ（次ページのグラフ参照）。データの正しさがかえって立証されたのである。

それに測定点は陸上だけにあるのではない。海上にもたくさんの測定点があり、それらのデータも温暖化を示している。当然、それらは都市化の影響であるはずがない。

ヒマラヤの氷河が2035年に消滅するというのは、

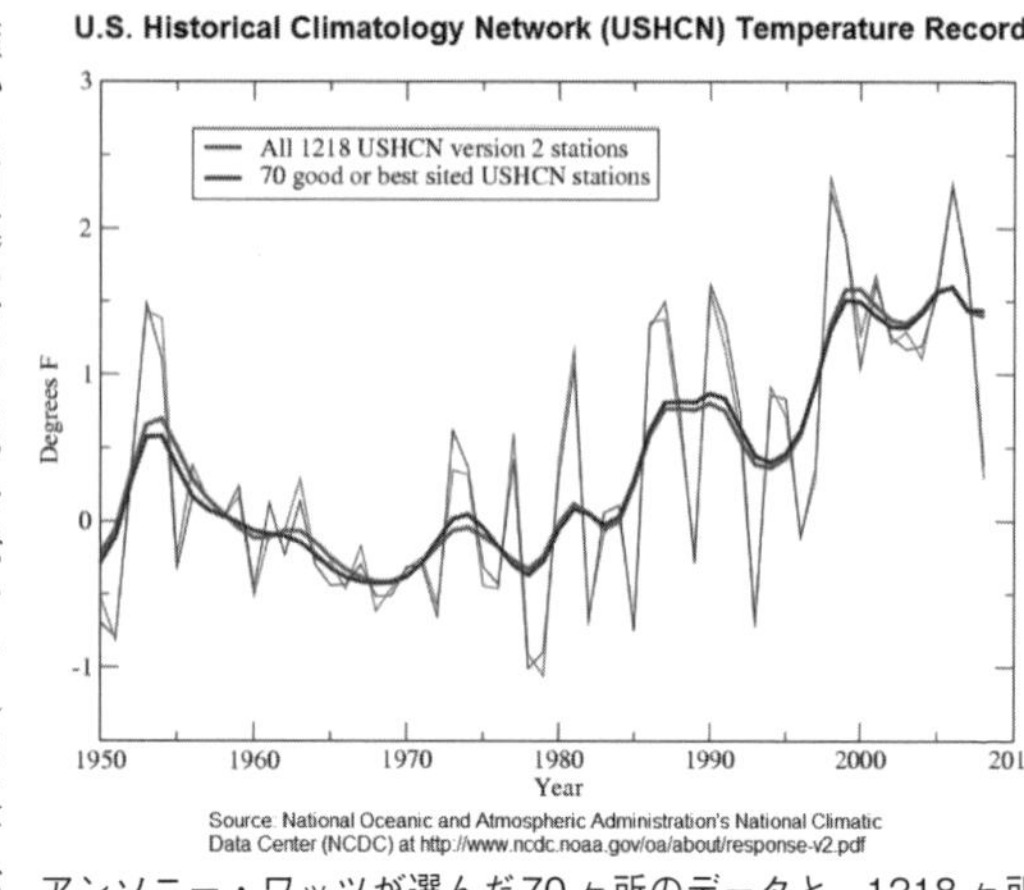

アンソニー・ワッツが選んだ70ヶ所のデータと、1218ヶ所のデータを重ねてみたグラフ

確かに間違いだった。だが、それは氷河が縮小していないことを意味しない。

２００５年、世界氷河モニタリング・サービスが行った調査によれば、世界の４４２の氷河のうち、26の氷河が成長し、18は変化なし、３９８が後退している。他にも、北極海の海氷面積が減少に向かっていることもわかっている。気温だけではなく、降水量も世界的に増加傾向にある。

近年では、１９４０年代にアラスカで撮影された２００枚以上の航空写真を、現在の同じ場所と比較することで、ツンドラ地帯に低木が生長し、緑が広がっていることが検証された。人工衛星からの観測もそれを裏づけている。

森林地帯では気温の上昇による乾燥が進み、樹が枯れる一方、森林火災の回数が多くなっている。『地球温暖化スキャンダル』（日本評論社）の著者スティーブン・モシャーとトマス・フラーも、ＣＲＵの不誠実さを非難し、ＩＰＣＣの報告に疑問を投げかけてはいるが、地球温暖化そのものは否定してない。

最も可能性が高い原因は二酸化炭素

なぜ二酸化炭素は地球温暖化の原因と考えられているのだろうか？　簡単にいえば、「他に犯人がいないから」である。

確かに過去には地球が今より暖かかった時期や寒かっ

た時期があった。有史以来の気温の変化の原因は、太陽活動が関係していると考えられている。太陽の黒点の数は約11年周期で増減を繰り返しているが、１６４５年から１７１５年にかけて、その数が極端に減少していた時期があった（マウンダー極小期と呼ばれる）。当時、ヨーロッパや北米大陸では冬は極端に寒く、夏は冷夏に見舞われた。黒点の数は地球の気温と密接な関係があるらしいのだ。

しかし、20世紀の太陽活動の記録を見ても、太陽黒点が増えている兆候も、太陽からの放射量が増えている兆候も、まったく見られない。つまり、20世紀からの温暖化は太陽のせいではない。

有史以前の気候変動については、ミランコビッチ周期が原因だという説が有力だ。地球の歳差運動（地軸が２万５８００年周期で旋回する運動）や、地軸の傾斜角の変化、地球の公転軌道の離心率の変化の３つの要素が重なり合い、地球への日射量が周期的に変化するというものだ。しかし、こうした変化は何千年もかけてゆっくり起きるもので、短期的な気温上昇の原因とは考えられない。

一方、大気中の二酸化炭素の濃度が増えていることははっきりしている。１９５８年からハワイのマウナケア山で行われてきた観測によれば、１９５８年には３１５ppm前後だった二酸化炭素濃度が、50年後の２００８年には３８５ppm前後まで増えている。つまり、最も疑わしいのは二酸化炭素なのである。

無論、二酸化炭素原因説が間違っている可能性も、まだある。しかし、「間違っている」と決めつけることはできないし、ましてや地球温暖化が間違っていることを前提に、「対策なんか立てなくていい」と主張するのは暴論である。

気温が2度や3度上がったぐらいで人間は死なない。しかし、農業には重大な影響が出る。その影響を最も大きく受けるのは貧しい発展途上国の人々である。地球温暖化説が正しいことを前提に考えなくては、取り返しのつかないことになりかねないのだ。

地球温暖化を信じない前米国大統領とブラジル大統領

アメリカのドナルド・トランプ前大統領が2017年にパリ協定からの脱退を宣言したことは記憶に新しい。パリ協定とは地球温暖化に対する国際的な取り組みで、「産業革命後の気温上昇を2℃以内に抑える」ことを目標とする。

トランプはかねてより地球温暖化について否定的な立場をとっており、自国の石油・石炭産業推進に力を注ぐことで共和党支持者から熱狂的な支持を得ていた。大統領になる前の実業家だった時代の2012年には自らのツイッターで「地球温暖化という概念は、もともとアメリカ製造業の競争力をそぐために中国によって作り出されたものだ」と発信している。それ以降も、ことあるごとに「温暖化は人間の活動とは無関係」と気候変動説を否定し続けてきた。

2018年11月にアメリカ政府が気候変動に警告を発する報告書「第4次全米気候評価」をまとめると、トランプは「信じない」と一蹴した。1656ページにも及ぶ米政府公式の報告書を大統領自らが否定したというのは異例の事態である。議会からマスコミに至るまで各方面から大バッシングを受けたのも当然といえる。

ブラジルでは、ジャイール・ボルソナロ大統領が地球温暖化への影響を過小評価し、アマゾンの熱帯雨林の伐採をやめさせようとしてこなかった。

2019年1月にボルソナロ大統領が就任して以来、アマゾンの熱帯雨林では人為的ともされる火災が相次いでいる。ブラジル国立宇宙研究所（INPE）の速報値によると、2019年8月から2020年7月にかけて、前年から9・5％増えて計1万1088平方キロメートルのブラジル国内の熱帯雨林が破壊された。

ブラジルのボルソナロ大統領
（2020年）

この森林破壊の目的をボルソナロは「ブラジルに巨額の収益

をもたらす放牧や大豆栽培のため、広大な土地を開墾（かいこん）する必要があるから」としている。気候変動の専門家たちは、数十億本の木々が生い茂るアマゾンの熱帯雨林は巨大な二酸化炭素吸収源で、これが失われれば地球の気温上昇は加速すると警告している。

地球温暖化否定論は力を失う

２０２１年４月、アメリカのバイデン大統領主導で「気候変動サミット」が開かれた。このサミットでブラジルからはボルソナロ大統領とリカルド・サレス環境相が参加し、「２０３０年までに違法伐採ゼロ」「温室効果ガスの削減」と、これまでの主張を一転させた宣言を行った。

ブラジル国内では宣言の内容を疑問視する声や実現を疑う声も多い。だが、ともに地球温暖化を否定してきた「盟友」であるトランプが権力者でなくなった今、長いものに巻かれるのが無難と判断したのだろうか。

トランプ前アメリカ大統領などに代表される地球温暖化否定論に対しては、今後とも注目しなくてはならない。だが、いずれは彼らの勢力も失われていくだろう。

今では地球温暖化はすっかりポピュラーなものとなり、世界の趨勢（すうせい）は明らかに陰謀論を否定する方向に向かっている。地球が温暖化しつつあることは日々のニュースを見ていれば誰にでも理解できよう。

先に触れた『温暖化謀略論』著者の武田邦彦教授は、その後、テレビのワイドショーで近隣国の人々にヘイト発言を繰り返していたことが判明し、マスメディアへの露出機会は大きく減った。

僕も自著『〝環境問題のウソ〟のウソ』（楽工社）の中で武田邦彦教授を批判したことがあるが、荒唐無稽で非論理的な言動はいまだに変わっていないらしい。

それでもまだ温暖化陰謀論者はしぶといが、未だに根拠として挙げられているのは本稿で否定した２００９年のクライメートゲート事件ばかり。あと数年後には温暖化陰謀論は時代遅れになると予想される。

現在の気候変動対策や、持続可能な開発目標（ＳＤＧｓ）には個人的には賛成である。いずれは私たち自身がこの地球を管理していかなければならないと信じるからだ。

　そのためにはニセ科学などには惑わされることがないよう、自分の頭で考えるのを大事にすることだ。世の中には（大学教授であっても）科学的に間違ったことを信じている人が多くいる。そういう人に騙されないようにしたい。（山本弘）

参考文献

「第9回「クライメートゲート事件」続報・科学にとって「査読」とは何か」（日経エコロミー連載コラム 温暖化科学の虚実 研究の現場から「斬る」！ 地球環境研究センター）
(https://www.cger.nies.go.jp/ja/people/emori/nikkei/ecolomycolumn_09.html)
「組織的な温暖化懐疑論・否定論にご用心」（ＮＰＯ法人 国際環境経済研究所、International Environment and Economy Institute）
(https://ieei.or.jp/2020/03/opinion200310/)
「地球環境研究センター／ココが知りたい温暖化」
(http://www.cger.nies.go.jp/ja/library/qa/qa_index-j.html)
『日経エコロミー』連載／江守正多「温暖化科学の虚実 研究の現場から「斬る」！」
(http://eco.nikkei.co.jp/column/emori_seita/、リンク切れ)
mixi「地球温暖化について知りたい！」
(http://mixi.jp/view_community.pl?id=1248569)
Met Office/Release of global-average temperature data
(http://www.metoffice.gov.uk/corporate/pressoffice/2009/pr20091205.html、リンク切れ)
YouTube/ Watts up with Watts
(http://www.youtube.com/watch?v=dcxVwEfq4bM)
「共和党支持者は温暖化脅威論を否定している」（ＮＰＯ法人 国際環境経済研究所、International Environment and Economy Institute）
(https://ieei.or.jp/2019/10/sugiyama191007/)
地球温暖化を否定し続ける米大統領の内輪事情　WEDGE Infinity（ウェッジ）
(https://wedge.ismedia.jp/articles/-/14668)
「ブラジルの熱帯雨林破壊、「２００８年以来最悪」―ＢＢＣニュース
(https://www.bbc.com/japanese/55140827)
「2℃目標とは」（ＪＣＬＰ、日本気候リーダーズ・パートナーシップ）
(https://japan-clp.jp/climate/agreement)
『週刊新潮』２０１０年4月15日号／「『地球温暖化』を眉つばにした『世界的権威』のデータ捏造!?」
『日経サイエンス』２０１０年3月号／「〝クライメートゲート事件〟の空騒ぎ」
『日経サイエンス』２０１０年8月号／M・スターム「温暖化で変わる北極圏の風景」
『地球温暖化スキャンダル』（スティーブン・モシャー、トマス・フラー、日本評論社）
『地球温暖化　ほぼすべての質問に答えます！』（明日香壽川、岩波ブックレット７６０）
『温暖化謀略論』（武田邦彦、ビジネス社）

第3章

日本史の中で語られた陰謀論

孝明天皇は暗殺され、明治天皇はすり替えられた

陰謀論

幕末期の朝廷で天位に就いていた孝明天皇は熱心な公武合体論者、つまり朝廷と幕府が一体となって国難を乗り切るべきだという主張の持ち主だった。その孝明天皇が慶応2年12月25日（西暦では1867年1月30日）、わずか36歳の若さで崩御（ほうぎょ）された。

孝明天皇がもう少し長生きしていたなら、倒幕派が幕府を攻めようとしても、天皇はそれを承認しようとはせず、結果として日本の近代史は私たちの知っている歴史とはかなり違うものになっていただろう。公式発表では、その死因は天然痘による病死とされている。

ところがその当時、巷では暗殺されたとの噂が駆け巡っていた。

孝明天皇は毒殺されたという噂

慶応3年1月に来日した英国公使のアーネスト・サトウは日本に上陸した直後に天皇崩御の知らせを聞いたが、それからさらに数年後に天皇は病死ではなくひそかに毒殺されたとの噂を聞いたという。サトウはその噂について事実を伝えるものと信じた。

また、天皇崩御から40年以上も後の明治42年（1909）に伊藤博文が暗殺されたとき、実行犯の安重根は斬奸状（ざんかんじょう）（犯行声明）で、伊藤が犯した罪

アーネスト・サトウ（1869年）

の1つとして孝明天皇への弑逆(しぎゃく)を数えた。つまり、明治時代には孝明天皇暗殺の噂は外国人の耳にも入るほど広まっていたわけである。

しかし、天皇絶対主義が支配した戦前には日本国内でこの噂について大っぴらに語ることが許されることはなく、サトウの著書についても戦前の翻訳では孝明天皇暗殺のくだりはカットされている。

歴史研究において天皇制のタブーが軽減された戦後には孝明天皇の死因に関する研究が改めて行われるようになった。歴史学者・ねずまさし（1908〜1986）は1954年に『歴史学研究』173号で論文「孝明天皇は病死か毒殺か」を発表、天然痘との診断がなされるまでの経緯が不可解であることや、天皇の容体がいったん快方に向かってから急変したとされていることなどから、天皇は毒殺されたものとみなした。

孝明天皇

また、1975年から77年にかけて孝明天皇の御典医(ごてんい)の遺族により崩御直前の診療記録が公開されたが、それに当時の記録の所有者が付したコメントでも天皇毒殺の可能性について言及されていた。1980年代には多くの歴史学者が毒殺説に対して賛同するか、検討の必要性を認めていた。一時期、孝明天皇の死因に関して毒殺説は、いわば定説になろうとしていたのである。毒殺の黒幕として有力視されるのは朝廷内の新幕府派と反目していた岩倉具視(ともみ)であり、一説には岩倉が女官として朝廷に仕える自分の姪に毒殺を命じたのだという。

刺殺されたという証言もあった

一方で、孝明天皇は病死でも毒殺でもなく刺殺されたのだという証言がある。1998年、作曲家の宮崎鉄雄(てつお)は衝撃的な発表を行った。彼の亡父は幕末に大阪城警護を務め、孝明天皇崩御に際しても内偵をしていたが、それにより判明した真相は、天然痘が快方に向かった孝明天皇は、寵愛した女官の実家である堀河家に滞在中、邸内に潜んでいた伊藤俊輔（後の博文）に刺殺されたというものだった。

古代史研究家・鹿島昇（1926〜2001）と山口県の郷土史家・松重正（楊江、1925〜2017）は宮崎のこの証言に基づき、伊藤は長州藩お抱えの忍者として暗殺に従事していたと論じている。

毒殺にしろ、刺殺にしろ、孝明天皇暗殺の背後に公武合体政策をつぶそうとする倒幕派の意思があったのは間違いないだろう。

黒幕は外国勢力だったという説

その後、倒幕派は皇太子・睦仁親王の即位とともに彼を「玉」として担ぎ出し、幕府打倒のお墨付きを得ることになる。すなわち明治天皇である。

また、孝明天皇暗殺の黒幕は倒幕派というよりも、さらにその背後にいた外国勢力だったという説もある。アーネスト・サトウは孝明天皇暗殺の噂を信じたが、それは孝明天皇が公武合体論者だったからではない。アーネスト・サトウが孝明天皇暗殺を信じた真の理由は、孝明天皇が西欧諸国との通商を嫌い、異国人とその影響下にある勢力を日本から一掃することを目指した頑迷な攘夷論者だったからであろう。

孝明天皇にとっては公武合体論もきたるべき攘夷戦争に備えるための一段階に関する構想だった。つまり、孝明天皇は攘夷派にとっての精神的な後ろ盾になることで、日本を征服しようとする外国勢力のもくろみに抗していた。だから、外国勢力は倒幕派を買収して邪魔者の孝明天皇を消したというわけだ。

しかし、不思議なのは孝明天皇の実子のはずの明治天皇が、なぜ父の仇である倒幕派におとなしく担がれたままになっていたかということだ。それに関しては驚天動地の答えがある。

すなわち明治天皇は睦仁親王と同一人物ではないというものだ。倒幕派はまったくの別人を睦仁親王とすり替えて即位させ、本物の皇太子を闇に葬り去ったのである。

明治天皇はすり替えられていた！

即位前の記録からうかがえる睦仁親王は病弱で神経質

な少年だった。ところが明治天皇は相撲や乗馬を好む剛毅な人柄である。そもそも、この2人を同一人物と考えること自体に無理があるではないか。

明治天皇すり替え説を早くから唱えていたのは、自ら後南朝正統の末裔を称していた三浦天皇こと三浦芳聖（1904〜1971）だ。三浦によると、孝明天皇までの皇室の血統は北朝系だったが、明治天皇への代替わりに際して皇位はひそかに南朝系に奉還された。表向きの皇統譜では北朝系になるはずの明治天皇が、明治44年に南朝こそ正統との裁断をなされたのは自らが南朝系だったからだ、というわけである。

明治天皇（1873年）

山口県柳井市在住だった大室近祐（1904〜1996）は自らの家系について、南朝の直系だと称し、近傍の人々から「大室天皇」と呼ばれていた。近祐の証言によると、近祐の祖父の兄にあたる大室寅之祐は16歳のときに長州藩主・毛利敬親の命で萩に召し出され、さらに江戸に向かった。それは睦仁親王に代わって皇位に就くためだったという。

前述の鹿島昇と松重楊江は孝明天皇暗殺説の真相を調べるうちに大室近祐と出会い、その証言に基づいて明治天皇すり替え説を展開した。鹿島、松重によると、大室寅之祐を天皇に擁立したのは岩倉具視、伊藤博文ら、孝明天皇を暗殺したのと同じグループだったという。

すり替えの証拠となる集合写真

その陰謀が実在した証拠の写真なるものも存在する。それは幕末期に撮影された集合写真だが、そこには大室寅之祐と坂本龍馬・西郷隆盛・大久保利通・勝海舟・桂小五郎・高杉新作・大村益次郎・中岡慎太郎・大隈重信・陸奥宗光らが一緒に写っているというのだ。

これは薩長土肥の志士や幕臣がそろって薩長同盟から大政奉還にいたるまでのシナリオを作った秘密会議の記念写真とされている。そして、その中に大室寅之祐が写っているのだから、その秘密会議の議題に天皇すり替えがあったことも間違いないというわけだ。

財政界を支配する「田布施システム」

２００６年、大分県在住の郷土史家だった鬼塚英昭（１９３８～２０１６）は松重揚江と会見し、明治天皇すり替えは史実だとの確信を得た。鬼塚は明治天皇すり替えを行った現・山口県田布施町周辺発祥の長州閥が、現在も日本の政財界を支配しているという「田布施システム論」を展開した（鬼塚自身、著書『天皇種族・池田勇人』において「田布施システム」が自分の造語であることを認めている）。

２００８年、鬼塚説を下敷きにした映画『天皇伝説』（渡辺文樹監督）がミニシアターで公開され、２０１５年にはアーチストの三宅洋平氏が田布施システムへの関心をブログなどで発信し始めた。三宅氏は２０１６年の参議院選挙に東京都選挙区から無所属で出馬した際、選挙フェスと称する演説会で田布施システムに言及、落選しながらも田布施システム論（およびその前提としての明治天皇すり替え説）を大いに宣伝する形になった。

真相

アーネスト・サトウや安重根の例が示すように、孝明天皇暗殺の噂が根強くあったのは確かだろう。しかし、政局が不安定な時期にそのキーパーソンが急死したとあれば、それが偶然であっても暗殺の噂が立つのは自然なことだろう。噂の存在は暗殺の証拠たりえない。

現在の歴史学界では孝明天皇暗殺説よりも病死説の方が有力である。それは別に暗殺説が弾圧されたからではない。実証的な研究により暗殺説の根拠が怪しいことが明らかにされたからである。

孝明天皇の病死に不審な点はない

名城大学教授（当時）原口清は１９８９年10月、『明治維新史学会会報』15号に論文「孝明天皇の死因について」を発表した（『原口清著作集２』所収）。原口はそれまで毒殺説の根拠とされていた公家の日記や、「陰謀論」で触れられている御典医による診断記録などを調べた。その上で希望的観測や単なる印象に基づく記述を廃し、具体的な症状に関する記述だけから、病状の推移を検証した。

その結果、判明したのは孝明天皇が発症してから崩御されるまでの間、容体が快方に向かった時期はなかったということである。

その後、原口清は毒殺説に立つ石井孝（日本史学者）らと論争を行ったが、その経緯を通じて病死説の方に分があることが鮮明になり、それまで毒殺説を奉じていた研究者が自説を病死説に改める例も出てきた。その結果、現代では病死説の方が主流になったわけである。

毒殺説は根拠なし、刺殺説は成り立たず

もちろん、現状では孝明天皇のご遺体を直接調べることができない以上、病死説を決定的に実証することはできないが、少なくとも毒殺説の根拠が失われたのは確かである。

毒殺の黒幕を岩倉具視とする説についていえば、当時の宮中の女官に岩倉の姪はいない。岩倉は文久2年8月（1862年9月）から慶応3年11月まで5年以上も京都郊外に蟄居（ちっきょ）しており、宮中工作をできるような立場ではなかった。岩倉と交際していた人物が岩倉に命じられて陰謀を行ったと説く人は、彼の後年の活躍から慶応年間の岩倉の力をも過大評価しているのである。

また、刺殺説の根拠である宮崎鉄雄の証言についていえば、こちらの真偽はすでに判定できたといえそうだ。原口清が考証したように、宮崎が言う「孝明天皇は快方に向かった」という事実がない以上、天皇が堀河家に行ってそこで殺されたという話は成り立ちようがないからである。

明治天皇すり替えはありえない

神経質な子供にはかえってありがちなことだが、睦仁親王ははかんしゃく持ちで幼なじみの公家の子供とよく喧嘩をしていたという。その激しい気性が成長とともに活発さに変わるというのはおかしなことではない。また、

幼い頃に病弱だった人が大人になってから頑健になるのも珍しいことではない。

即位後の明治天皇を支えた人には、彼が子供だった頃からよく知っている者も多かった。例えば明治天皇の外祖父に当たる中山忠能は病弱だった頃の睦仁親王を自邸に預かって育て上げ、明治政府でも朝廷の御用や祭祀にかかわる重職に就き続けた。

二条斉敬は孝明天皇のもとで左大臣を務め、明治天皇の摂政となり、摂関制が廃止されてからも大宮御所御用掛などとして明治天皇の厚い信任を得ていた。中山も二条も、子供だった睦仁親王をよく知っており、倒幕派の天皇すり替えの陰謀などには決して協力しない人々である。

睦仁親王は病弱だったとはいえ、常に御簾の陰に隠れていたわけではない。その後、明治天皇になってからも豪放磊落な人柄で、多くの人と会うことを好んだ。両方の時代をともに知っている人々は少なくなかったわけで、すり替えの陰謀など不可能だったのである。

すり替え説は歴史観の矛盾の解消のために導入された

明治政府の政治的決定および昭和初期の皇国史観における南朝正統説の根拠は水戸徳川家の編纂事業による『大日本史』を根拠とした歴史観、いわゆる水戸学にあった。

皇學館大學教授（歴史学専攻）の岡野友彦氏によると『大日本史』が南朝を正統としたのは、武家政権の正統性を確保するため、南朝の断絶をもって日本の実質の王権は交代したことを暗示するためだった。しかし、19世紀に入る頃に水戸学は変質し、武家政権はあくまで皇室から日本の統治・軍事を委託されただけだという説が主流となった。

近代日本は、水戸学を国家イデオロギーの根幹としながら、前期水戸学から引き継いだ南朝正統説と現実の皇室が北朝系であることの矛盾を克服できなかった。明治天皇すり替え説は、その矛盾を荒唐無稽な陰謀論の導入で解消しようとするものだったのである。

「フルベッキ集合写真」

集合写真は維新の志士とは無関係

陰謀の証拠写真なるものの正体についてだが、これは実はオランダ出身の宣教師グイド・フルベッキが長崎で英語教師をしていたときに教え子たちと撮った記念写真であり、**維新の志士と何の関係もなければ、後の明治天皇が写っていようはずもない**。ノンフィクション作家の斎藤充功（みちのり）氏は東京歯科大学法医学研究所の協力を得て、松重揚江らが大室寅之祐とみなした人物が明治天皇とはまったくの別人であることを明らかにした。

何でも説明可能な田布施システム

鬼塚英昭は、昭和天皇が終戦直後の別府行幸でカトリック教会に立ち寄ったというエピソード（鬼塚の言うところの「別府事件」）だけから、吉田茂とＧＨＱとバチカンによる皇室キリスト教改宗計画があったという内容で上下巻合計９００ページ近くの大部の著書をものした人物である（『天皇のロザリオ』）。もちろん、その計画の実在を直接裏付ける関係者の証言や公文書の類は存在しない。

田布施システムは、そのような想像力の持ち主と明治天皇すり替え説が出会うことで生じた幻影の城とみなすべきだろう。

田布施システム論は、本来、長州閥が権力を独占していることを説明するための論法だった。ところが鬼塚英昭は次のように述べる。

池田勇人（1962年）

〈この田布施システムのカネを貰って政治活動ないし、経済活動をした人物は数え切れないほどいる。白洲次郎、佐藤栄作元首相、池田勇人元首相、田中清玄…〉（鬼塚英昭『瀬島龍三と宅見勝「てんのうはん」の守り人』64ページ）

このうち、田中清玄（1906〜1993）は戦後日本経済のフィクサーの1人だが会津武士の血を引くことを誇っており、長州閥の流れを汲む岸信介とは対立していた。岸内閣退陣のきっかけとなったのは1960年の反安保デモだが、田中はそのデモの主力となった全日本学生自治会総連合（全学連）の出資者であった。

つまり、長州閥以外の者が長州閥＝田布施システムに属する人物を追い落としたことになる。最強であるはずの田布施システムに属する者が追い落とされたとなると、鬼塚としては田中清玄も田布施システムに属していたとするしかこの事実を説明できなかったのだろう。

鬼塚英昭は『天皇種族・池田隼人』において、田布施システム内でインドネシア利権をめぐって岸信介と対立するグループがあり、田中清玄はそちらに属していた、として田中と岸の対立を説明した。

しかし、その論法を認めるなら、田布施システム論は、長州閥の人物の権勢の説明にも、長州閥以外の者の権勢の説明にも適用可能だということになる。田布施システム論が適用できる条件はその人物が権勢をふるったかどうかだけというわけだ。後付けで何でも説明できる理屈は、実際には何ものをも説明していないのと同じである。

空想が成長して妄想へ

なお、私は古代史研究家の加茂喜三（きぞう）氏とともに柳井市に赴き、生前の大室近祐から話を聞いたことがある。そのとき、私たちは明治天皇との関係に関する質問などを準備していたのだが、近祐はこちらの質問など受け付けようとせず、ただ、彼の自宅の場所が宇宙の中心で、あらゆる世界の宗教の発祥地であることを熱っぽく語り続けた。

当時の大室近祐には自分の祖父の兄が明治天皇だったかどうかなど些細なことにすぎなかったようだ。明治天皇が大室寅之祐だという根拠はその近祐の証言しかないわけで、これでは最初から信頼できる筋の話ではない。

ジャーナリスト・大野芳氏の調査によると大室近祐は昭和14年頃から、大室家と皇室に関係があると主張する書面を在住地の村長に送りつけていたという。大野氏は近祐の主張に好意的だが、私には大室近祐の空想癖がその頃まで遡るだけのようにしか思えない。そして、その空想が鹿島曻、松重揚江、鬼塚英昭らを介して、いまや多くの人に共有される妄想へと成長しているのである。

（原田実）

参考文献

『天皇家の歴史　上下』（ねずまさし、三一新書、三一書房、1976年）
『徹底的に日本歴史の誤謬を糺す』（三浦芳聖、神風串呂講究所、1970年）
『日本王朝興亡史』（鹿島曻、新国民社、1989年）
『明治大帝』（飛鳥井雅道、ちくま学芸文庫、筑摩書房、1994年）
『天皇の伝説』（メディアワークス、1997年）
『明治維新の生贄』（鹿島曻・宮崎鉄雄・松重正共著、新国民社、1998年）
『裏切られた三人の天皇』（鹿島曻、増補版・新国民社、1999年）
『天皇破壊史』（太田龍、成甲書房、2002年）
『長州の天皇征伐』（太田龍、成甲書房、2005年）
『日本史のタブーに挑んだ男』（松重揚江、たま出版、2003年）
『明治天皇』（笠原英彦、中公新書、中央公論新社、2006年）
『天皇のロザリオ』上下巻（鬼塚英昭、成甲書房、2006年）
『二人で一人の明治天皇』（松重楊江、たま出版、2007年）
『原口清著作集2　王政復古への道』（岩田書院、2007年）
『日本のいちばん醜い日』（鬼塚英昭、成甲書房、2007年）
『田中清玄自伝』（ちくま文庫、2008年）
『トンデモ偽史の世界』（原田実、楽工社、2008年）
「〝不倫の子〟〝替え玉〟天皇家のタブーに挑んだ超過激映画『天皇伝説』」（『週刊新潮』2008年35号［9月18日号］、新潮社）
「観たぞ！　渡辺文樹最新作『天皇伝説』」（柳下毅一郎『映画秘宝』2008年11月号、宝島社）
『幕末維新　消された歴史』（安藤優一郎、日本経済新聞出版社、2009年）
『日本トンデモ人物伝』（原田実、文芸社、2009年）
「検証！　幕末トンデモミステリー」（原田実、『Ｕｓｐｉｒｉｔｓ（ユースピリッツ）』2010．Vol.1、辰巳出版、2010年2月）
『トンデモ日本史の真相　人物伝承編』（原田実、文芸社文庫、2011年）

『瀬島龍三と宅見勝「てんのうはん」の守り人』（鬼塚英昭、成甲書房、２０１２年）
『トンデモニセ天皇の世界』（原田実、文芸社、２０１３年）
『天皇種族・池田勇人』（鬼塚英昭、成甲書房、２０１４年）
「陰謀論の研究、日本を牛耳る田布施システムとは」（『週刊ポスト』２０１７年1月13・20日合併号）
「釈明とお詫び」（三宅洋平オフィシャルブログ『三宅日記』２０１５年3月18日付）
「ネットを騒がす陰謀論「田布施システム」の謎を安田浩一が解き明かす」（講談社web記事、２０１８年9月15日付）
『源氏長者』（岡野友彦、吉川弘文館、２０１８年）
『天皇は暗殺されたのか』（大野芳、二見文庫、２０１９年）
『フルベッキ写真の正体』（斉藤充功、二見文庫、２０１９年）

日本が朝鮮の民族精気を断つために風水を破壊した（日帝断脈説）

鉄杭の打ち込みには多くの目撃や証言があり、日帝の風水破壊は否定することのできない歴史的事実である。このような歴史的事実を踏まえ、金泳三（キムヨンサム）政権時代（1993～1998）には内務部（内務省）の主管のもと、鉄杭の除去作業が国家レベルで行われた。撤去された鉄杭は忠清南道天安（チュンチョンナムドチョナン）の独立記念館にも展示されている。現在でも市民団体により、日帝が打ち込んだ鉄杭の除去作業が行われている。

陰謀論

鉄杭で地脈を断ち切ろうとした

1910年、日韓併合により韓国を併合した日帝（大日本帝国）は、朝鮮に統治機関である朝鮮総督府を設置して植民地支配を開始した。朝鮮の風水思想を熟知していた日本は、この風水思想に基づき、朝鮮の民族精気（せいき）（注1）を抹殺するために、全国の名山に鉄杭（てっくい）を打ち込んで地脈を断ち切ろうとした。

これらの鉄杭は韓国全土で発見されており、日帝の風水破壊が大規模かつ組織的に行われていたことを知ることができる。

（注1）「民族精気」は「民族正気」と表記されることもあるが、表記における定義や用法に厳格な差があるわけではないので、ここでは「精気」を用いる。なお韓国語では両者の発音は同一である。

真相

植民地当局によって打ち込まれたかどうかの検証はされない

韓国では「日本が朝鮮の民族精気を断つために風水を破壊した」という「日帝断脈説」が広く語られ信じられている。しかも「日帝断脈説」は「全国の名山に鉄杭を打ち込んだ」という説と、「すぐれた風水（明堂）を破壊するために故意に建物を建てた（あるいは道路を通した）」という説の2つに分けられる。ここでは前者を主に扱う（なお、ここで考察するのは「鉄杭が果たして日本によって風水を破壊する目的で打ち込まれたのか」という問題であり、「鉄杭が打ち込まれたことによって朝鮮の民族精気がどうなったか」については関知しない）。

まず、日本が打ち込んだとされる「鉄杭」に関する最近の韓国の新聞報道を引用し、「日帝断脈説」の実相がいかなるものであるのかを示してみる。２０１７年７月９日付けの『ヘラルド経済新聞』には次のような記事が掲載された。

〈鬱陵島北面ソムモクで日本植民地時代のものと推定される鉄の棒を発見

慶尚北道鬱陵北面ソムモクの尾根で日本植民地時代に韓国人の精気を破壊するために打ち込んだと推定される鉄の棒が発見された。最近発見された鉄の棒は、陸地から遠く離れた鬱陵島として初めて確認された「ヒョルチム（穴針、地脈に打ち込まれた杭）」として非常な関心を集めている。

このような事実は、朴ハクス（72・鬱陵郡道洞）氏が鬱陵山岳会に情報提供を行ったことを通じてマスコミに公開され、鉄の棒が打ち込まれた現場が確認された。これを知った島の住民は、日本の変わらぬ独島領有権主張だけでもとんでもないのに、鉄の棒まで打ち込むとは、本当に許せない蛮行であると憤慨した。朴氏は「数十年前に農作業のために畑を登り降りし、鉄の棒を目撃したが気に留めなかった。何となく奇妙に感じ、もしかしたら日本の植民地時代に、我々の精気を破壊するため日帝が打ち込んだのではないか、という思いで現場を確認するついでに情報提供をすることになった」と述べた。（中略）蘇潤夏・民族精気宣揚委員会委員長は9日、本紙が送信した現場写真を確認し、電話による通話で「写真で見る限り、風水のすぐれた尾根に『穴針』を打ち込み、明堂を破壊するものであり、日本の蛮行と判断される」と伝えた〉

このような記事は、鉄杭の除去作業が行われるたびに新聞の紙面に登場するのであるが、大抵その形式は決まっている。前記の記事にも見られるように、鉄杭の発見と除去を行っているのは現地住民（記事では朴ハクス氏）、市民団体や鉄杭除去活動家（同記事では蘇潤夏委員長）であり、その鉄杭が「風水を破壊するため日帝が打ち込んだものかどうか」は住民や市民団体、活動家が決めている。

つまり、鉄杭が本当に日本の植民地当局によって打ち込まれたのかどうか、また打ち込まれたとしたら、本当に風水を破壊するためだったかどうかの検証がなされていないのである（根拠として挙げられているのは、主に風水上の説明である）。

検証不可能な都市伝説が日刊紙で報じられる

件（くだん）の鬱陵島の杭について蘇潤夏委員長は「日帝が打ち込んだ鉄棒かどうかを確認するため、鬱陵郡庁に問い合わせる公文書を送った」などと述べているので、一応の確認作業は行ったようである（ちなみに件の鉄杭は「日本が打ち込んだもの」と「確認」され、後に除去作業が行われている）。

しかし、以前はこうした手順が一切省略されたまま、すぐに「日帝が風水破壊のために打ち込んだ鉄杭だ」と断定し、すぐに大々的な除去作業を行っていた。つまり、鉄杭の発見者や市民団体、活動家は「民族精気の回復」に関心はあっても、その根拠の検証にはまったく興味がないのである。

日帝が打ち込んだとされる鉄杭は韓国全国に数百本もあるとされるのだが、仮にそれが本当だとしても、数十年前に打ち込まれた鉄杭の1本1本について、打ち込まれた経緯を検証するのは不可能に近い。いきおい、あやふやな住民の証言だけに頼ることになる。

前述の鬱陵島の事例でも、住民が鉄杭を打ち込んでいる現場を目撃したわけではない。偶然、畑で鉄杭を見つけ、「日帝が打ち込んだ鉄杭だと思った」というだけの話である。

科学の発達した21世紀になっても、風水思想と「日帝が鉄杭で風水を破壊した」という検証不可能な都市伝説が広く信じられ、オカルト雑誌ならともかく、このように日刊紙の紙面で報じられるということ自体、極めて特異な現象である。

ここでは、なぜ、このような現象が起こったのか、そしてどのような経緯を経て現在に至っているのかを見渡してみたい。

中国が打ち込んだとされたものが、日帝のせいに

まず、知っておかなければならないのは、もともと韓国には、「風水がすぐれた場所（明堂）に鉄杭を打ち込み、気脈（きみゃく）を断ち切り、すぐれた人物が輩出されないようにする」という伝説や考え方があったということである。

野崎充彦（みつひこ）・大阪市立大学教授は、著書である『韓国の風水師たち』と「朝鮮断脈説の形成について」（『人文研究』所収、１９９６年）という論文で、この「日帝断脈説」の背景について詳しく考察している。その要旨は次の通りである。

①朝鮮にはもともと「杭を打ち込んで（風水上の）気脈を断つ」という「断脈」という考え方があった。中でも「中国による断脈」は広く民間で信じられていた。

②断脈説は壬辰倭乱（イムジンウェラン）（文禄・慶長の役）以前にさかのぼることができ、『東国輿地勝覧（とうごくよちしょうらん）』（16世紀に編纂（へんさん）された官撰地理志）では高麗時代に宋から来た胡宗朝が済州道の水脈を絶ってしまったという記事がある。『端川郡誌』（19世紀末に編纂された咸鏡南道端川郡の地誌）にも１３７０年に明から来た道士・徐師昊が鉄釘で気脈を断ったという記事が見える。また、『朝鮮王朝実録』（朝鮮王朝27代の歴史を編年体で記した実録）によると、１４０６年に明から来た宦官・黄儼が全羅道で樹木に銅の釘を打ち込むという事件が起きている。

③また、朝鮮の古小説『壬辰録』には、「壬辰倭乱（文禄・慶長の役）の際に朝鮮に派遣された明の援軍の将軍・李如松が、朝鮮の風水があまりにすぐれているのを見て恐れ、朝鮮の気脈を断つために全土を回る」という内容がある。

④『択里志』（朝鮮の文人・李重煥が18世紀に著した地理書）には「慶尚南道善山はすぐれた風水の地で、多くの人材が輩出されていたが、壬辰倭乱の際に明軍に同行していた風水師が、地脈があまりにすぐれているのを見て恐れ、炭と杭を用いて地脈を断ち切った」という内容が現れる。

⑤中国・日本においては朝鮮における「断脈説」と同様の言説を見出すことができない。ゆえに朝鮮の「外国勢力による断脈」という説話は朝鮮で独自の発展を遂げたと思われる。

また、崔吉城・東亜大学教授は、その論文「韓国・風水ナショナリズム」で、次のように述べている。

〈日本政府は朝鮮に偉い人物が出て独立運動などをするのではないかと考え、偉い人物が出ないように風水上の竜脈を切ったという言説がある。つまり全国的な規模で山脈に鉄柱を刺したという。（中略）このような断脈の鉄柱の話は慶尚北道善山では有名な学者が多く出たので明の使臣が山脈を切って鉄柱を打ち込んだのでその後人材が出なくなったという『八域誌』（18世紀に李重煥が著した『択里志』を指す――引用者）の話の口承の歪曲であろう……これは明という国が日本に代わっただけである〉（注2）

つまり、「鉄杭を打ち込んで風水上の脈を断つ」とい

（注2）崔吉城教授は「韓国・風水ナショナリズム」（『アジア遊学』47号所収、2003年）で、朝鮮総督府嘱託であった村山智順（1891〜1968）が1931年に著した風水の研究書『朝鮮の風水』（1931年）にも触れ、村山が風水思想については否定的な見解を持ち、風水信仰を信じていたわけではないことを指摘している。その上で、〈もし信仰的に日本の繁栄を模索したとしたら、風水地理による王陵、祖廟などにもいくらか毀損を考えたはずであろうと私は思う。なぜなら朝鮮の風水は墓地が主要であるからである〉と述べている。つまり、朝鮮総督府は風水を研究していたものの、朝鮮人に屈辱感を与えるためにこれを破壊するような施策を行ったという根拠は発見されていないのである。

う考え方は朝鮮時代以前からあったもので、その鉄杭は主に中国（宋・明）によって打ち込まれたとされていた。ちなみに、現在でも墓に鉄杭を打ち込んで風水を破壊しようとしたという「事件」は発生している（注3）。

突如マスコミを賑わせた「北漢山の鉄杭除去」

さて、こうした「断脈説」が伝統的な風水地理説に留まっているうちは、さしたる問題もなかった。ところが、20世紀も終わりに近づいた時期になって、突如「日本が鉄杭で朝鮮の風水を破壊した」という「日帝断脈説」がマスコミを通じて大々的に報道されるようになった。その走りとなったのは、1980年代中盤、ソウルの北部にある北漢山に打ち込まれたとされる鉄杭の除去であった。いわば、現代版「断脈説」の「起源」ともなった、この北漢山の鉄杭の事例を詳しく見ていくことにする。

1985年3月25日、ソウルの北部にある北漢山の頂上・白雲台に打ち込まれていた長さ45センチ、直径2センチの鉄柱27本が除去された。鉄杭を除去したのは「オルネリム山友会」（後に「我々を考える会」と改称）という団体の会長・具聞瑞氏と会員である徐吉洙氏ら。問題の鉄杭は、日本の植民地時代に打ち込まれたもので、日本人、おそらくは朝鮮総督府が朝鮮の風水を破壊するために打ち込んだものであるという。

この鉄杭除去において中心的な役割を果たした徐吉洙氏は、当時、西京大学校教授で、専攻は経済学。韓国では歴史学、特に高句麗に関する著述で広く知られているが、あくまで所属は西京大学校経済学科である（2009年に退任）。徐吉洙教授と共に壇国大学校の大学院で学んだという宮塚利雄・元山梨学院大学教授は筆者に次のように語ってくれた。

「鉄杭を最初に問題にしたのは私の大学院の先輩の徐吉洙教授でした。徐先輩とは個人的にも親しかったのですが、なぜ、このような鉄杭問題を取り上げるようになったのかわかりませんでした。徐先輩は非常に優秀で多才な方でした。私など足元にも及ばない大先輩でした。が、なぜ、鉄杭問題を世間に持ち出したのか」

朴裕河・世宗大学校教授によると、徐吉洙氏はもともと風水を研究していたわけではなく、「山登りが趣味で、山歩きの際に鉄杭を発見し、その後、『我々を考える会』という市民団体までつくって、鉄杭を探しまわる作業に本格的に取り組むようになった」とのことである。

野崎充彦・大阪市立大学教授は徐吉洙氏に対して聞き取り調査を行っている。その結果によると、徐吉洙教授自身も「日帝断脈説」を裏付ける文献資料を持っているわけではなく、口伝の採取の結果であることがわかる。

徐吉洙氏は、問題の白雲台の鉄杭が打ち込まれたのは1920年代と見られること、1927年に和田一郎（殖産銀行頭取）と韓相龍（韓一銀行頭取）という人物が財界から費用を集め、中国人人夫を使って北岳山で工事を行ったことを述べている。

ただし、これは徐吉洙教授が韓国山岳会の金鼎泰氏から聞いた話である。また、このことを語った金氏は件の鉄杭は「方位観測用」で、風水破壊とは無関係だと主張していたという（注4）。

（注3）風水破壊目的で墓に鉄杭を打ち込んだ（とされる）事件の具体例をいくつか挙げておく。
1999年3月、忠清南道礼山にある李会昌・ハンナラ党総裁の祖先の墓7基に長さ1メートルの鉄杭が打ち込まれているのが発見された。また1999年の4月から5月にかけて、慶尚北道安東にある朝鮮時代の儒学者・李退渓の墓所に鉄杭が打ち込まれているのが発見されるという事件が起きた。
同年（1999年）の4月には忠清南道牙山市で朝鮮時代の武将・李舜臣の墓所に刀と鉄杭を打ち込むなどして巫女とその息子が検挙されるという事件が起きている。一審の大田地方裁判所はこの巫女に懲役5年、息子に懲役2年執行猶予4年の刑を言い渡している。
最近では2019年6月にソウルの国立顕忠院の朴正熙大統領の墓域に鉄杭が打ち込まれているのが発見された。風水の破壊を目的として打ち込んだのではないかという疑いが提起されたが、結局、芝生の固定用に用いられる杭であったことが判明している。

（注4）実際に鉄杭の除去活動を行った具閏瑞氏も『月刊朝鮮』（1995年10月号）の取材に対し「10年間、1500ヶ所を踏査しましたが、北漢山白雲台と俗離山文蔵台以外では（日帝の）鉄杭を発見できなかった」「率直に言って『日帝が本当に鉄杭を打ち込んだのか』という疑問を感じた」と語っている。

本来の用途が忘れられ、「断脈説」が付け加えられた

韓国の「類似歴史学」研究の第一人者である李文英氏は、この北漢山・白雲台について詳細な検証を試みている。その検証によると、件の鉄杭が日本の植民地期に打ち込まれたことは明らかだという。

１９２７年８月20日付『朝鮮新聞』には、和田一郎（朝鮮商業銀行頭取）ら５人の日本人が白雲台に登る道路の補修費用７５０円の募金を開始した、という記事が掲載されている。その補修は道路だけではなく、行き先案内、登山案内板、鉄製の手すりなどにも及んでいた。

１９２７年10月１日付同紙によると、この工事は９月25日に完了し、６００人の登山客が山頂まで登攀したという。記事には「石壁には段をきざみ、鉄棒を立ててくさりを取りつけた」という記述があるから、おそらく、この「鉄棒」「くさり」などを設置する過程で鉄杭が打ち込まれたものと思われる。

李文英氏が提示した新聞記事の内容は、前述の徐吉洙教授や具閏瑞氏の話とおおむね一致する。ただし、その目的は「風水の破壊」などではなく登山道の開削であったことがうかがえる。

北漢山白雲台の岩に鉄杭が立てられ、木札が取り付けられた写真。1927年11月19日付毎日申報の記事

2011年10月、筆者は北漢山白雲台を踏査し、鉄杭が打ち込まれた穴だけが残った岩を確認した。

筆者は２０１１年10月に北漢山白雲台を踏査し、鉄杭が打ち込まれていた岩を確認した。そこには鉄杭が打ち込まれていた穴のみが残っていたが、１９２７年11月19日付毎日申

報には、同じ岩に鉄杭が立てられ、その上に木札が取り付けられた写真が掲載されている。

写真の説明によると、「東西南北と遠くに見える山の名前」が記されている。また、『京畿地方の名勝史跡』（朝鮮地方行政学会、1937年）という資料には「頂上は平潤な大岩畳で四圍柵を繞らし、岩盤の中央にある岩塊には鉄製の指呼標がある」という一文がある。おそらく、周囲に見える名山の名前を木札に表示して、岩に打ち込んだ鉄杭に取り付けたものであろうと思われる。

徐吉洙教授に鉄杭のことを教えた金鼎泰氏は幼少時から何度も北漢山に登っていたというので、この「指呼標」を目撃していた可能性が高い。その後、木札は失われて鉄杭だけが残り、その鉄杭も捻じ曲がった状態になってしまった。

そして、本来の用途も忘れられ、いつの間にか「日帝が断脈のために打ち込んだ」という伝説が付け加えられたと思われる。

「測量用鉄杭」の可能性も

北漢山の鉄杭は名山案内用の杭を立てるために打ち込まれたと見るのが最も合理的であるが、他の地域で発見された鉄杭については、「測量用の杭ではないか」という説も根強く提起されている。確かに日本は日露戦争の直前に朝鮮に測量班を送り込み、密かに測図を行っており、その作業の過程で杭が打ち込まれた可能性はある。

19世紀末～20世紀初頭に日本が朝鮮で行った測量活動の記録である『外邦測量沿革史草稿』（陸軍陸地測量部）に鉄杭に関する記述はない。ただ、全羅南道沿岸を測量していた測図班が現地住民に襲撃されたという記述がある。

その理由は「以前、日本人が山上にスケソウダラを埋めるというまじないを行い、朝鮮人を抹殺するという祈祷を行ったため、高波が起きて大きな被害が出た」というもの。

『外邦測量沿革史草稿』（明治32年3月25日）には「測量作業を行っている現地事情は一般に不穏であり、特に山に登るのを住民が嫌がる。日本人が来て山に登るのは、山に鱈を埋めて津波のような天災を起こし、住民を祈り殺そうとするためだ、という奇怪な説が伝播されているためだ」という記述が見られる。

現地住民にしてみれば、日本人が密かに行っている測量はまじないに等しかったに相違ない。同様な事例が鉄杭についてもなかったとは言い切れないのである。

独立記念館（忠清南道天安市）

宮塚利雄・元教授も徐吉洙教授が独立記念館に寄贈した15本の鉄杭を調査し、測量用の杭である可能性を探っている。

「独立記念館に『日帝がわが国の山頂に打ち込んだ鉄杭』と称するものが数点展示されていましたが、みな寸法が違うものでした。私は『林野調査報告書』（とても高価でした）と『土地調査報告書』（これも超高価）を入手して、調査のときに日本側が使用する測量機材などを丹念に調べましたが、鉄杭はありませんでした」（筆者に語ってくれた証言）

確かに、測量用の杭ならば規格が統一されていなければおかしいし、そもそも、測量の際にそうした鉄杭を地中深く打ち込む必要があるのか、という疑問は残る。

なお、海野福寿・明治大学名誉教授（日本近代史）も、その論文「朝鮮測図事業と朝鮮民衆」で〈現在のところそれ（杭が測量用のものであるという主張――引用者）を裏付ける確証はない〉と述べている。

「日帝」が打ち込んだものでも、風水破壊のためでもない

北漢山の鉄杭は「日帝が風水を破壊するために打ち込んだ」とされた挙句に除去されたわけであるが、その当時はさして注目されることはなかった。徐吉洙教授や具閏瑞氏はその後も全国を回って鉄杭探査と除去作業を繰り広げるが、その当時の韓国は軍事政権下で、国民の関心は「鉄杭」などではなく、「民主化」であった。

徐教授や具氏の活動が日の目を見るのは、韓国の民主化が一段落し、政権が何度か交代した1990年代になってからである。

1993年7月、具閏瑞氏ら「我々を考える会」会員は俗離山文蔵台に鉄杭が打ち込まれているという情報をもとに探査を行い、8本の鉄杭を発見。その鉄杭を「日帝が打ち込んだもの」と断定し、9月11日・12日にかけて除去作業を行った。

その模様を報道した1993年8月13日付『ハンギョレ新聞』の記事には、〈大汗をかきながら、鉄杭を引き抜いた会員の1人は『この鉄杭は日帝が風水を破壊するために打ち込んだと言えないかもしれないが、この作業を通して、我々の心の中にある日帝の鉄柱を除去し、民族魂を回復することに意義がある』と清々しい表情を浮かべた〉とある。つまり、鉄杭を除去した会員すらも、この鉄杭が風水破壊のために打ち込まれたものかどうか、確信がなかったということになる。

結論から言えば、この鉄杭は「日帝」が打ち込んだものでも、風水を破壊するために打ち込んだものでもなかった。

韓国の有力月刊誌である『月刊朝鮮』（1995年10月号）には、日本の植民地時期には件の鉄杭は存在せず、1958年頃に打ち込まれたものであるという付近住民の証言が掲載されている（注5）。さらに、この住民はマ

（注5）後に内務部が公式に「日帝による風水破壊の鉄杭」と「認定」した慶尚北道金泉市の訥誼山に打ち込まれた鉄杭についても、付近住民が「1930年ごろ、航空路の指示管制塔を立てるために打ち込んだもの」と証言している。同じく忠清北道丹陽郡で発見された鉄杭についても、付近住民が「舟の綱を結ぶために打ち込んだもの」「それが日帝の鉄杭ということにされてしまった」と証言している（『月刊朝鮮』1995年10月号）。

スコミの取材に対して、この鉄杭は日本の植民地期に打ち込まれたものではないと証言したにもかかわらず、「日帝が打ち込んだ鉄杭」と大きく報道された、とも証言している。

その後、全国各地で「日帝が風水を破壊するために打ち込んだ鉄杭」が発見され、そのたびに大々的な除去作業が行われるということが繰り返されるようになる。

政府のお墨付きを得て、除去作業は加速

さて、鉄杭除去運動が社会的に最も大きな注目を集めたのは1995年、日本の植民地支配から解放されて半世紀に当たる年であった。この年、金泳三政権の提唱する「歴史建て直し作業」を具現するための「光復（植民地支配からの解放）50周年事業」が政府主導で行われた。この事業の一環として、朝鮮総督府建物の解体や鉄杭除去が行われたのである。

1995年2月15日に行われた国務会議でこの事業の実施が議決され、内務部（内務省）の主管のもと、鉄杭の調査と除去作業が行われた。その結果、全国で20本にのぼる鉄杭が「断脈」のために打ち込まれたとされた（注6）。

この20本の鉄杭については政府（内務部）による目録が発表されているが、内務部の調査の根拠となったというのが前述の徐吉洙教授の論文なのである。つまり韓国政府による調査も、文献的根拠に基づくものではなかったと言える。

しかし、鉄杭除去に政府のお墨付きがついたことにより、鉄杭除去作業はさらに加速していくことになる。一度始めた公共工事をやめられないのと同じで、こうなると誰にも止められない。打ち込まれた根拠が不明確な鉄杭除去であっても、「風水破壊用の鉄杭」だということにされてしまい、政府機関や地方自治体も関与して大々的な除去作業が行われることになる。

もちろん、こうした一連の作業には、当時の政権の政策に迎合したという側面があることも否めない。日本の朝日新聞にまで報じられた、当時の事例の1つを見てみよう。

〈慶尚北道清道郡では、まだ軽い興奮が残っていた。朝

鮮総督府が風水信仰を断つために、気脈が走ると信じられていた岩山の中腹に打ち込んだとされる鉄杭（長さ1メートル、直径3センチ）が2月半ばに引き抜かれたばかりだ。「長年のトゲがとれ心が軽くなりました」。元中学校長で地元郷土史研究会会長の李鍾国さん（68）が、晴れ晴れとした表情で現場を案内してくれた。70年ほど前に日本人の手で打ち込まれた、と祖父から聞かされていたが、正確な位置はわからなかった。その後、表土が風雨で流れ、鉄杭の頭部がのぞいていた。一月末、慶尚北道から撤去の呼びかけがあり、浦項市とここの2か所が最初の撤去対象になったという。（韓国の――引用者）内務省が一日を機に呼び掛けている地名の復古や鉄杭の撤去運動は、実は慶尚北道がひと足先に1月下旬から始め、好評だったため、全国に拡大されることになった。…一連の取り組みの中で、鉄杭だけは、旧総督府が打ち込んだという確かな証拠はない〉（１９９５年3月1日付朝日新聞）

全国の先駆けになったとかいう、この清道郡の鉄杭であるが、もちろん、「70年ほど前に日本人の手で打ち込まれた」という言い伝え以外に何らの根拠もない。もちろん、断脈のために打ち込まれたという根拠もない。言い伝えの鉄杭と、引き抜かれたという鉄杭が同じものだという確証もない。

朝日新聞の報道にもあるように、この事業はもともと慶尚北道の記念事業だったのだが、それに目を付けた韓国政府が全国に拡散させたというのが事実らしい。一部の反対を黙殺し、慶尚北道は軍隊まで動員して鉄杭探査を行ったが、それを当時の内務部長官が絶賛した結果、国策事業に格上げされたのである。

ともあれ、この国策事業により、全国で４３９件の通報があり、１９９５年8月末までに13地域で18本の鉄杭が除去された。つまり、公式的に「日本が風水破壊を目的として打ち込んだ」とされ除去された鉄杭は18本に過ぎなかった、ということである。

（注6）全国で発見された鉄杭は、１９９２年8月15日付『ソウル新聞』によると１２８本、徐吉洙教授の論文を参考にした１９９１年8月15日付『韓国経済新聞』の記事によると１５４本だという。一方、韓国の内務部（内務省）が発表した本数は20本で大きな差がある。

全国にまで範囲を拡大して探査したわりには、意外にしょぼい結果である。その上、公式的に認定された鉄杭の中にも、明らかに風水破壊を目的として打ち込まれたものではない、測量用の鉄杭も含まれていたという。

山下大将が打ち込んだという主張も

鉄杭除去運動を主導した金泳三政権が退陣した後も、現地住民や鉄杭除去活動家が鉄杭を発見し、地方自治体が鉄杭を除去する大々的な記念行事を開催し、それをマスコミが何らの検証もなく報道するという事例が数多く見られた。その過程で、大学を退職した徐吉洙教授や1997年に死去した具閏瑞氏に代わり、鉄杭除去の中心人物として登場したのが蘇潤夏という人物である。

蘇潤夏氏は元僧侶で、1966年に「龍華教」という新興宗教の教主を殺害したという驚くべき経歴の持ち主。鉄杭除去運動を開始したのは1985年からで、具閏瑞氏とは旧知の仲だったという。

蘇潤夏氏は「民族精気宣揚委員会」という会の代表を務めているのだが、会員は蘇氏1人。現在、韓国で鉄杭除去を行っている団体は「民族精気宣揚委員会」だけである。

ただし、蘇潤夏氏の主張は実に荒唐無稽なものである。韓国の有力月刊誌である『新東亜』1999年8月号によると、蘇氏は山下奉文(ともゆき)陸軍大将が朝鮮半島の各地に365本もの鉄杭を打ち込んだという突拍子もない主張を行っている。

もちろん、確証があるわけではなく、マニラ軍事裁判で山下の通訳を務めたシン・セウという人物の息子から聞いたという。『新東亜』の記事を引用する。

〈英語が流暢だったシン・セウ氏は裁判の時に山下ら日本軍将軍の弁護を務めた。裁判の二審で山下はシン氏の弁論のおかげで銃殺刑を免れて絞首刑になり、遺体だけでもきれいに保存できる道が開かれた。宣告の数日後、山下は刑務所で死ぬ直前に恩人であるシン氏に驚くべき秘密を告白したという。朝鮮半島の山のあちこちに杭を打ち込んだことと、収奪した宝物の行方に関することなどであった〉

これについては韓国の革新系月刊誌『マル』（2005年12月号）が検証報道を行っており、蘇潤夏氏の主張がまったくのでたらめであったことが明らかになっている。マニラ軍事裁判での山下奉文の通訳は浜本正勝という日本人であり、6人の弁護人もすべてアメリカ人。そこに朝鮮人が含まれていたということは考えられない。

さらに蘇潤夏氏が行っている鉄杭除去運動にも疑問が提起された。

2013年2月28日、韓国中部の都市・世宗市は蘇潤夏氏と共に、転月山という山に打ち込まれた「断脈用」の鉄杭8本を除去した。付近住民からは「軍部隊が訓練に使っていた鉄杭だ」という鉄杭説を否定する声が出ていたが、これを無視して記念行事まで強行された。

しかし郷土史学者によって鉄杭は日本が打ち込んだものではなく、遊撃訓練場のロープをかける鉄杭であることが判明。遊撃訓練場の鉄杭と除去された鉄杭の断面が同じであったこと、杭が打ち込まれた岩で遊撃訓練が行われていたという住民の目撃談が相次いだこと、工兵隊が訓練場施設を設置した事実が確認されたことが決め手になった。

「考証を無視したまま騒動を起こし、最終的に行政力だけを浪費した」と2013年3月7日付『韓国日報』は報じている。しかし、蘇潤夏氏はそれにもめげず、現在まで鉄杭除去活動を続けており、「真相」の冒頭で引用した『ヘラルド経済新聞』の記事の中にも登場している。

北朝鮮では「日帝断脈説」が公式見解に

現在でも韓国では間欠的に鉄杭が発見され、蘇潤夏氏がそれを追認し、自治体が鉄杭を除去する、といったことが行われている。また、今も大部分の韓国人が「日帝断脈説」を漠然と信じていることは事実である。

ただし、以前のように大々的な報道がなされて世間の耳目を集める、ということはなくなっている。その理由は韓国の識者からも疑問や批判が次々と提起されたこと、また、鉄杭除去を行っている団体の主張があまりに非科学的で、そうした団体が行っている事業に公費を投入するのはいかがなものか、という雰囲気が生まれたことによる（注7）。

こうした疑問や批判を受けてか、徐吉洙教授らが独立記念館に寄贈した鉄杭も、現在は展示から撤去され見ることができない。ゆえに、近い将来、鉄杭除去運動が韓国で再び高揚する可能性は希薄であろう。

と、ここまで書いてきたところで、北朝鮮から驚くべき報道が飛び込んできた。２０２１年2月6日付の朝鮮労働党機関紙『労働新聞』は次のような記事を掲載した。

〈一時とも遅らせることができず、一瞬たりともおろそかにできないのが反帝国主義階級教養である／民族抹殺を狙った日本の永遠の罪

南浦市階級教養館には、植民地統治時代に日本の侵略者が南浦市温泉郡元邑労働者区に位置する山に打ち込んだ鉄杭が展示されている。この鉄杭にも朝鮮人民の民族精神を去勢・抹殺しようとした日本の陰謀があらわれている。これは日帝の朝鮮民族抹殺策動がいかに悪辣かを告発する歴史の証拠である。金正日総書記は次のようにご教示なさった。

《日本帝国主義は、過去半世紀の間に、朝鮮を植民地にし、人民に計り知れない災害と苦痛を与えた血にまみれた敵です》

前世紀の前半、日本は我が国を軍事的に占領し、彼らの永遠の植民地にするために、朝鮮民族を完全抹殺しようと悪辣に策動した。（中略）多くの御用学者を動員し、我が国の歴史と文化、伝統の大々的な調査を進めていた日本は、朝鮮人が山を非常に重視し、名山を神聖視しており、国と民族の運命を担うすぐれた人材輩出の念願を山に託していることを知った。日本は我が国のすべての地脈を生きている人体と見て、その地脈に鉄杭を打ち込むと地が病み、地が病めば、人も病気になって災いが続くと喧伝し、我が国の主要な山と地点に鉄杭を打ち込む前代未聞の妄動を行った。この鉄杭は日帝が朝鮮民族の精気を絶つために行った極悪非道な策動の産物である。（中略）１９４６年に処刑された戦犯の告白資料によると、日本は我が国の数百か所に鉄杭を打ち込んだ。古今東西において類例を見ない極悪な民族抹殺策動を敢行した日本こそ、天下に二つとない悪漢であり、卑劣極まりない

強盗である。現在発見されている鉄杭は、過去の日本の極悪非道な朝鮮民族抹殺策動を満天下に暴露している〉

この記事で言及されている「1946年に処刑された戦犯の告白資料」がいかなるものかは明らかではないが、蘇潤夏氏が主張する「山下奉文の告白」である可能性は高い。

記事を見る限り、北朝鮮ではいまだ「日帝断脈説」が健在であり、国家の公式見解とされていることがうかがえる。

今後、韓国で為すべきことがなくなった蘇潤夏氏ら鉄杭除去活動家が、北朝鮮の鉄杭に活路を見出すことも十分考えられる。今後も事態の推移から目が離せそうもない。（水野俊平）

参考文献

金文英『類似歴史學批判』（歴史批評社、2018年）
朴裕河（著）・安宇植（訳）『韓国ナショナリズムの起源』（河出書房新社、2020年）
「韓国・風水ナショナリズム」（崔吉城、『アジア遊学』47号、勉誠出版、2003年）
『韓国の風水師たち』（野崎充彦、人文書院、1994年）
「朝鮮断脈説の形成について」（野崎充彦、『人文研究』第48巻1分冊［朝鮮語］所収、1996年）
『恥かしい文化踏査記』（記録文学会、実践文学社、1997年）
『私の越境レッスン・韓国編』（姜信子、朝日新聞出版、1993年）
「金泳三政権は風水政権か（金容三）」（『月刊朝鮮』1995年10月号、1995年）
『朝鮮の風水』（村山智順、朝鮮総督府・編、調査資料第三十一輯、朝鮮総督府、1931年　※1972年、国書刊行会より復刻）
「朝鮮測図事業と朝鮮民衆」（海野福寿『駿台史學』100、1997年）
2021年5月20日付『newdaily』記事（http://cc.newdaily.co.kr/site/data/html/2021/05/20/2021052000003.html）

（注7）「日帝断脈説」「鉄杭除去運動」に対する批判としては「金泳三政権は風水政権か」（『月刊朝鮮』1995年10月号）、「理性を麻痺させた集団催眠の呪術、鉄杭」（月刊『マル』2006年1月号）、朴裕河「『鉄杭』―民族精気を抹殺する『風水侵略』？・」（『誰が日本を歪曲したのか』社会評論所収、2000年）などが挙げられる。

『月刊朝鮮』の記事の要旨は李栄薫（編著）『反日種族主義　日韓危機の根源』（文藝春秋、2019年）の13章「鉄杭神話の真実（金溶三）」にも書かれている。朴裕河氏の著作は『韓国ナショナリズムの起源』（河出書房新社、2020年）という書名で翻訳出版されている。

（注8）なお、2021年5月の終わりに次期大統領候補ともみられる尹錫悦前検察総長の祖父の墓から包丁やお札が発見され、風水テロではないか、と騒ぎになった（参考文献のリンク参照）。

第2次世界大戦で、日本は負けていなかった（ブラジル勝ち組陰謀論）

陰謀論

日系ブラジル移民の社会では日本が勝ったと信じられた

大東亜戦争が終わった1945年夏、地球の裏側のブラジルでは、信じられないような「陰謀」を流す者がいた。何と神国たる日本が、この戦争で米国に負けたというのである。天皇がおわせられる神の国の日本が、鬼畜米英に負けるなどということがあるわけがない。

いくら母の国・日本から遠く離れたブラジルに住んでいる日本人だからといって、正しい日本国民がそんなくだらないウソに騙（だま）されるわけがない。「日本が負けた」などと言う売国奴どもは、「日本に帰ってみればわかる」などとも言う。

確かに、視察のためにブラジルから日本に送り出した者たちの中には、「日本国内を米国兵が歩いていた」などと、たわけたことを報告するものもいた。だが、これこそまさに売国奴らの陰謀以外の何ものでもない！

日本に出した使者らが行ったというのが、本当の日本ではないことは明らかである。彼らが行ったのは、日本ではなく、アマゾン川奥地だったのだ。アマゾンに追放されていた25万人の共産主義者たちが、我々を騙すためにアマゾンの中に作り上げていた「新日本」と呼ばれる日本そっくりの仮想国家に、騙されて連れていかれただけなのだ。

終戦後、ブラジルにやってきて日本の敗戦を説いて回っている領事や自称代議士などという不逞（ふてい）の奴らも、みんなこの「新日本」からブラジルに派遣されてきたニセモノなのだ。

彼らの陰謀に騙されてはいけない。日本は大東亜戦争に、もちろん勝ったのである。

真相

「勝ち組」が「負け組」23人を殺害

この「陰謀論」部分を読んだ人は、いったい何の話をしているのか、皆目わからなかったかもしれない。しかし、実は、この「陰謀論」に書かれていることは、作り話などではない。終戦後、実際にブラジルにいた日本人移民の中で強く信じられていた主張なのである。

第2次世界大戦後、「日本は勝った、アメリカをついに破った」と戦勝に沸き立っていたブラジル移民たちの一団が本当にいたのである。俗にいう「ブラジル勝ち組」の人々だ。戦後の混乱の中、日本と国交が築かれていなかった当時のブラジルでは、本国からの情報が途絶えてしまっていた。そのため、当時の日系ブラジル移民の社会は、日本の敗北を絶対に信じようとしない「勝ち組」と、敗戦を素直に認めようという「負け組」の二派に大きく分かれてしまっていた。

勝ち組の一派は、神国日本が英米に敗れたなどという「流言飛語（りゅうげんひご）」を流す同胞を国賊（こくぞく）と見なし、祖国の名誉を守らんとして、敗戦を口にする「負け組」の日本人を次々と虐殺していくというテロ行為に出た。この「勝ち組」のテロによって、負け組の日本人23人が殺害された。

『戦争を知らない子供たち』というフォークソングが昔、流行ったことがある。だが、こんな曲が流行ったということすら知らない子供たちの、また子供たちが生まれてくる時代となった。

「日本とアメリカが昔、戦争をして日本が負けた」ということを知らない大学生がいる、という話ももはや笑い話では済まない。太平洋戦争の存在すら知らないのは平和ボケの極致だと嘆くのはいいが、終戦直後に早くも「日本が勝った」と唱えて回っていた人々がいたという「秘史」を知ると、今の嘆かわしい現状もむべなるかなという気もしてくるわけである。

ハッカ工場を同胞が焼き討ちした怪事件

「日本が勝った」と騒いでいたブラジル勝ち組の暴走は、何も敗戦後に急に起きたものではなかった。ブラジルでは敗戦の1年ほど前から、日本人が経営するハッカ（英語ではミント）工場を日本人が次々焼き討ちするという怪事件が起きていた。なぜハッカ工場の焼き討ちなのか？

　それは当時、日系ブラジル人の間に流れていた『薄荷（ハッカ）国賊論』という怪文書に起因していた。この怪文書は、ハッカは米国にとって重要な軍需品なので、ハッカを米国に売りつけて私腹を肥やす者は「非国民」だと説いていたのである。

ハッカ（ミント）の一種、スペアミント。葉をハーブとして用いるほか、採取した精油が、チューインガムや歯磨き粉のフレーバーに用いられる。

　ふつうに考えれば、ハッカがなぜ軍需品なのか理解に苦しむことだろう。だが、この怪文書によれば、米国の飛行機の性能がよいのは、ハッカをエンジンの冷却剤に使っているからだという。ハッカを肌に塗るとスースーする。だから同じ原理で、米国はハッカでエンジンを冷やして飛んでいるというのである。

　さらにドイツの科学者の研究結果と称して、ハッカをニトログリセリンに混ぜると爆発力が300倍にもなり、火炎放射器に入れると火力が数倍に増え、毒ガスに混ぜると防毒マスクも効かなくなるほどの猛毒となる、と説いていた。これがもし本当なら、ハッカはお菓子というよりも、「世界最終兵器」と呼んでもいいだろう。

　これが単なるギャグならばよかった。だが、当時のブラジル移民の多くはこの説明を真に受けたのだ。「敵性産業撲滅運動」を唱える一部過激派は、非国民を成敗（せいばい）せんとして、日本人同胞が経営しているハッカ精製工場を次々と焼き討ちにしていったのだ。

　ハッカ農家が狙い討ちにされたわけは、彼らがブラジル移民の中で、経済的な「勝ち組」に属していたことが大きかった。ハッカから精油を作る技術は当時の日本が抜きん出ていたため、ブラジルのハッカ農家は大成功を収めていたのだ。

食うや食わずでブラジルへと渡り、零細の洗濯屋などを細々とやっていた他の多くの移民からすれば、ハッカ農家の成功はひたすら恨めしい対象だった。自分たちは相変わらず貧しいのに、アイツらばかりがなぜ儲かるのか？　何かやましいことをやっているからにちがいない！

仲間の成功を素直に喜べない歪んだねたみの島国根性が、この事件の根底にあったのだ。

国に役立ちたいと、負け組を襲った者も

敗戦直前の1945年7月、不滅の神国を信じる人々によって「臣道連盟（しんどう）」という右翼系結社がサンパウロに発足した。同年末には会員10万人を擁する大結社にまで成長し、以後、この右翼結社の周辺からデマ情報が次々と流され、ブラジル勝ち組の暴走を誘発する原因となった。

当時流された謄写版（とうしゃばん）刷りの怪文書には、以下のようなことが書かれていた。

〈日本の高周波爆弾により沖縄の敵15万人が15分で撃滅〉

〈米国の8倍の破壊力を持つ日本の原子爆弾で、犬吠埼沖に集結した米英艦隊400隻が全滅〉

〈日本軍の放った球状の火を出す兵器により、米国民3650万人が死亡〉

〈ソ連、中国が無条件降伏。マッカーサーは捕虜となり英米太平洋艦隊を武装解除〉

〈大東亜共栄圏確立。日本軍艦30隻ハワイ入港。米大統領は日本が指名〉

日本製の原子爆弾に高周波爆弾、果てはプラズマ兵器もどきの登場と、もはや「脳内幻魔大戦」状態である。だが、日本語新聞の発行が禁止されて世界の状況がわからなくなり、現地のポルトガル語もほとんど理解できな

かった当時の素朴な移民の中には、自分が信じたいと思う、これらの都合よく思える「トンデモ情報」をそのまま鵜呑みにしてしまう者も多かったわけである。

そして終戦の翌年の1946年3月7日、「国賊を撃て」というかけ声のもと、第1号の負け組暗殺事件が起きた。

最初の被害者は、サンパウロから460キロほど内陸に入ったバストスという街で産業組合の専務理事をしていた溝部幾太。彼は夜間にトイレに立ったところを至近距離から撃たれて絶命した。以後、翌年の1月までに計23人もの日本人が同胞のテロによる犠牲となった。

負け組を襲撃した勝ち組暗殺部隊＝自称「特攻隊」の中には、戦時中、異国のブラジルにいて祖国のお役に立てなかったことを悔い、負け組を抹殺することによって、やっとお国の役に立てたと思い込んでいた者たちもいた。だが彼らの行為がブラジル社会に巻き起こしたのは、「日本は勝った」という理解不能な理由で互いに殺し合いをする日本人という国際的な反感だけだった。

いくら何でも殺人事件を見逃すわけにもいかず、ブラジルの警察が介入してテロは一応止んだ。だが、ブラジル勝ち組の奇行はその後も続いた。

彼らが「弓折れ、矢尽きた」として事実上の勝ち組運動の終息宣言をしたのは1956年2月のこと。敗戦後11年も経ってからのことだった。

日本人同士で殺し合い、騙し合っていた

この間にブラジルの日本人社会で起きていたのは、勝ち組と負け組の衝突だけではなかった。「日本の勝利」という甘い幻想を食い物にするため、数多くの日本人詐欺師たちがブラジルに出現していた。日本人は互いに殺し合うだけでなく、日本人を詐欺にかけるために、多くの日本人詐欺師がブラジルへ向かったのである。

彼ら詐欺師は、日本の戦勝を信じる無知なブラジル移民に向かって、日本への帰国手続きを取ってやると甘い言葉を投げかけた。もう日本に帰れるのだから土地はいらないだろうと、帰国希望者の土地を巻き上げ、その代わりにニセの帰国乗船券を売りつけた。

戦勝国の円はこれから値上がると騙して、二束三文に

なっていた旧円を高く売りつけたり、中には日本からやってきた皇族の朝香宮（久邇宮朝彦親王の第8皇子・鳩彦王が創設した宮家）殿下だと称して、多額の献金をせしめる輩まで現れた。

本当は祖国再建のために力を合わせねばならなかったこの時期に、地球の裏側では日本人は互いに殺し合い、騙し合っていたわけである。

戦争も終わったのだから、誰か代表者を日本に送り、祖国の現状を報告させればいいのに、と思う人もいるだろう。当時もそう思って使者を出した人々がいた。だが、GHQに支配される日本の姿を話しても素直に聞く人ばかりではなかった。ブラジル勝ち組は、「陰謀論」部分に書いたように、現代の架空戦記も真っ青な、アマゾン奥地に造られた「新日本」などという話をでっち上げて、日本の敗戦を信じようとしなかったのである。

こういったすごいホラ話なら思いつけるのに、ブラジル勝ち組の人々はなぜか「日本が負けた」という最も単純な事実だけは、どうしても思いつけなかったようである。ブラジル勝ち組の事件が、戦前の日本の皇国教育が生んだ賜物なのか、それとも日本人が潜在的に持っている何らかの特質の結果なのか、その判断は難しい。少なくとも同じ敗戦国となったドイツやイタリアでは、勝ち組騒動は起きても、せいぜい数ヶ月で終わっていた。

ブラジル勝ち組が、日本の敗戦話を「陰謀論」と断定し、それを打ち消すためにデタラメな流言飛語を流し、テロに走ったことからもわかるように、「陰謀論」というものは、実は、「陰謀がある」と唱えているその本人が、一番の陰謀家であることが多いのである。「陰謀論」とは、他人を陰謀家と決めつけておとしめる陰謀だと言ってもいいだろう。

戦後28年も経った1973年、最後のブラジル勝ち組といわれた一家が日本に帰国した。今の羽田空港である当時の東京国際空港に降り立ったこの一家は、日本の大地を踏みしめると、まず「天皇陛下万歳」と叫んだ。そして空港を見渡して、待ちかまえていた報道陣に向かってこう語ったという。「これが負けた国ですか。やっぱり勝っております」（皆神龍太郎）

参考文献
高木俊郎『狂信』（ファラオ企画、1991年）
太田恒夫『日本は降伏していない』（文藝春秋、1995年）

増補版に寄せて——ブラジル勝ち組と米国不正選挙騒動の類似性

旧版が出た後に「ブラジル勝ち組負け組」問題に関しても、新たな書籍や論文の発表がいくつか公表されている。主に、今まで一方的に非難される側であった勝ち組に対してインタビューなどの再調査を実施、その再評価を求めるような研究が行われた。

最もまとまった文献としては、サンパウロ新聞の元記者で、現在はフリージャーナリストの外山脩（とやまおさむ）氏が2012年に出版した『ブラジル日系社会　百年の水流　日本外に日本人とその子孫の歴史を創った先人たちの軌跡　改訂版』（トッパン・プレス印刷出版）が挙げられる。日系ブラジル人社会の過去100年間の歴史を、ジャーナリスティックな視点からまとめた600ページに及ぶ大著だ。

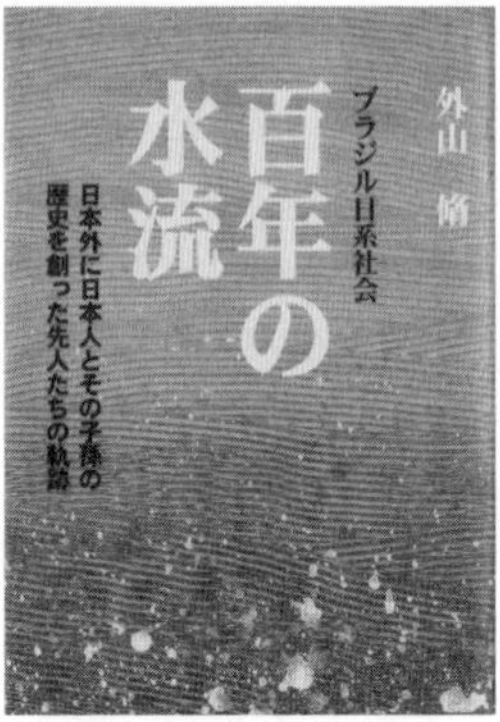

『ブラジル日系社会　百年の水流　日本外に日本人とその子孫の歴史を創った先人たちの軌跡　改訂版』（外山脩、トッパン・プレス印刷出版）

「勝ち組負け組事件」に対しても、地元紙の新聞記者だった立場を活用し、生き残っている勝ち組の人々から聞き取り調査を行い、多くの紙面が割かれている。

外山脩氏はこの著作の中で、「勝ち組負け組事件の真相」として、従来語り継がれていた話の中で誤りであった点について以下のようにまとめている。

一、臣道連盟は、事件に関係なかったこと。連盟員が個人として参加したケースはあるが、連盟が組織的、計画的に実行したものではなかった（協力者にも連盟員がいた可能性もあるが、これも個人としての行動であろう）。

二、襲撃者たちの「特攻隊」は誤伝で、正しくは「特行隊」であったこと。ただし、その名は、襲撃参加者の全員には徹底していなかったこと。

三、襲撃の動機は、戦争の勝敗問題ではなく「皇室の尊厳を侵し、国家（日本）を冒とくする者に天誅を加える」「軽率に認識運動を始め、その結果起こった邦人社会の異常な混乱状態を収拾できない指導者たちに覚醒を求める」という二点にあったこと。

四、襲撃者とその協力者は、狂信者ではなく、むしろ純朴な移民やその家族であったこと。

五、襲撃者にも協力者にも、テロ意識はなかったこと。テロとは、政治的目的で政敵を暗殺する行為である。が、彼らはまったく別の動機で行動している。テロという言葉は、彼らの心情には合わない（同著262ページ）

以上の他にも、当時価値が消失していた旧円を大量に騙して売りさばくといったことは、実際にはほとんど行われなかったのではないか、といったことも指摘している。

負け組への襲撃は個々人の参加によるものであって「組織としての臣道連盟は無関係」といった点については、歴史的事実として誤謬（ごびゅう）を正しておく必要があるだろう。だが「特攻隊」か「特行隊」かといった呼び名の差など、その他の修正点に関しては、「勝ち組負け組事件」に対して多くの日本人が感じる潜在的な異様さや恐ろしさという点からみれば、そう大きな変わりはないと思う。

普段は純朴な市民であった一部の日本人が、「戦争に負けた」という事実を広めようとした同胞の口を封じるため銃で抹殺を試みた、という事実関係については何も変わりはないからだ。

勝ち組の人々は、負けを声高に叫ぶ負け組の運動について「負けた負けたと何も騒がなくても、しばらく経てば自然に分かることだろうに」という苦々しい思いを持っていたという。ただでさえ、敗戦という受け入れ難い現実を前にしているのに、「日本は負けた負けた」と目の前でさらに大きな声で言われることは、自分らが受けた心の傷にさらに塩を擦（す）り込まれるような思いであったのだろう。その上、「天皇や祖国を冒とくする者には天誅を加えて当たり前」という強い思い込みが加わって狙撃という暴行に及んだようだ。

戦前の教育がもたらした恐ろしさと言えばそれまでだろう。だが、今の日本でも「反日勢力にはヘイトスピーチで天誅」などと叫ぶ人々がおり、ほとんど同じようなことが繰り返されていることを考えれば、そう不思議な行為とも言えないかもしれない。

「ブラジル勝ち組負け組」について、いま見方を改めるべき点は、「戦争に勝ったと狂信した愛国者が、負けたとする同胞を殺して回った事件と単純にみるのは正しくない」といったようなことではない。この事件を「偏った戦前の教育を受けた日本人の間で起きてしまった、時代的にも人種的にも特異な事件」と見なす、視点そのものにあるのではないだろうか。

「ブラジル勝ち組負け組事件」は、正しい情報から遮断され、異国の中で孤立して暴走してしまった日本人だけにみられた特異な事例とは見なせない。

２０２１年1月、選挙不正が行われたと信じるトランプ大統領支持者らが米国議会議事堂になだれ込む襲撃事件を起こし、警察官を含む5人が死亡した。事件を起こした人々の多くは、民主党には悪魔崇拝者や幼児性愛者など反社会的な秘密結社員が潜んでおり、正義のトランプ大統領は彼らと戦っているのだ、というまったく根拠のない「Qアノン」と呼ばれる陰謀を信じて行動していた。また２０２０年の大統領選についても、実際は共和党のトランプ大統領が勝っていたと信じていたので、民主党の新大統領就任式を阻止することは米国民として当然のことだと判断していた。

つまり「選挙」と「戦争」が違うだけで、終戦直後に起きた日本の「勝ち組負け組事件」と構造はまったく同じだ。自分たちの敗北を心情的に認められなかった人々が、他の人々には共有し難しい幻想や妄想に操られ、垂れ流される偽情報に踊らされるままパニックに近い行動を起こしたわけだ。

ただ、今回アメリカで起きた議会議事堂襲撃事件は、情報の遮断の結果起きたものではない。むしろインターネット内に溢れかえる偽情報に誘発されたものであった。また戦前の日本のように皇国史観といった特殊な教育や思想がもたらしたというものでもなかった。

それでも「ブラジル勝ち組負け組」と同じように一部市民による暴走が、今のアメリカでも再現されたのである。ということは、「勝ち組負け組事件」は歴史的に決して特異な事件ではなく、同様なことは、いつでもどこでもどの国でも、どのような状況でも再び発生し得るもの、と考える方がむしろ妥当のように思えるのだ。

日本政府は「世界征服計画書」（田中上奏文）を作成した

陰謀論

台湾・朝鮮征服、中国侵略のためのプログラム

〈支那及満蒙に対する行動は、須らく我が国の権利を確保し以て進展の機会を策すべし〉

昭和2年（1927）4月、立憲政友会総裁・田中義一は組閣の大命拝受の際、昭和天皇から勅諭を賜わった。第26代内閣総理大臣となり、対中外交を積極的方針に転じた田中は、6月27日より7月7日にいたる11日間、東京に「満蒙関係の文武百官」を招集して東方会議を開き、「満蒙に対する積極政策」を取りまとめた（「満蒙」とは、満洲と内蒙古の略称）。

この議定にもとづき、田中首相は7月25日、昭和天皇に対して上奏をおこなった。このとき提出されたのが有名な「田中上奏文」である。英語では「Tanaka Memorial（田中メモリアル）」、時に「Tanaka Memorandum（田中メモランダム）」とも称され、中国語では「田中奏摺」「田中奏折」あるいは「田中密奏」「田中奏章」などとも呼ばれている。

〈内閣総理大臣田中義一群臣を行率（率行＝連れて行くことか）し、誠惶誠恐（心から恐れかしこまるという意味で、臣下が天皇に自分の意見を述べるときの決まり

田中義一（『近世名士写真 其1』近世名士写真頒布会、1935年より）

文句）謹みて我が帝国の満蒙に対する積極的根本政策に関する件を奏す〉と書き出された上奏文は、中国語で約2万6000字、日本語訳で約3万4000字に及ぶ長文である。

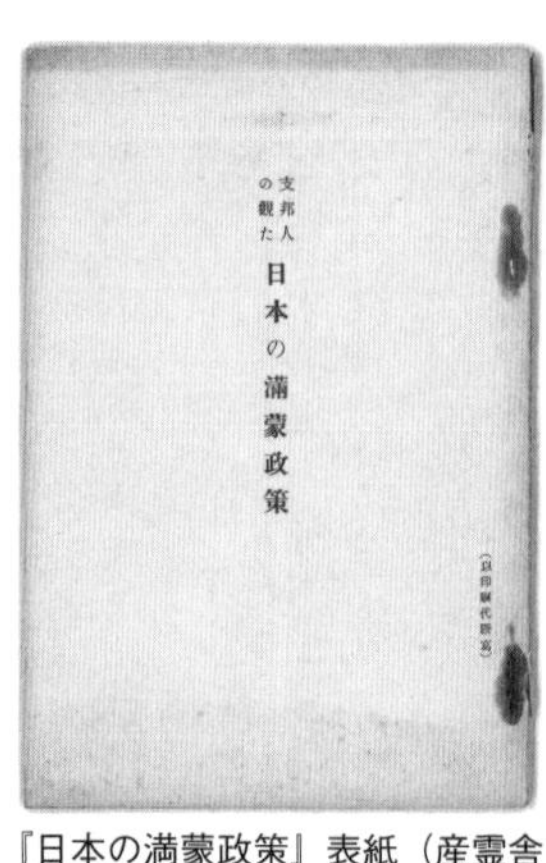

『日本の満蒙政策』表紙（産霊舎文庫蔵）

この上奏文は、「満蒙に対する積極政策」から「病院、学校の独立経営と満蒙文化の充実」まで21項目に及ぶ中国への具体的な侵略計画書であった（邦訳『〈支邦(那)人の観た〉日本の満蒙政策』による。以下『日本の満蒙政策』と略記）。それを象徴するのが、次のような文言である。

〈支那を征服せんと欲せば、先づ満蒙を征せざるべからず。世界を征服せんと欲せば、必ず先づ支那を征服せざるべからず。（中略）之れ乃ち明治大帝の遺策にして、亦我が日本帝国の存立上必要事たるなり〉（『日本の満蒙政策』）

東京裁判で連合国側は「田中上奏文」を利用しようとした

「田中上奏文」は中国によって1929年にその存在を暴露される。日本の反論で偽書説におちつきそうになったものの、昭和6年9月の満洲事変の勃発が「実」を与えた。第1期の台湾征服、第2期の朝鮮征服を終え、いよいよ第3期の上奏文にあった中国侵略プログラムを大日本帝国は実行に移したとみられたのである。以後、「田中上奏文」は、事実を語るものとしてプロパガンダに利用されていく。

戦勝国となった連合国側もこの「田中上奏文」＝「世界征服計画書」を利用しようと考えた。戦後東京スガモプリズン（Sugamo Prison。現・豊島区東池袋にあった旧巣鴨拘置所で、連合国軍最高司令官総司令部〈GHQ〉に接収され、戦争犯罪人〈戦犯〉の収容施設に転用された）で開廷された東京裁判（極東国際軍事裁判）では、当初、これによってナチスを裁いたニュルンベルク裁判同様の「共同謀議」を立証しようとした。東條英機の弁護人であった清瀬一郎の回想によると、検事は昭和21年、秦徳純将軍を証人として出廷させ、「田中上奏文」の真書であることを実証しようと試みたのである。しかし、この証言は日本側の弁護人・林逸郎の反対尋問によって、論破されてしまったというが、事実ではない。

「それが真実のものであるということを証明することはできないが、同時にまた真実でないということも証明することはできない」と秦将軍は証言している。偽書だとの証明もできなかったのである。

　たしかに東京裁判では、証拠採用されなかったが（これに代わる日本の膨張政策の脚本として、広田弘毅内閣の「国策ノ基準」〈昭和11年8月1日〉を採用）、「田中上奏文」そのものは延命し、中国やロシアなどではいまでも信じられているのである。

真相

「世界征服」どころか、中国全体の征服計画書にもなっていない

　まず、史料事実から確認しておきたい。

　中国語の『時事月報』１９２９年12月号所収「驚心動魄之日本満蒙積極政策（田中義一上皇之奏章）」（「驚天動地の日本の満蒙積極政策〈田中義一上奏文〉」）を日本語訳した『〈支那人の観た〉日本の満蒙政策』（１９３０年）所収本（発行所は不明ながら、裏表紙に「吉川印刷所納」とあるので以下、政治学者の藤井一行にならって「吉川印刷版」と略称。国内には日華倶楽部がもちこんだとみられる）によれば、「田中上奏文」の本文は以下の21項目からなる（便宜的に小見出しの頭に番号を付す。テキストにより項目の立て方が多少異なる）。

1　満蒙に対する積極政策
2　満蒙は支那の領土に非ず
3　内外蒙古に対する積極政策

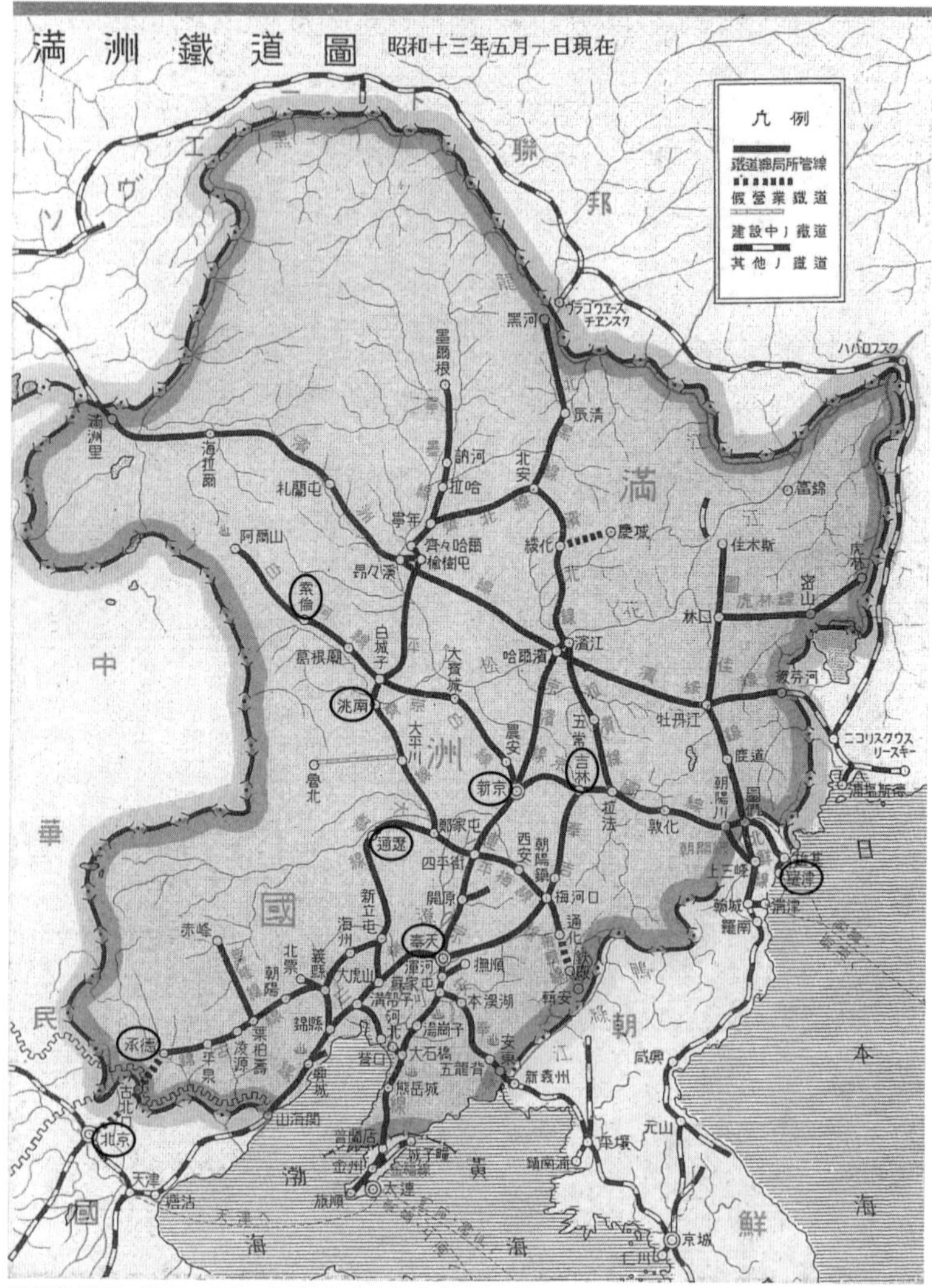

満洲鉄道図（昭和13年、函館市中央図書館蔵）。「田中上奏文」に登場する鉄道路線の駅名・地名を丸囲みで示した。承徳は推定、羅津は「田中上奏文」の推す最有力候補。海林・琿春・会寧は地図に地名が出ていないが、地図の範囲内にある。つまり、北京（と朝鮮半島の琿春・羅津・会寧）を除いて、満洲国の範囲に収まることがわかる。

4　朝鮮移民の奨励及び保護政策
5　新大陸の開拓と満蒙鉄道
6　通遼熱河間鉄道（内蒙古の通遼から満洲の熱河の間の鉄道。計画線のため熱河省の終着駅は不明、470キロの記述から、省都・承徳と推測しておく）
7　洮南より索倫に至る鉄道（吉林省から旧興安省索倫〈現・ホルチン右翼前旗〉の間の鉄道）
8　長洮鉄道（長春〈吉林省〉―洮南間）の一部鉄道
9　吉会鉄道（吉林―会寧〈現・咸鏡北道〉間の鉄道）
10　吉会線（吉林―会寧間の鉄道路線。敦化以南は未着工のため、終着駅は清津・羅津・雄基のうち、良港を抱える羅津を唯一無二とする）及び日本海を中心とする国策
11　吉会線工事の天然利益と附帯利権
12　琿春、海林間鉄道（琿春〈吉林省〉―海林〈黒竜江省〉）
13　対満蒙貿易主義
14　大連を中心として大汽船会社を建設し東亜海運交通を把握すること
15　金本位制度（金を通貨の価値基準とする制度）の実行
16　第三国の満蒙に対する投資を歓迎すること
17　満鉄（南満洲鉄道株式会社）経営方針変更の必要
18　拓殖省設立の必要
19　京奉線（北京―奉天〈瀋陽〉間）沿線の大凌河流域（遼寧省の西部）
20　支那移民侵入の防禦（ふせぎ守ること。防御と同じ）
21　病院、学校の独立経営と満蒙文化の充実

この本文の後に、宮内大臣・一木喜徳郎宛て昭和2年7月25日付田中義一首相の「書簡」一通が付属して「田中上奏文」は構成されている。

よく引かれる「支那を征服せんと欲せば……」の一文は、『日本の満蒙政策』本文冒頭の1「満蒙に対する積極政策」部分に見られるものである（この部分をテキストによっては総論ともいう）。

これとは別系統のコミンテルン（Communist International〈共産主義インターナショナル〉の略称。1943年まで存在していた各国の共産主義政党の統一組織）系の英文からの翻訳テキストである『日本帝国主義の陰謀』（イスクラ社、昭和21年）所収本（以下、「イスクラ社版」と略称）では、訳語など

の違いのほか、構成上もいくつか違いがある。

吉川印刷版本文冒頭の「内閣総理大臣田中義一群臣を行率し……奏す」の一文がイスクラ社版にはなく、吉川印刷版末尾の「附属文書」であった田中「書簡」から年紀・署名・宛名などがない形で、似た内容の一文を本文冒頭の文章として吉川印刷版でいう1「満蒙に対する積極政策」（イスクラ社版では「一、一般的内容」と小見出しする）の前に置くという違いがある（前文とも称される）。

そのほか、吉川印刷版6「通遼熱河間鉄道」から14「大連を中心として大汽船会社を建設し東亜海運交通を把握すること」までの項目は、「六、鉄道とわが新大陸の発展」（吉川印刷版では5「新大陸の開拓と満蒙鉄道」に当たる）の中の小項目となっているなどで、全体が13項目による構成となっている。

近年「田中上奏文」テキストを追跡・分析された、藤井一行「田中上奏文の再検討」によれば、コミンテルン系には、6種類のテキストがあり、イスクラ社版（日本語版）はその1つで、ほかにロシア語版（1927年）・英語版（1931年）・フランス語版（1931年）・ドイツ語版（1931年）・中国語版（1932年）があるという。これらは中国系のテキスト『時事月報』1929年12月号（とその日本語訳の吉川印刷版）やIPR（太平洋問題調査会）の英訳版（後述。L・T・チェン『田中首相の覚え書き〈MEMORIALS OF PREMIER TANAKA〉』1929年のこと）とも本文の語彙や体裁など完全には一致せず、中国系とコミンテルン系の出所には複数が存在するらしい。藤井氏によると、『時事月報』掲載本（中国語　日本語・吉川印刷版）は、かなり特異なテキストだという。

テキストによって、細部にはこまごま違いが見られるものの、いずれにしても満蒙を征服して傀儡（かいらい）政権を作り、いかにしてこれを経営していくかを具体的に示していることにかわりはない。

しかし、「世界征服云々」の文言はあるものの、「世界征服計画」にいたるまでの具体策を提示したものではないし、実際のところ中国全体の征服計画書にもなっていないのである。

歴史的な事実誤認がある偽文書

怪文書の一種であることは間違いないものの、この「田中上奏文」は本物なのだろうか？　それともニセモノなのか？　結論を先にいえば、偽書・偽文書の類である。その真偽については、当初から日本側では偽書とする見方が強かった。それには理由があった。内容的に「田中上奏文」には歴史的な事実誤認があったからである。

重光葵駐華臨時代理公使が昭和5年4月7日付で中華民国国民政府外交部に「田中上奏文」の取り締まりを公文（公文書のこと。政府や官庁などが職権として作成・発行する）で要請するが、その文章の中で具体的に指摘している。

（1）山県有朋は九カ国条約締結（1922年2月6日）前に死んでいる（山県は大正11年〈1922〉2月1日死去）。「田中上奏文」がいうように条約締結後に大正天皇と密議を凝らせるはずがない。

（2）田中首相の海外出張は在任中3回あるが、九カ国条約成立後に欧米に出張したことはなく、「田中上奏文」の記述は誤り。

（3）田中首相が欧米訪問の帰途、上海埠頭で中国人に狙撃されたとあるが、フィリピン出張の帰路のことである。

重光葵の指摘は「田中上奏文」漢文テキストについてであるが、これらの不備は他のテキスト――吉川印刷版「満蒙に対する積極政策」、イスクラ社版「一、一般的内容」も共有しており、田中義一自身が書いたものならありえない誤りである。この3点があとから付加されたものであったとしても、流布テキストは「偽書」と断定しうる。偽書とは「内容の如何を問ふのではなく、真本に託して偽作するもの」である（市島春城「日本の偽書大概」。「偽書の定義については、拙稿「「偽書」銘々伝」参照）。本来なかった著者名を加えるだけでも偽書となるので、内容が本物でも、「田中義一の上奏文」として出されればそれだけで偽書になってしまうのである。

「偽書」説は当時の時代背景からも補強しうる。田中義一立憲政友会内閣は、１９２７年（昭和2年）４月20日から１９２９年（昭和4年）７月2日までの2年強の期間存続した。「田中上奏文」が「田中義一首相の上奏文」であるかぎり、この間に成立していなければならない。実際「田中上奏文」に付属する文書は東方会議後の昭和2年7月25日の日付となっている（吉川印刷版）。

先に紹介した重光葵駐華臨時代理公使の公文でも田中義一前首相がこのような上奏をおこなった事実がないことを指摘していたが、問題の7月25日に、田中自身の「上奏」、あるいは一木喜徳郎宮内大臣が「代奏」をおこなった事実もないことは、牧野伸顕内大臣・河井弥八侍従次長の日記を見れば明らかである。これに先立つ7月6日には、東方会議その他について田中は上奏している（『昭和初期の天皇と宮中』第1巻）。近年刊行された『昭和天皇実録』第5巻（東京書籍、２０１６年）でも、7月中の上奏は6日の1回だけである。

一木喜徳郎（『一木先生回顧録』より）

田中義一内閣に関しては、成立以来、天皇および宮中側近には、内政外交の両面で心配事があった。内政においては、中央省庁の高級官僚・地方官の党派的人事、外交においては特に大陸政策が懸念されていたのである。首相の外相兼任や昭和2年5月28日からの数次にわたる山東出兵も、そうした懸念を増幅したのだった。

この時期天皇側近は、天皇発言が内閣の存否に影響を与えないことに腐心していた。逆にいえば、内閣の問題が天皇の責任問題に波及しないことを原則としていたのである。それなのに、「田中上奏文」付属文書には「上奏」の理由を組閣の際の勅諭に求め、東方会議を開いて「満蒙に対する積極政策」を取りまとめたとあり、天皇の責任に波及せざるをえないものとなっている（附属文書はコミンテルン系のイスクラ社版にはないが、似た文言が前文にある）。

実際に昭和天皇は、田中義一に内閣総理大臣就任を命じた際、「支那問題、経済問題ハ目下最モ憂慮スベキ状況ニアル故、……此二問題ニ付テハ十分ニ考慮セヨ」(『昭和初期の天皇と宮中』第6巻)と、政策に関しての異例の注文をつけた事実はあった。「田中上奏文」が昭和天皇の注文に対する答えの1つであるならば、天皇の責任問題と直接からむことになってしまう(「田中上奏文」の記す金本位制や拓殖省の設置などは、東方会議の議題になっていないので、内容的にも齟齬することになる)。

そのうえ、「上奏文」本文には、日本帝国が永久に列強からの侵害を除くには「支那」を征服することが必要で、これこそが「明治大帝の遺策」であると言っている。天皇が対外侵略計画を「裁可」するかどうか以前に、このような上奏を受けたという事実がもし外部に漏れれば、天皇の責任問題への波及は避けられなかったはずである。

田中義一は「対支外交刷新」が「陛下の御思召に出づ」と揚言(公然と言いふらすこと)し、「外交刷新の聖旨(「聖旨」とは天皇の考え。または天皇の命令)」を高唱していた。積極外交には天皇の支持を得ていると言っていたのである。明らかな天皇の政治利用であった。

昭和3年8月の「聖旨」の中で、南北妥協(東三省〈満洲〉軍閥・張学良と国民政府軍・蔣介石との合作のこと)阻止=強硬な満蒙分離政策を進める内閣とは正反対の考えを表明しており、昭和天皇は「田中上奏文」とは相容れない考えを持っていたのである。

仮に天皇がこうした上奏を受けたならば、田中義一を首班に奏薦した牧野伸顕や最後の元老・西園寺公望らへ直接・間接に諮問・下問によって意見を求めたはずである。そうした記録がまったくないということは、「田中上奏文」は本物ではありえない間接的な証明になる。

トロツキーのいうGPU入手説は年代が矛盾

それでは「田中上奏文」は、いつごろ、誰によって成立したのだろうか?

偽造文書・偽書類の常として出所を特定するのは容易ではないが、もっとも早い時期の成立を記した文献は意外なことに、レフ・ダヴィードヴィチ・トロツキーが1940年5月に記した「田中メモ」である。トロツキー

トロツキー（雑誌『Prozhektor』［1924年1月発行］より）

はこの遺稿論文の中で、ソ連がどのようにして「田中上奏文」を入手したかを説明しているのである。

　それによると、トロツキーがスターリンに追放される以前、ソ連指導部に在籍していた１９２５年に国家政治保安部（Gosudarstvennoe Politicheskoe Upravlenie、略称ＧＰＵ。ＫＧＢの前身）長官ジェルジンスキーからモスクワに「文書がついに着いた！」と聞いたという。入手予定を聞いたのが、この年の「夏か初秋」なので、届いたのはその後ということになる。「日本外務省の秘密文書庫」（別の箇所では「海軍省の文書庫」に保管されていたともある）から「写真コピー」で未現像フィルムの形で送られてきた。

　トロツキーはジェルジンスキーから、つぎのように説明された。もともとは「天皇個人の文書庫」に保管されていて、外務省にそのコピーがあった。陸軍省・海軍省がこのコピーを外務省に要求した際、海軍省に届いたものを写真に撮ったというのである。

　トロツキーの記憶では、自身の発案で入手経路を糊塗するために英訳して、アメリカに持ち込み、ジャーナリズムを介して公表させたことになっている。

　トロツキーはまた、「ある情報によれば、『田中メモ』は一九二七年七月、ミカドの署名を得たという」とも記しており、トロツキーが見たものには吉川印刷版附属文書に見られるような、「昭和二年七月二十五日」の年紀がなかったことがわかる。おそらくはイスクラ社版のもとになったコミンテルン系のテキストの１つであったろうと推測される。

　吉川印刷版と同系統のものなら、「ある情報」による必要はなく、文書自体に１９２７年（昭和2年）７月25日と明記されているからである。しかし、トロツキー証言は別の未定稿では入手年を「一九二三年」（大正12年）とし（『日中歴史認識』１６８、１８６ページ）、遺稿とほぼ同時期の１９４０年５月１日付の米人クリス宛て書簡では、

郵便はがき

料金受取人払郵便

新宿局承認

3971

差出有効期間
2022年7月
31日まで
(切手不要)

160-8791

141

東京都新宿区新宿1－10－1

(株)文芸社

愛読者カード係 行

ふりがな お名前		明治 大正 昭和 平成 年生 歳
ふりがな ご住所	□□□-□□□□	性別 男・女
お電話 番 号	(書籍ご注文の際に必要です)	ご職業
E-mail		

ご購読雑誌(複数可)	ご購読新聞 新聞

最近読んでおもしろかった本や今後、とりあげてほしいテーマをお教えください。

ご自分の研究成果や経験、お考え等を出版してみたいというお気持ちはありますか。

ある　　ない　　内容・テーマ(　　　　　　　)

現在完成した作品をお持ちですか。

ある　　ない　　ジャンル・原稿量(　　　　　　　)

書　名					
お買上 書　店	都道 府県	市区 郡	書店名		書店
			ご購入日	年　　月　　日	

本書をどこでお知りになりましたか?

1.書店店頭　2.知人にすすめられて　3.インターネット(サイト名　　　　　　　)

4.DMハガキ　5.広告、記事を見て(新聞、雑誌名　　　　　　　)

上の質問に関連して、ご購入の決め手となったのは?

1.タイトル　2.著者　3.内容　4.カバーデザイン　5.帯

その他ご自由にお書きください。

(　　　　　　　　　　)

本書についてのご意見、ご感想をお聞かせください。

①内容について

②カバー、タイトル、帯について

弊社Webサイトからもご意見、ご感想をお寄せいただけます。

ご協力ありがとうございました。

※お寄せいただいたご意見、ご感想は新聞広告等で匿名にて使わせていただくことがあります。

※お客様の個人情報は、小社からの連絡のみに使用します。社外に提供することは一切ありません。

アメリカでの「田中上奏文」公表を「一九二三年の末かあるいは一九二四年」で、「おそらくそれ以後ではない」と言明している（とすればGPUによる入手はGPU長官から聞いた1925年ではなく、もっとさかのぼることになる）など、信憑性に疑問がある。

　トロツキーは同じ書簡でクリスに、「文書が最初に公表された日付と場所」や公表当時のジャーナリズムや世論の反応についても尋ね、「文書そのものの英語版」の入手も求めているが、クリスからの回答は8月に入って届いたらしい。同月17日付で、たぶん英語版だろう、「田中メモを送ってくださったこと」に謝辞を述べている。しかし、8月21日にトロツキー自身が暗殺されたため、トロツキーの記憶の裏がとれたのかは謎となってしまう。

　コミンテルン系のテキストではここまで古いものは見つかっていないし、1923年が誤認で1925年が正しい入手年であっても、この年＝大正14年は田中義一が政界入りし、政友会総裁になった年なのである（4月就任）。もちろん田中は首相にもなっていない。「田中上奏文」はそもそも1927年（昭和2年）の東方会議開催後の7月に上奏されたはずで、1925年以前では、年代が合わないのである。

「田中上奏文」のアメリカ流入も通説では1929年秋ごろとされている。

「皇室書庫」で写したという蔡智堪の怪しい主張

　トロツキー以外に「田中上奏文」の起源について語った証言がある。

　戦後、「田中上奏文」を入手したのは自分だと主張したのが、在日台湾人であった蔡智堪（さいちかん）である。蔡はいくつかの談話・手記を残しているが、その1つ「我怎様取得田中密章?・」（「わたしはどのようにして田中上奏文を入手した

蔡智堪（『伝記文学』第7巻第4期より）

王家楨

か?」。『自由人』1954年8月28日）によると、張学良の許で東三省（黒龍江・吉林・遼寧省）保安指令長官公署外交機用処主任で対日関係担当だった王家楨の指示で、1928年（昭和3）6月某日夜11時50分に皇居に入り、「皇室書庫」で2晩かけて「田中上奏文」を筆写したと言っている。

蔡智堪は瀋陽（1931～45年まで奉天）に行き、王家楨邸で直接王に手渡した。王家楨はただちにこれを張学良に届けた。蔡は床次竹二郎を通じて内大臣・牧野伸顕に近づき、その関係で「皇室書庫官」山下勇（牧野の妾の弟という）の協力を得たのだとする。

蔡智堪は書籍の補修職人を装って、当初皇居「西丸大手門」から入る予定であった。ここに「皇室書庫」があったからである。しかし、門外の橋が大変長く周囲の樹木で遮蔽することができなかったので、「紅葉山下御門」から入った後、書庫まで徒歩で5、6分かかったという。

これは奇妙な話である。西丸大手門というのは、現在の皇居正門であって、一般参賀で通る正門石橋があるところである。周囲の樹木どころか、遠くからも見通せる橋である。

「皇室書庫」とはどこを指しているのか判然としないが、明治宮殿のどこかなら、さらに二重橋（正門鉄橋）を渡らなければならない。天皇が居住していた吹上大宮御所にあったのなら半蔵門からの方が近いはずで、図書寮（現・宮内庁書陵部）の書庫を指しているのなら、旧江戸城本丸に所在するため北桔橋門から入るのが最短である。

蔡智堪が実際に通ったという紅葉山下御門というのは旧江戸城西の丸北部、紅葉山の北門で、蓮池堀の北端に位置し、吹上曲輪・北の丸への出入り口となっていた。紅葉山には江戸時代には徳川家廟所や幕府の書蔵（いわゆる紅葉山文庫）があったが、明治2年には解体撤去されている。

紅葉山下門から5、6分で行ける紅葉山に「皇室書庫」があったとも思えない。しかもどのコースから行くにしても、いったん皇居の内郭に入ってからでなければ、この場所は通れないのである。

通行票があったにせよ、深夜12時前である。警護にあたる皇宮警察や近衛師団に疑われないはずがない。本の補修に来たといっても緊急性は乏しいし、入ったきり2日も内部で過ごし、無事に出られたとも思われないのである。

蔡智堪の回想は、通行証の番号が72番だった、上奏文原文は内閣の上奏専用「西内紙」（楮（こうぞ）を原料とする和紙、西（にしの）内紙（うちがみ）のことか）に書写され60～70枚あり、「田中首相奏章」と標題してあった、立憲民政党総裁専用カーボン紙を使い鉛筆で写したとかディテールはなかなかに細かい。だが、蔡から受け取ったはずの王家楨が「某政党の幹事長宅」を出所と回顧するなど、「皇室書庫」で写した話は怪しいといわざるをえない。

蔡智堪はさらに後日国際連盟の席上で、中日の代表の間で真偽論争が交わされ、中国代表が「皇室書庫から抄録」したと漏らしたため、「皇室書庫官山下勇等合計二十七、八人」が一律に免官となったという。それで、日本の新聞に「蔣介石の手先二十八人の最後」（原文「蔣介石駐日二十八宿帰天！」）と報じたとするのだ。

これは1932年11月の顧維鈞（こいきん）・松岡洋右（ようすけ）論争のことだが、顧が出所を漏らした事実はない。「田中上奏文」に再検討を加えた早稲田大学社会科学研究所研究協力者（当時）・鄭力氏も「蔣介石駐日二十八宿帰天」という見出しで、『東京読売新聞』が「報道したとのことである」として具体的な新聞名まで出しており注目されるものの、伝聞形式のうえ出典を注記していないし、新聞報道の日付も特定していない。

顧維鈞

日本の新聞がこうした漢文の見出しを付けるはずがなく、鄭力氏は蔡智堪の回想を祖述しただけのように思える。蔡智堪の証言の信憑性は相当に薄いといわざるをえないのである（ただ鄭氏は、1928年に王家楨みずから日本文の「田中上奏文」を中国語訳して数部印刷したといい、台湾中央研究院に一部保存されているというので、その真偽を確認する必要がある）。

中国東北部で作られた？　ソ連の可能性は⁉

トロツキーや蔡智堪証言に疑問符がつくとなると、出現や流布過程を追うことによって、真相に迫るしか方法はないようだ。

「田中上奏文」は昭和4年（1929）秋、中国によって民間の国際学術団体である太平洋問題調査会（Institute of Pacific Relations、略称ＩＰＲ）第3回の京都会議の席に持ち出されようとした。10月下旬から11月上旬に開催される会議で朗読予定だったのである。

これを事前に察知した日本側が中国側に具体的にその偽書性を指摘したために、会議では朗読されることはなかった。しかし、このときＩＰＲの中心人物であった陳立廷（ちんりってい）（L. T. Chen）は、自身の翻訳による英文小冊子を用意しており、これがアメリカなど諸外国に広まっていく結果となったのである（"MEMORIALS OF PREMIER TANAKA〈田中首相の覚え書き〉"〈1929年〉。略称ＩＰＲ版）。

京都会議に参加した外務省情報部事務官であった筒井（つつい）潔（きよし）も、京都会議の1か月余り前に北京公使館からの情報で「田中上奏文」が中国製だということが判明していたと記しているが、昭和4年夏ころには小冊子となった中国文の「田中上奏文」が中国各地で流布し始めていた。

『節訳田中内閣対満蒙積極政策奏章』と題する小冊子の「(民国) 十八年（＝昭和四）九月北大に於（お）いて」記した紀（き）清漪（せいい）の序文には、これ以前に「M君が入手し印刷した」テキストがあったとある。前出の鄭力氏によれば、紀清漪女史は北京の華北日報社の副刊編集員であった。

「M君」とは同社総編集長だった安懐音のことらしい。安が内部資料として配布したもので、紀はこれを公表しない約束で借り出すと、人を使って一晩で写し取り、北京の工場で5000部を印刷し、国内の諸機関・団体・学校に送付してしまったのである。晩秋には中国東北部での流布がより顕著になっていく。

こうしたことを考慮すると、震源地の可能性が高いのは、やはり中国東北部である。日本の関東庁警務局も昭和4年11月には、その動向を注視し、新東北学会という1928年設立の民間団体や29年設立の東北学会を調べている。新東北学会は「田中上奏文」を印刷頒布（はんぷ）し、東北学会も反日宣伝文を散布していたとされる。

前出の王家楨は、日本大学教授（当時）の秦郁彦（はたいくひこ）氏が紹介した「日本両機密文件中訳本的来歴」（「日本の二大機密文書中国語訳の来歴」。『文史資料選輯』第2輯、1960年）という回想記では、「台湾人の友人」が「某政党の幹事長宅」で書き写したものを、自ら整合性を持った文章に書き改め、昭和4年春に翻訳が完成したと書いている（『昭和史の謎を追う』上）。秦氏は、皇居で写した蔡の話は創作の可能性が高いが、台湾人の友人＝蔡智堪、幹事長＝床次竹二郎と推測し、床次の関与を想定して、蔡が入手し、王家楨によって完成されたと考えている。

しかし趙尺子「田中奏摺与蔡智堪」（「田中上奏文と蔡智堪」。『伝記文学』第7巻第4期、1965年10月）では、王家楨が「台湾の蔡某（昔のことなので、その名前を忘れた）」が、政友会幹事長山本條（ママ）太郎（正しくは「条太郎」）の妾宅で、田中義一のために上奏文の原稿を修正したとき、書生に清書させた。書生と蔡智堪が知り合いで、清書を手伝ったところから、ひそかに蔡が一部を抄録することができ、王家楨に提供したと語っており、幹事長＝床次竹二郎の可能性はないのではなかろうか。

蔡智堪が田中上奏文入手について書いた自筆原稿

中央大学准教授（当時）の服部龍二氏の追跡調査によれば、蔡智堪が主張する「山下勇」なる人物は宮内省の『職員録』や当時の新聞等には見出せず、床次竹二郎・牧野伸顕の関与も認められないことから、作成者は王家楨自身か新東北学会ないしは東北学会のいずれかで、関東庁警務局の調査や重光葵の公文を考慮して、新東北学会作成の可能性がもっとも高いのではないかとしている。

ただし、近年の藤井一行「「田中上奏文」の再検討」の「田中上奏文」のテキスト追跡・分析から得られた、中国系とコミンテルン系という異系統のテキスト併存という状況（しかもロシア語版は1927年版が存在するとされる）は、共通の日本語原文書の存在を示唆する。しかし、ロシア側では1927年以前に「田中上奏文」を入手したことを裏付ける一次史料は見つかっていない（寺山恭輔「ロシアにおける「田中上奏文」」）。

ロシア語版の「1927年」という年紀が疑えないのならば、政友会首脳合作の原文書をソ連（コミンテルン）と中国が別個に入手して、それぞれがプロパガンダに利用したということになる。そうなると、中国起源説も再考の余地が出てくるかもしれない。

満洲事変を契機に米中のプロパガンダに利用される

服部龍二氏の調査によれば、南京領事・上村伸一によって1930年1月、国民政府外交部の周龍光亜洲司長に「田中上奏文」の流布取り締まりを要請している。周亜洲司長は迅速に出所を特定することと「斯ル無稽ノ言説」が「日支間ノ空気ヲ害」しないよう措置を取ると約束している。

服部龍二氏によると、1930年4月段階で中国国民政府は、重光葵駐華臨時代理公使の公文による申し入れによって、「田中上奏文」が「偽書」であることを知った。重光駐華臨時代理公使は、公文で要請した2日後の4月9日に王正廷国民政府外交部長に面会し、公文英訳も持参している。

王正廷は取り締まりへの協力を了承し、日本の公文を活用したいと述べ、重光葵の了解を得ていた。そして、『中央日報』4月12日の紙面に「田中上奏文の真偽問題」を掲載し、重光の公文にあった誤謬点を挙げ、「田中上奏文」が「偽物」であり、流布を放置することは「中日交流に悪影響」を及ぼすと発表している。実効があがったかどうかは別として、少なくともこの時点まで国民政府は日本側の要請に応じようとしていたのである。

この動きが昭和6年（1931）9月18日の満洲事変の勃発によって、大きく変わっていく。日中間が全面戦争に発展した結果、日中間の外交問題を顧慮する必要がなくなったのである。

　その結果、遼寧省国民外交協会や地方紙などは積極的に「田中上奏文」を利用し、国民政府も対日本のプロパガンダに利用していくことになっていく（王正廷も「田中上奏文」を取り締まったことなどないと否定するにいたるが、1932年11月に国際連盟で田中上奏文が議論になった際、中国代表・顧維鈞から照会された南京の国民政府外交部は「本物であるという証拠は提出できない」と24日付で答えている。だから、この時点でも本物との確信はなかったはずである）。

　アメリカでも同様で、政府内には「田中上奏文」を偽書とする見解が早くからあったにもかかわらず、太平洋戦争に突入すると、政治的プロパガンダに利用されていくのである。

　有名なところでは陸軍が依頼したフランク・キャプラ監督による「なぜ我々は戦うのか」というプロパガンダ映画がある。シリーズ7本のうちの1本『中国の戦い』（1944年制作・公開）や別の作品『汝の敵を知れ』（1945年制作・公開）では、「日本の『我が闘争』」として「田中上奏文」が使われている。

　もし、満洲事変が起こらず、日中全面戦争が避けられたならば、「田中上奏文」は他の同時期の「日本併呑満蒙之秘密計画」（「日本による満蒙併合の秘密計画」）、「日本併呑満蒙秘密会議」、「本庄上奏文」（本庄繁中将の満蒙侵略建議書）などと同じような怪文書扱いで終わったかもしれないのである。

東京裁判で議論はされたが、証拠採用されなかった

　吉田裕（一橋大学名誉教授）・服部龍二氏らが明らかにされた先行研究によって以下略述するが、東京裁判と「田中上奏文」とのかかわりは単純ではなく、清瀬一郎のいうような公判の局面で偽書だと論破されるといった劇的な話でもない。

　連合国側が当初、「田中上奏文」を利用しようとしていたのは事実である。「共同謀議」を立証する物的証拠としてであった。国際検察局（International Prosecution Section、略称IPS）の作った1946年4月29日付の戦

犯起訴状は、田中義一内閣期である昭和3年1月1日以降を戦争犯罪の起点としていた。

起訴状には「田中上奏文」は登場しないものの、日本の外務省や弁護人たちは、「田中上奏文」との関係を想定していた。実際、１９４６年1月から4月にかけて、ＩＰＳは木戸幸一（元内大臣）・広田弘毅（元首相）・加藤万寿男（共同通信社編集局総務）・小磯国昭（元首相）・吉田茂（田中内閣の外務次官）に対して「田中上奏文」について尋問している。１９４６年5月3日の開廷直後まで、ＩＰＳは、「田中上奏文」を探していた。

ところが同年5月5日付『ニューヨーク・タイムズ』に鳩山一郎のインタビュー記事が載り、田中内閣の書記官長だった鳩山が「田中上奏文」が中国製偽造文書であることを主張した。さらに同月、元米国務省極東局長だったジョセフ・バランタインが来日してＩＰＳ関係者に接触し、日本語原文が実在しないことを説明した。そのため、ＩＰＳは原文書捜索を断念していたのである。

それでも「田中上奏文」は東京裁判では議論されている。１９４６年7月2日、日本の満蒙政策について、田中内閣の「積極政策」について検討する場で初めて登場する。しかも持ち出したのは検察ではなく、東條英機の主任弁護人の清瀬一郎だった。

検察側証人として出廷した岡田啓介（田中内閣の海軍大臣）の宣誓口供書に「当時ノ首相田中大将ハ大陸ニ関スル最後的計画ヲ持ツテ」いたとあったため、清瀬一郎は「田中上奏文」を連想したからだった。岡田は「田中上奏文」について、見たことがなく、ないと信じていると答えている。

１９４６年7月22日、検事側は秦徳純を証人として出廷させた。秦は盧溝橋事件の際の第29軍副軍長であった。23日、土肥原賢二弁護人・太田金次郎の尋問に対して、秦は盧溝橋事件を「田中上奏文」の第2段階の華北侵略だと主張している。

秦徳純に対して7月24日に反対尋問したのが、橋本欣五郎弁護人・林逸郎である。清瀬一郎の回想『秘録東京裁判』が主張する、林が反対尋問して真書説を覆したというのは、このときのことである。

林逸郎の問いに対して、秦徳純は中国文の「田中上奏文」を見たことがあるが、日本語原文の存在は知らないと答えている。林はさらに「田中上奏文」の内容の誤りを指摘し、排日目的の偽書だと詰め寄っている。だが、無から作り出すことはできないなどと論点をずらされて秦に反駁されている。秦が論破されたわけではない。

「陰謀論」で引かれた秦徳純の言葉「それが真実のものであるということを証明することはできないが、同時にまた真実でないということも証明することはできない」は、1946年7月25日にウェッブ裁判長からの「田中上奏文」の真実性への確信か疑うべき理由を持っているかという秦への質問に対する答えである。

「併シナガラ事実上ニ於テ日本軍ガソノ後中国ニ於テ一歩々々行ツタ事実ハ恰モ其ノ『メモランダム』ノ著者デアル田中ガ予言者デアルカノ如ク感ゼラレル点ガアリマス」と続くのである。

したがって林逸郎の反対尋問で「田中上奏文」が論破されたり、放棄されたわけではない。その後も「田中上奏文」についての審理は、1947年3月4日の元衆議院議長・岡田忠彦の尋問まで続けられるが、結局のところは証拠採用されなかった。

採用されたのは、アジア・東部シベリア・南洋諸島支配を唱導していた大川周明の言動であり、これと、「軍人の一派」が田中義一内閣期に提携して発生し、敗戦まで継続したとして、「共同謀議」の存在自体は認定されたのであった。

なお、広田弘毅内閣時の「国策ノ基準」は判決では、「日本の戦争準備の全体制の礎石」として根本的な侵略計画だったと評価されている。（藤野七穂）

参考文献

『日中歴史認識　「田中上奏文」をめぐる相剋　一九二七—二〇一〇』（服部龍二、東京大学出版会）
『〈支那人の観た〉日本の満蒙政策』（吉川印刷所）
『日本帝国主義の陰謀—田中義一首相の満蒙侵略の上奏覚書全訳』（イスクラ社）
「田中義一大将の上奏文」（『日本週報』日本週報社、第343号所収）
『トロツキー著作集　1939〜40・下』（薬師寺亘訳、柘植書房）
「田中上奏文入手の顛末」（蔡智堪原著・今村与志雄訳、『中国』中国の会、第29号）
「田中上奏文入手の顛末」—その真偽をめぐって」（今井清一・藤原彰・橋川文三、『中国』中国の会、第32号）

「「田中上奏文入手の顚末」補遺」（今井清一・藤原彰・橋川文三、『中国』中国の会、第32号）

「「田中上奏文」をめぐる二、三の問題」「「田中上奏文」その後」（稲生典太郎、『東アジアにおける不平等条約体制と近代日本』岩田書院所収）

「第四章 「田中上奏文」に関する再検討」（鄭力、『黎明期アジア太平洋地域の国際関係 太平洋問題調査会（I.P.R）の研究（研究シリーズ33）』早稲田大学社会科学研究所所収）

『田中義一伝記』下巻（高倉徹一編、田中義一伝記刊行会）

「蔓延する偽書『田中上奏文』の深層」（志水一夫、『別冊歴史読本』新人物往来社、第29巻第9号所収）

「ロシアにおける「田中上奏文」―満洲事変をめぐるロシア史学の現状」（寺山恭輔、『ロシア史研究』ロシア史研究会、第78号所収）

『昭和史の謎を追う』上（秦郁彦、文藝春秋）

『容赦なき戦争 太平洋戦争における人種差別』（ジョン・W・ダワー、猿谷要監修・斎藤元一訳、平凡社）

『牧野伸顕日記』（牧野伸顕、伊藤隆ほか編、中央公論社）

『西園寺公と政局』第1巻・別巻（原田熊雄口述、岩波書店）

『昭和初期の天皇と宮中―侍従次長河井弥八日記』第1巻・第2巻・第3巻・第6巻（河井弥八、高橋紘ほか編、岩波書店）

『大正デモクラシー期の政治―松本剛吉政治日誌』（松本剛吉、岡義武ほか校訂、岩波書店）

『昭和初期対中国政策の研究―田中内閣の対満蒙政策 増補改訂新版』（佐藤元英、原書房）

「田中義一内閣の対中国政策と昭和天皇」（柴田紳一、『國學院大學日本文化研究所紀要』國學院大學日本文化研究所、第68輯所収）

『青年君主昭和天皇と元老西園寺』（永井和、京都大学学術出版会）

『政党政治と天皇』（伊藤之雄、講談社）

『元老西園寺公望―古希からの挑戦』（伊藤之雄、文藝春秋）

『秘録東京裁判』（清瀬一郎、中央公論社）

『東京裁判』（日暮吉延、講談社）

「『新「南京大虐殺」のまぼろし』の誤り」（吉田裕、『週刊金曜日』金曜日、第7巻第32号所収）

「「偽書」銘々伝」（藤野七穂、『季刊 邪馬台国』梓書院、第52号所収）

「近代日本における内奏の位置づけと密奏の系譜」（後藤致人、『人間文化』愛知学院大学人間文化研究所、第23号所収）

「近代における上奏・内奏の変容過程と密奏の系譜―私文書を中心に」（後藤致人、『年報近現代史研究』近現代史研究会、第1号所収）

「日本の偽書大概」（市島春城。『愛書』第3輯所収）

『昭和天皇実録』第5巻（宮内庁、東京書籍）

『極東国際軍事裁判審理要録 第1巻（東京裁判英文公判記録要訳）』（国士舘大学法学部比較法制研究所 監修・松元直歳 編訳、原書房）（明治百年史叢書467）

『評伝森恪―日中対立の焦点』（小山俊樹、ウェッジ）

「検証「田中上奏文」―新史料で真相に迫る（田中上奏文の再検討）」（藤井徳行、『ARENA アリーナ』第16号、中部大学総合学術研究院）

「M資金」はGHQが接収した財産などをもとに運用されている秘密資金

陰謀論

日銀のダイヤ34万カラット以上が消えた！

戦時中の日本軍は長期戦に備え、様々な形で貴金属や宝石を隠匿していた。例えば東京湾では月島・芝浦方面の沖合に貴金属のインゴット（鋳型に流し込んだ金属塊）を大量に沈めていた。また、工業用ダイヤ確保の名目で政府が集めていた大量のダイヤモンドも日銀の地下大金庫に保管されていた。それらは終戦直後、GHQによって探索された後、日本軍に接収される前の本来の持ち主に返されたはずだった。

ところがそれらの資産の行方をたどっていくと、いくつもの謎に突き当たってしまう。

例えば東京湾の貴金属について、沈めるのにかかわった目撃者の証言では金やプラチナのインゴットを含め、約千億円分が隠されたはずだ。それなのに、1950年2月16日の予算委員会における大蔵省官僚の答弁では、その貴金属は銀塊のみで2億3000万円相当、さらに同年3月6日の池田隼人大蔵大臣の答弁では金5億円相当、銀20億円相当と公式発表の総額そのものがころころ変わっている。

しかも引き上げ作業に日本側の官吏は立ち会わず、さらにGHQはその貴金属をオランダ植民地における略奪品とみなして日本政府の関与なくオランダに返還したという。つまり引き上げから返還まですべては日本政府の頭越しに行われ、日本側はその総額さえ正確に把握できなかったのである。

日銀が保管していたダイヤについては50万カラット以上、一説に100万カラット近くあるはずといわれていたのだが、ＧＨＱが押収分として公表した総量は約16万カラットにすぎなかった。差し引き34万カラット以上がどこかに消えたことになる。

１９４７年8月13日、当時の大蔵大臣・石橋湛山は衆議院で、ＧＨＱが旧日本軍から押収した後、日本政府に返還したはずの資産のうち、当時の物価で数百億円分の行方が記録に残っていないとし、その行き先を早急に突き止めたい、と答弁した。しかし、東京湾の貴金属や日銀のダイヤの例から見ても、ＧＨＱの占領中に闇に消えた資産は石橋の言う「数百億円」で済むような額ではなかったと思われる。それだけの資産はいったいどこに隠されたのだろうか。

その行方に関連して１９６０年代からある噂がささやかれていた。それが「Ｍ資金」と呼ばれる闇の超巨大融資システムだ。Ｍ資金の「Ｍ」はＧＨＱの経済科学局長として資産を管理していたウィリアム・マーカット少将の頭文字をとったものとする説が有力だが、アメリカの隠し資産として「メリケン・ファンド」の隠語で呼ばれたからという説などもある。

西ドイツのマルク債や米ドルも利用された

ウィリアム・マーカット少将は旧日本軍が隠匿していた資産の一部（もしくは大部分）をストックした。そして財閥解体で宙に浮いた資本やアメリカ政府の反共産主義諜報活動予算からの出資などと併せ、日本の戦後復興（ひいては日本の共産圏入り阻止）のための秘密予算を組んだ。

ＧＨＱの占領が終わった後も、その予算はひそかに運用されていた。その管理組織に選ばれた人物に無担保・長期・低金利で貸し出されているのだという。

Ｍ資金を借り受けるための手続きは当然、秘密だ。一説には旧・大蔵省が発行していた国債還付金残高確認証を利用した資産のやりとりが行われていたという。この証書は額面と同額の国債との交換が可

ウィリアム・マーカット少将

1918年に発行された1万ドル札。現在は発行されていない。

能であり、この証書を現金の代わりにやりとりすることで、帳簿に残らない形での資産の貸借ができるわけである。

また、冷戦終結後の1990年代には、かつて西ドイツ政府発行のマルク債によってM資金融資が行われたこともある。

ドイツではすでにマルクからユーロへの貨幣切り替えが終わっていて公にはマルク債は通用していなかった。だが、マルク債を日本政府がM資金として動かすことで極秘に買い取っていたのである。

さらには戦時中にアメリカ政府が巨額の軍費を動かすために特別に発行した100万ドル紙幣（公式には米ドル紙幣の最高額は1万ドル。ただし現在は発行されていない）が、M資金から融資するために用いられることもある。

全日空社長も人気俳優もかかわっていた？

M資金の噂は昭和30年代にはすでに語られていたという。1969年には全日空社長がM資金からの融資を求める念書を書いていたことが発覚した。1978年12月28日、人気俳優の田宮二郎が突然の自殺を遂げた際にも、田宮が生前、M資金の関係者と接触していたことが取り沙汰された。

最近では、2020年9月、牛角やしゃぶしゃぶ温野菜など全国チェーンの運営会社を傘下に持つ外食産業の大手コロワイドの経営者がM資金にかかわったと報道されたことで改めて注目された。

他の秘密資金の運用のために利用されたという説も

なお、M資金の正体についてはGHQの秘密資金ではないという説もある。つまり、他の秘密資金を運用するためにウィリアム・マーカットの名を利用したというわけだ。

　その資金運用者としてはバチカン、フリーメーソン、マルタ騎士団などの名がささやかれている。このうち、マルタ騎士団というのは第1回十字軍（1096〜1099）を機にマルタ島に設立された由緒正しい騎士修道会である。マルタ騎士団は国家とほぼ同格の機関として国連にも加盟し、現在も活動している組織だ（この組織をM資金の主体とする説によると、M資金のMはマルタのMだという）。

カトリックの巡礼地・ロレートを訪れたマルタ騎士団員（2009年）

　M資金の正体は皇室の隠し資産だという説もある。例えば作家の高橋五郎（1940〜2017）によると戦時中、日本の皇室は中国や朝鮮半島で略奪した膨大な資産を金に替え、フィリピンに埋蔵した。「金の百合」（ゴールデン・リリー）という暗号名で呼ばれるその金塊は、戦勝国への賠償に充てられた。ところが、あまりに膨大だったため、その残りが戦後の世界経済を動かす秘密資金として今も運用され続けている。M資金というのは、その「金の百合」運用の末端にかかわる者がその真相も全貌も知らされないまま、持ち回っているだけなのだという。

　また、作家で郷土史家の鬼塚英昭（1938〜2016）によると、皇室の隠し資産としてのM資金は吉田茂と池田勇人によって管理され、吉田内閣組閣の資金になった。それだけでなくGHQ参謀第2部（G2）の部長だったチャールズ・ウィロビーを介して運用されていたという。鬼塚はM資金の「M」はウィロビーの「W」を上下逆にしたもので、

チャールズ・ウィロビー

世間の噂でウィリアム・マーカット少将の名が出るのはM資金の正体を隠すためのニセ情報によるものだとする。

松本清張（1909〜1992）の『深層海流』や清水一行（1931〜2010）の『懲りねえ奴　小説M資金』などの小説や阪本順治監督の映画『人類資金』（2013年）など、M資金はしばしば娯楽作品の題材ともなってきた。

ちなみに清張は『深層海流』単行本「あとがきに代えて」において、「マーカット資金」はアメリカの利益になるよう日本の政財界や文化工作方面に実際に使われていたと推測した。その上で、「これを小説というかたちにしたのは、いちいち本名を出しては思い切ったことが書けないからだ」として、その作中で描かれたM資金運用組織の描写は事実に基づいていると称していた。

真相

「選ばれた人」は融資を受けられる

M資金の本質は、由来として語られている物語にあるのではない。その本質は「選ばれた人」は低金利・無担保・長期で無尽蔵といっていい融資を受けられるといううまい話の方である。そして、そのようなうまい話が実在する可能性は限りなく0パーセントに近い。

M資金の話を持ち回るブローカーは日頃、何億円もの金額を動かすのに慣れて金銭感覚がマヒしており、しかも当面の大口取引の準備にあせっている人物に目をつける（なるほど、その意味では「選ばれた人」にちがいない）。そして、言葉巧みにM資金を原資にした融資を取りつけることができると信じさせ、交渉のために手数料が必要だと言って、手数料分を受け取るというのが通常のパターンである。

その手数料の金額は通常の感覚からすれば法外なものだ。だが、大金を動かすことへの慣れと融資できる（と言われた）金額の大きさ、そして目前のせっぱ詰まった取引に目がくらまされてそのことに気づけないわけである。つまりは**M資金というのは詐欺のネタであり、占領政策の闇とか日本軍の隠し資産といった話はその詐欺話にカモをのせるための枕にすぎない**。

M資金詐欺に用いられる小道具のうち、「国債還付金残高確認証」について、大蔵省（当時）では1992年3月に「『国債還付金残高確認証』に係わる注意喚起について」という通達を各金融機関に出している。それによると、**「国債還付金残高確認証」のような証書は法律上実在せず、当然、大蔵省が発行したこともないという**。

1992年当時、M資金詐欺は、大蔵省がわざわざそのような通達を出さなければならないほどの社会問題になっていたわけである。

占領期に行方不明になったかもしれないが、その後の話が荒唐無稽

1969年の全日空の場合は単なる手数料騙取よりも複雑な手口で、社長に3000億円の融資話を信じさせて借り受け保証念書を書かせた上で、別の会社にその念書を持ち込み、この融資話の手数料で返済するからと言って金を借りるというものだった。つまりは他社を巻き込んでの大規模な詐欺事件に発展したわけで、当時の全日空社長は辞職に追い込まれた。

田宮二郎の事例については、彼は俳優としての本業以外に手掛けていた事業が複数のブローカーのために立ち行かなくなり、その心労ゆえに死に追い込まれている。M資金話はそうした悪質なブローカーの1人から持ち込まれたものであった。

松本清張は多くのベストセラーを持つ推理作家だったが、一方で戦後史解釈にGHQの陰謀についてさまざまな憶測をめぐらした陰謀論者でもあった。清張は戦後日本における陰謀論流行の素地を作った1人と見ることもできる（原田実『オカルト化する日本の教育』『捏造の日本史』）。M資金は陰謀論者としての清張のお眼鏡にかなった題材だったわけである。

田宮二郎（『映画情報』第28巻1963年4月号、国際情報社より）

しかし、松本清張のような高名な人物がM資金の実在を唱えることは結果として、M資金話を持ち回る詐欺師たちの手助けになっただろう。

ちなみに元読売新聞記者の三田和

夫は『深層海流』に自分の著書から十数か所の盗用があったとして、1968年4月2日に清張を告訴した。告訴自体は不起訴処分となったが、のちに松本清張全集に収められた『深層海流』では、三田から指摘された箇所は削除され、大幅な改稿が加えられた。

削除された箇所は直接M資金に触れた部分ではないが、松本清張はときに筆が走りすぎることがあったことを示すエピソードと言えるかもしれない。

財務省は、2018年2月22日付で「『基幹産業育成資金』と称した勧誘等にご注意ください！」という注意喚起を発表した。現行の財政法の第44条には〈国は、法律を以て定める場合に限り、特別の資金を保有することができる〉とある。

「基幹産業育成基金」はその法律に基づいて設定された特別の資金だとされて悪用された。しかし、もちろん、実際には「基幹産業育成資金」は詐欺師の妄言であって財務省はその名目での資金の存在を否定している。

コロワイドの経営者はその「基幹産業育成資金」から2800億円の融資ができると言われ、その手数料と称して31億5000万円を騙し取られたという（実行犯とされるグループは2020年6月から7月にかけて神奈川県警に逮捕された）。

「基幹産業育成資金」は厳密にはM資金ではないが、手数料と称して大金を騙し取る手口はM資金詐欺と同様のため、コロワイドの事件は、新聞・週刊誌・ウェブニュースなどでM資金詐欺の一種として報じられる結果となった。

さて、占領期のどさくさに大量の資産が行方不明になった、という事実は否定できない。しかし、不正な着服や横流しによって失われた資産が実は計画的に運用されていた、という事態は考えにくい。それに、その運用の目的が日本の戦後復興の役に立てるためだった、というのはますますありそうにない話である。

そのありそうにない話を裏づけようとすると、話はますます荒唐無稽な方向に走り出すしかない。高橋五郎や鬼塚英昭の皇室の隠し財産説などはその荒唐無稽な話の典型である。M資金話にバチカンやフリーメーソンが出てくるというのも話を膨らませようとした結果だろう。

M資金もナイジェリアの手紙も、「スペインの囚人」の応用

M資金の本質は由緒にまつわる物語ではなく、詐欺の手口の方にあるとすれば、その物語の方を別のものにすり替えても同じ手口が成立するはずだ。実際、ウィリアム・マーカット少将やGHQの話抜きでまったく同じ手口の詐欺が行われる事例は後を絶たない。

先に名前が出たバチカンやフリーメーソン、マルタ騎士団にしても、GHQとの関係抜きで低金利・無担保・長期の融資を行う主体として名前を出されることがある。M資金詐欺のことが広く知られるようになった現在では、むしろM資金そのものの名を出さないで同じ手口の詐欺をしかける方が主流のようである。

類似の手口の詐欺として、アメリカでは、ナイジェリア石油公社の資産を、政府の目をかすめて海外に持ち出すのに協力すれば高額のマージンを支払うと言って、その手数料を振り込ませる「ナイジェリアの手紙」詐欺が有名だ。

M資金詐欺にしても「ナイジェリアの手紙」詐欺にしても、結局は「スペインの囚人（Spanish Prisoner）」といわれる古い手口の応用である。これはスペインで服役中の富豪から釈放のための手続きを委任されたと称する人物が、釈放後の莫大な報償と引き換えに釈放手続きの手数料の肩代わりを求めるというものだ。「スペインの囚人」の話は、19世紀後半から記録に残っている（手口の発祥は16世紀までさかのぼるという説もあるが、その確証はない）。要は、ありもしない膨大な金を引き出すという名目でその手数料をかすめ取るのだ。

M資金はまず、詐欺の手口が先にあり、それに合わせて由緒が作られた虚像である。もっともらしい由緒がある以上、何らかの実態はあるのではないか、火のないところに煙は立たない、と期待する読者もおられるかもしれない。だが、**火のないところに煙を立てて、火があるようにみせかけるのが詐欺師の仕事**なのである。

長期不況や2020年からのいわゆるコロナ禍で、資金繰りに苦しむ経営者は数多い。そのような経営者が有利な融資をちらつかせられたら怪しい話でも飛びつきか

ねない心境に陥りがちだ。M資金詐欺に対して社会はいっそうの警戒を行う必要があるだろう。（原田実）

参考文献

『深層潮流』（松本清張、文藝春秋新社、1962年）
『追跡・M資金』（安田雅企、三一書房、1995年）
『懲りねえ奴　小説M資金』（清水一行、徳間書店、1995年）
『詐欺師のすべて』（久保博司、文藝春秋、1999年）
『巨額暗黒資金　影の権力者の昭和史　三巻』（本所次郎、大和書房［だいわ文庫］、2007年）
『田宮二郎、壮絶！』（升本喜年、清流出版、2007年）
『天皇の金塊』（高橋五郎、学習研究社、2008年）
『天皇の金塊とヒロシマ原爆』（高橋五郎、学習研究社、2008年）
『天皇のスパイ』（高橋五郎、学習研究社、2009年）
「高橋五郎『天皇の金塊とヒロシマ原爆』――広島に落とされた原爆はナチス・ドイツ製だった！」（山本弘『トンデモ本の世界W』楽工社、2009年）
『天皇種族・池田勇人』（鬼塚英昭、成甲書房、2014年）
『映画で読み解く「都市伝説」』（ASIOS、洋泉社、2016年）
『オカルト化する日本の教育』（原田実、ちくま新書、2018年）
『捏造の日本史』（原田実、KAWADE夢文庫、2020年）
「いまなお日本のウラ経済を跋扈する巨額融資話＝「M資金」」（日名子暁『「陰謀」大全』宝島社（宝島社文庫）、1999年）
「巨額マルク債の謎」（隈元浩彦、『サンデー毎日』1999年11月21日号）
「戦後最大級のM資金詐欺1？」（隈元浩彦、『サンデー毎日』2000年7月30日）
「小道具は「100万ドル冊」常套句は『GHQ』『皇室』なぜか騙される『M資金詐欺』不死鳥神話」（隈元浩彦、『SAPIO』2006年8月9日号）
「昭和43年／1968年・『深層海流』の一部は著作権侵害だと告訴された松本清張」（『直木賞のすべて　余聞と余分』2019年3月10日）
「コロナ禍で復活⁉ 経営者を狙う『M資金』詐欺」（東京商工リサーチ、2020年6月24日）
「コロワイド会長が30億円騙された『M資金詐欺』、その驚きの手口を公開！」（井出豪彦、Diamond Online、2020年7月22日）
「古典的手口で『30億円』、なぜコロワイドの会長はコロッと騙されたのか」（窪田順生、ITmediaビジネスONLINE、2020年7月28日）
「被害額31億円、会社役員が初めて語る『M資金詐欺』の真実　私はなぜだまされたのか」（毎日新聞、2020年9月22日）
「The 9 Lives of the Spanish Prisoner, the Treasure-Dangling Scam That Won't Die」（Shilling, Erik、Atlas Obscura、2016年8月3日）
(https://www.atlasobscura.com/articles/the-9-lives-of-the-spanish-prisoner-the-treasure-dangling-scam-that-wont-die)

ロッキード事件はアメリカが仕組んだ田中角栄つぶしの謀略だった

陰謀論

角栄は何度も控訴したが、再審は認められなかった

ロッキード事件は全日本空輸（全日空）の新機種選定をめぐって、アメリカの航空機メーカー・ロッキード社が日本の政界・財界に多額の現金を送って工作したという贈収賄（ぞうしゅうわい）事件である。その工作が明らかにされたきっかけは偶然だったという。

アメリカ合衆国上院外交委員会のもとで上院議員フランク・チャーチ（1924〜1984）が委員長を務める小委員会の事務所に一通の郵便が誤配された。それはロッキード社の社内文書だったが、その中にたまたま国外への大規模な贈収賄の証拠となる文書が含まれていたのだ。

その小委員会（以下、チャーチ委員会）は1976年2月4日から公聴会を開き、ロッキード社の汚職を追及した。その公聴会で、ロッキード副会長アーチボルド・カール・コーチャンと同社の元東京駐在事務所代表ジョン・ウィリアム・クラッターが1972年に日本の大物フィクサー・児玉誉士夫（よしお）に21億円を渡し、さらにその中の5億円が総合商社・丸紅を通じて当時の首相・田中角栄に渡った、と証言したのである。

アーチボルド・カール・コーチャン（1967年）

日本政府もチャーチ委員会の報告を受け、全日空や

丸紅、ロッキード東京支社の関係者や、児玉の盟友である実業家の小佐野賢治などを国会の衆議院予算委員会に召致して証人喚問を行った。その際、小佐野は追及に対し「記憶にございません」を繰り返したため、この言葉はその年の流行語になった。

１９７６年2月24日、検察庁・警視庁・国税庁の合同捜査本部が設置され、日本側での捜査が始まる。検察から関係者の証言に基づくとして発表された金銭授受の状況は次のようなものだった。まず、クラッターが現金5億円分の札束を段ボール箱4つに分けて詰め、それを丸紅の専務が4回に分けて運んで田中角栄の秘書に渡したという。

丸紅の専務が段ボールをいったん受け取るときに発行した領収書では１００万円の札束を「ピーナッツ」と呼んでいたとされたため、「ピーナツ」もやはり流行語となった。

検察は外為法違反容疑で7月27日に田中角栄を逮捕、8月16日に受託収賄で起訴した。１９８３年10月12日、田中角栄に懲役4年、追徴金5億円という有罪判決が下る。公判中、田中角栄は検察側の主張に対して完全否認を貫いた。その後、田中角栄は無罪を主張して控訴を繰り返したが、ついに再審が認められることはなく、１９９３年12月16日に逝去した。

なお、１９７６年12月5日には衆議院選挙の開票が行われたが、この選挙ではロッキード事件のために自民党に逆風が吹いて大敗、無所属当選者の追加公認でかろうじて過半数を維持する事態となった。

有罪を示すものなら採用する暗黒裁判

かくしてロッキード事件は田中角栄の政治生命を奪った。今も田中角栄はかつての自民党の金権体質を象徴する人物として記憶されている。しかし、このイメージは果たして田中角栄の真実の姿なのだろうか。

ロッキード事件の捜査にアメリカが協力したというと聞こえはいいが、それはアメリカ側で提供する資料によって日本国内の捜査も動かされてきたということだ。贈収賄事件は贈賄側と収賄側の双方があって初めて成立するものだが、その贈賄側であるコーチャンとクラッ

田中角栄（1972年、内閣官房内閣広報室より）

ターについて、日本の捜査陣は直接取り調べを行っていない。

この２人についてアメリカ上院は、汚職の全貌を明らかにするために起訴猶予と引き換えに証言させるという司法取引を行っている。つまりコーチャンとクラッターは自分たちが起訴される心配なしにデマを流し放題にできる立場にあったわけだ。その証言に果たして信が置けるものだろうか。

そもそも、これだけの大事件が、郵便の誤配から発覚したということ自体、うさんくさい話である。ロッキード事件に関するアメリカ側の資料を信用するわけにはいかない。そして、アメリカ側の資料に信憑性がないなら、それに引きずられた日本の検察の捜査もおかしくなるのは当然だ。

こうして見ると、ロッキード裁判は被告の有罪を示すものならいいかげんなものでも採用する暗黒裁判だったと言わざるをえない。

米国戦略に反抗したので、政治生命を断たれた

これはどういうことなのか。実は田中角栄はそれまで、日本を属国として支配しようとするアメリカの思惑に対して、果敢な抵抗を続けていたのだ。

アメリカは日本の保守本流に資金援助することで支配力を保ち続けていた。しかし田中角栄は独自の政治資金調達システムを構築することで、経済的にアメリカの支配を脱するすべを得た。

さらに田中角栄は中国共産党がすでに中国大陸を実効支配している現実を踏まえ、１９７２年に日中国交正常化を行った。これによりアメリカは日本に中国との国交回復を抜け駆けされる形になり、面子（メンツ）をつぶされてしまった（アメリカによる中国共産党政権の承認は日本より7年遅れの１９７９年だった）。

また、田中角栄は首相時代、日本のエネルギー源がアメリカの企業に依存している状況を打開しようとした。

彼はそのために東南アジア諸国を歴訪して石油の安定供給路を確保しようとしたばかりでなく、ソ連と交渉してシベリアの石油・天然ガス開発を行おうとしたり、オーストラリアにある豊富なウラン資源を輸入するためのルートを築こうとしたりもした。これもアメリカの日本支配戦略と真っ向から対立することになった。そこでアメリカはロッキード事件を仕掛け、その政治生命を断ち切ったのである。

角栄を陥れるための陰謀だった

ロッキード事件という謀略を実行した機関はＣＩＡだった。児玉誉士夫はＣＩＡのエージェントの1人だったが、だからこそＣＩＡはロッキード社の汚職など彼がかかわった謀略の証拠を握っていた。ＣＩＡは児玉誉士夫を切り捨て、そこで明らかにされた疑獄の巻き添えにすることで田中角栄に無実の罪を着せたのである。

アメリカではすでにロッキード事件に関する政府機密文書の多くが機密指定解除され、国民からの請求に応じて開示される対象となっている。２０１０年代にはそれらの機密解除文書に基づくロッキード事件の研究が進んだ。

国際ジャーナリストの春名幹夫氏はその機密解除文書の中から、１９７６年12月5日、当時の大統領ジェラルド・フォードと当時の国務長官ヘンリー・キッシンジャーの間の次の会話を見つけたという。

キッシンジャー（左）とフォード元米国大統領（右）[1975年]

キッシンジャー「（日本の選挙結果に言及して）われわれがそれをやった。フランク・チャーチも誇りとすべきだ」
フォード「それは本当にロッキードだったのか」
キッシンジャー「そうです。今後は徐々に右と左の両極化が進むでしょう」

春名氏はこの会話の中の「われわれがそれをやった」という発言こそ、キッシンジャーがロッキード事件に関するアメリカの、ひいては自分の関与を認めるものだったとしている。すなわち、ロッキード事件は、田中角栄を陥れるためのキッシンジャーの陰謀によるものだったというわけである。

こうして私たちは日本に真の独立をもたらしたかもしれない偉大な政治家を失ったのであった。

真相

「司法取引をすればデマ証言もＯＫ」は嘘

ロッキード事件が郵便誤配から発覚したというのは、発覚直後に流れた誤報にすぎない。チャーチ委員会はもともと国内企業の海外での不正を暴く目的で設立されたものであり、ロッキード社の不正はその本来の業務を通じて明らかにされたものである。

ロッキード事件といえば、日本だけをターゲットにしたものという印象を持っている人も多いが、実際にはロッキード社は日本以外にも数多くの国を対象として同様の不正を行っており、イタリアやオランダなどでもチャーチ委員会の公聴会で明らかにされた資料に基づく国内での捜査が行われている。

コーチャンらが司法取引で起訴を逃れたというのは事実だが、だからといってデマを流しても責任を問われないわけではない。アメリカの刑法における司法取引は、真実の証言をすれば起訴を免れる、という内容である。つまり、司法取引を求めながらデマを流した場合、それが発覚すれば改めて本来の罪状で起訴されるだけでなく、偽証罪まで背負い込むことになる（アメリカの偽証罪は日本でのそれよりはるかに重い罪である）。

日本の検察は、当初、コーチャンらを日本に呼んで尋問することを考えていたが、当時の日本の刑法では司法取引が不可能なだけでなく、コーチャンらを起訴せざるをえなくなる。その場合、コーチャンらが証言を拒否することも予想された。そこで、コーチャンを日本でも尋問するという方針を変更し、あえてアメリカ側から入手した調書を証拠として用いた。その上で、コーチャンらから供述を得た上で、司法取引により不起訴にするというアメリカの捜査方針に合わせるために日本側からも不起訴宣明を行ったわけである（その後、2018年に日本でも司法取引が行われるようになった）。

コーチャンらが日本で起訴されなかったのは日米の刑法・司法システムの違いに基づく苦渋の選択だったわけで、むやみにアメリカにおもねったわけではない（このいきさつについては、ロッキード事件主任検事だった吉永祐介氏が後年、早稲田大学での講演で詳しく説明している）。

朝日新聞編集委員の奥山俊宏氏によると、アメリカ政府により機密指定を解除されたロッキード事件当時の対日関係文書では、ＣＩＡがアメリカ政府の許可を得て、日本の保守系政治家に財政的支援を与えたことが記されており、むしろ児玉誉士夫のようなフィクサーの暗躍を証拠づけるものであった。

角栄の政策は米国の国益に反していない

春名幹男氏は田中角栄のエネルギー政策に関する文書を調べ、田中角栄が行おうとしたシベリアの油田開発にしても、オーストラリアでのウラン濃縮事業にしてもアメリカとの協力が前提で、むしろアメリカの事業を助ける形で進められていたことを明らかにした。これをアメリカが妨害するいわれはない。

春名氏はキッシンジャーが田中角栄に対して陰謀を仕掛けたとし、その理由として、角栄が中国との国交回復を急いでキッシンジャーらの対中国戦略を妨害したことを挙げている。

しかし、奥山俊宏氏は、田中内閣の外務大臣として日中国交正常化の実務をとりしきった大平正芳については、キッシンジャーを含めアメリカ政官界での評価が高かったことを示して、日中国交正常化は必ずしもアメリカの憎むところとはならなかったことを指摘している。

田中角栄の首相在任当時は米ソ冷戦の真っただ中であり、ベトナムではソ連を後ろ盾とする北ベトナムとアメリカの軍事援助を受ける南ベトナムの戦闘が続いていた。この時期、同盟国である日本が東南アジアやオーストラリアとのつながりを深めて極東情勢を安定させることは、アメリカにとっても悪い話ではなかった。日中国交回復をめぐって田中角栄はことさらアメリカの国益に反した政策をとったというわけではないのだ。

ところでキッシンジャーは1979年の来日の際、田中角栄の自宅を訪れて面談している。第一線を退いたはずの政治家を、海外の要人が訪問するということは、要人の方でもその政治家の復権を求めている（少なくとも、そのように理解されてもかまわない）ということだ。そこからも、キッシンジャーが田中角栄の失脚を望んだ、さらに失脚を画策したというのは眉唾ものである。

ところで春名幹男氏は、この田中角栄との会見について、キッシンジャーが、自分の陰謀について田中がどこまで知っているか、探りを入れるためだったのだろうとしている。しかし、それはキッシンジャーが田中角栄に会いに行ったという事実と、田中角栄はキッシンジャーの陰謀の犠牲者だという自分の想定とのつじつまを合わせるためのこじつけだろう。

奥山俊宏氏によると、チャーチ委員会はロッキード事件に関してイタリアやチリなどでの汚職に関する情報を公開しようとしたが、それはキッシンジャーらアメリカ高官たちにとって好ましいことではなかった。なぜなら、その汚職追及はロッキード社をはじめとするアメリカの複数の企業の不正をも明らかにしていくものだったからである。

1976年3月19日、アメリカ国務省での会議で、キッシンジャーは、チャーチ委員会の活動について、「国益への偉大な貢献だ」と述べた。だが、それはあくまで皮肉を述べたのであり、キッシンジャーとしては自分が国外で行った工作を妨害されて迷惑だ、と思っていたのではないか。

実際、チャーチ委員会はその時期から、スタッフが出張差し止めを食らうなど、活動を大きく制限されるようになった。チャーチ委員会を管轄する上院外交委員会の首席スタッフだったパット・ホルトはその理由を次のように告げたという。

「(チャーチ委員会は) あるべき姿より踏み込み過ぎました。外国での腐敗した支払いについての調査は終わりにしてくださ い。米国の政策の観点からの調査をしてくださ い」

これはすなわち、外国要人の収賄を追及することでアメリカ政府による買収工作が明るみに出ることを避けるように、という意味である。そして、ついに1976年の秋、最終報告書も出せないままチャーチ委員会は消滅することになる (奥山俊宏『秘密解除　ロッキード事件』)。

チャーチ委員会の調査員だったジャック・ブラムはジャーナリスト・徳本栄一郎氏の取材に応じ、キッシンジャーが当時の司法長官に「外国政府の高官名の公表は外交関係を損ねる」としてロッキード事件の資料公開を控えるよう要請していたことを明かしている (具体的には田中角栄の名を出すな、ということ)。

1976年においてキッシンジャーとチャーチ小委員会が対立関係にあったとすれば、先に引用したキッシンジャーがフォード大統領に語ったという「(日本の選挙結果に言及して) われわれがそれをやった」という発言も、キッシンジャー自身の関与を示すものではなくなる。なぜなら、チャーチ委員会の活動は結果として日本の自民党政権を揺るがし、キッシンジャーの考えるアメリカの外交構想を覆すものだった。キッシンジャーの「われわれがそれをやった」という発言は、「アメリカが自民党政権を揺るがした」ぐらいの意味で、チャーチ委員会への皮肉だったと考えられるからだ。

ロッキード事件に関してキッシンジャーの陰謀と言えるものがあったとすれば、むしろそれは、チャーチ小委員会の活動を妨害して全貌解明を妨げるためのものだったと思われる。というのも、キッシンジャーとしては、CIAなどが国外で行ってきた政治家たちの買収工作を、チャーチ委員会が公開すると困ることになるからである。

CIAが陰謀を仕掛けたとは思えない

田中角栄は構想力と合理性に富んだ政治家だった。しかし、一方で田中は利権に対し目ざとい人物でもあった。そこにCIAのつけこむ隙もあった。

1950～60年代、CIAが日本の自民党政権維持のために外交予算による資金援助を行っていたという事実は、現在では外交文書機密解除によって、次第に明らかにされつつある。田中角栄はそのルートとは別に国内での金脈を確保していったわけだが、だからといってCIAの世話にならなかったというわけではなく、その秘密資金の受益者の1人だった。だからこそCIAエージェントの児玉誉士夫とのコネもできたわけである。

ロッキード事件が発覚した当時、CIAは1973年のウォーターゲート事件発覚によって社会的信用を失墜していた。ウォーターゲート事件とは、リチャード・ニクソン大統領（共和党）の支援団体のメンバーが民主党本部（ウォーターゲート・ビル）に盗聴器を仕掛けようと侵入して警察に逮捕され、ホワイトハウスが捜査・裁判への露骨な妨害やもみ消し工作を行ったことが火に油を注いで、ついに大統領辞任へといたった一大スキャンダルである。

チャーチ委員会は、この「大統領の犯罪」に衝撃を受け、政界・財界・官界の刷新を求めようとするアメリカ国民の世論を受けて発足したものであり、それ自体ウォーターゲート事件の余波の産物といっていい。

ロッキード事件発覚は、CIAの信用にさらなるダメージを与えただけでなく、事件の調査の過程で過去の諜報活動の多くが明らかにされてしまった。CIAのエージェントだった児玉誉士夫を切り捨てなければならなくなったのもそのためだ。

ロッキード事件発覚が、CIAの仕掛けた陰謀だったとすれば、事件によって自分の足元にまた火が着くことも予見できなかったわけで、あまりに間抜けな話である。

陰謀の主体は米国ではなく日本

ロッキード事件において、日本の政界では田中角栄1人が槍玉に挙がった感もあるが、これは日本側の国内事情もあった。田中角栄に代わって首相の座についた三木武夫は、田中角栄との間に長年にわたる対立を抱えており、また、金権体質の田中角栄に対してクリーンな政治家であるというイメージを売り物にしていた。

その三木武夫の立場上、ロッキード事件発覚時には田中角栄をかばうことはできず、むしろ田中角栄に対する検察の捜査を後押しすることになった。

アメリカ国立公文書館分館で2008年8月に秘密指定が解除された外交文書によると、ロッキード事件発覚当時の自民党幹事長だった中曽根康弘は駐日アメリカ大使を通じて、日本国内でのロッキード事件の波紋が広がらないよう揉み消し工作に協力してほしいとアメリカ政府に申し入れていたという。田中角栄をスケープゴートにすることで組織としての自民党を守る、というのは党の既定の方針だったようである（朝日新聞2010年2月12日付き配信記事による）。

その意味では、ロッキード事件による田中潰しにアメリカ政府関与の陰謀と呼べるものはあった。ただし、陰謀の主体はアメリカではなく、むしろ日本側だったわけである。

真山氏の新説による想定は考えすぎ

ちなみに最近、『ハゲタカ』シリーズで人気の作家・真山仁氏がロッキード事件に関して田中角栄に対するキッシンジャーの思惑についての新説を出している。すなわち、キッシンジャーは、日本の検察に田中角栄の収賄について追及しやすい捜査資料をわざと提供することで、田中を追い詰めようとした。そうすることで、日本の政界が田中擁護のために検察にブレーキをかけてロッキード事件そのものをうやむやにすることを期待したという。しかし、日本の政治家たちは田中追及の世論を抑えきれず、キッシンジャーの予想に反して田中を逮捕・起訴せざるをえなくなったのだという。

しかし、アメリカ政府内におけるキッシンジャーとチャーチ委員会の対立を踏まえれば、この真山氏の想定は考えすぎである。チャーチ委員会は、キッシンジャーの思惑と関係なく日本の検察によるロッキード社の贈賄追及に協力したと考えるべきだろう。

なお、最近では、検察が、無理な捜査やマスコミ利用による世論誘導で冤罪を作り出しているのではないか、との疑惑が様々な雑誌やネット媒体に取り上げられている。それらの記事ではよく、マスコミが検察を「正義の味方」扱いしたがる風潮があることの弊害が取り沙汰されている。一説にその風潮は田中角栄逮捕によって生じたものだという（宝島ＳＵＧＯＩ文庫『暴走する「検察」』まえがき）。

ロッキード事件発覚当時のマスコミはほぼ一致して、田中角栄は金権の権化たる巨悪、検察はその巨悪と戦う正義というわかりやすい図式で事件を報じた。庶民は検察およびその図式を作ったマスコミを支持し、巨悪の逮捕に溜飲を下げたわけである。

その先例が以後の政治・経済犯罪疑惑においてもマスコミ報道の定番を形成し、今にいたっているというわけだ。その説に基づくなら、検察による冤罪を生みかねないスタンドプレーのきっかけを作ったという意味で、ロッキード事件をめぐる「陰謀」は今もなお悪弊を残し続けているということになる。

通常の外交手順だけで米国の主張が通る

さて、ロッキード事件発覚によって田中角栄の政治生命が奪われたという認識は正確ではない。田中角栄はロッキード裁判の最中や有罪判決後にも地元選挙区から無所属候補として出馬し、１９７６年、１９８０年、１９８３年、１９８６年とトップ当選を果たしている。１９８５年に脳梗塞で倒れてからはその権勢がやや衰えた感もあったが、それでも１９９３年にこの世を去るまで自民党に、そして日本政界に影響力を行使し続けた。

田中角栄は首相着任当時、極貧の農家の生まれで学歴も高等小学校（現在の中学に当たる）卒にすぎないという生い立ちをアピールした（実際には中央工学校卒だが卒業当時の学制では正規の学校ではない専修学校だった）。その宣伝もあって、庶民の間では、田中角栄は当時、最も人気がある政治家の１人だった。

その田中角栄は世論に追われる形で首相の座から去った。さらにロッキード事件で槍玉に挙げられるさまを見て喜んでいたのもまた庶民である。

そして田中角栄が表舞台を退いたとたん、今度は世間では田中角栄待望論が沸き起こる。彼が幾度もトップ当選を果たせたのは、その待望論があればこそである。

田中角栄という政治家は日本の庶民の愛憎双方の念をかき立てずにおかない人物だった。その振幅が彼に数奇な後半生を歩ませたとの見方もできる。

ところでアメリカ政府が日本に仕掛けたという設定の陰謀論の難点は、戦後において日米の政策が対立した場合、おおかたは、陰謀を仕掛けるまでもなく、いわゆる水面下の交渉も含めた通常の外交手順だけでアメリカの主張が通ってしまうということである。

例えば、自民党にとって農村部は大票田であり、農産物の国内業者保護は長年にわたって公約となってきた。しかし、実際には１９６１年の大豆解禁に始まり、日本はアメリカの要求に応じる形で農産物輸入自由化の枠を広げてきた。そして１９９１年には酪農農家・ミカン農家の反対にもかかわらず牛肉とオレンジが輸入自由化され、１９９３年12月には聖域とされていた米の部分開放も決定した。

日本は安全保障だけでなく食料・エネルギーなど国民生活の根幹までアメリカと、アメリカを中心とする「国際社会」に依存している。さらにいえば日本は戦後いきなりアメリカ頼みになったわけではなく、近代化以降、ほぼ一貫してアメリカとの交易は日本経済の基幹となっていた。

例えば明治期において対アメリカ貿易は日本からの輸出相手として30～40パーセントのシェアを占めていた。この時期は日本からの輸出超過（主な輸出品は絹糸）だったが、それによって得られた外貨が他の国からの物資輸入をも支えていたのである。

その輸入物資には食料も含まれていた（例えば１９４１年の日本内地での米自給率は69パーセントで、不足分は植民地からの搬入と輸入に頼っていた）。

また、昭和初期には、工業化にも軍事力維持にも欠かせない良質の鉄や石油を、アメリカから輸入することでまかなうようになった。

１９４１年から１９４５年にかけて、アメリカと交戦状態だった時期の日本が、民需・軍需ともあっさり物資欠乏に陥ってしまった原因は輸入・輸出ともアメリカに依存する貿易構造にあったのである。

もちろん、田中角栄を含む歴代の総理大臣は、その力関係の中でできるかぎり日本側の要望を通すために努力してきた。しかし、日本がアメリカに頭を押さえられているという事実は覆しようがない。

その閉塞感ゆえに、日本国民の間には、日本史の中に、アメリカと果敢に戦った英雄を見出そうとする心理が生じやすいのかもしれない。山本五十六(いそろく)しかり、戦艦大和しかり……。

田中角栄は、かつて日本で最も人気があった政治家の1人であり、失脚後にアメリカとの関係で叩かれた人物でもあった。だからこそ、彼は陰謀の犠牲者と噂されることで、一部の日本国民の胸中においてアメリカと戦った英雄の列に加えられたのかもしれない。（原田実）

参考文献

『田中角栄の呪い』（小室直樹、光文社、1983年）
『ユダヤ世界帝国の日本侵攻戦略』（太田竜、日本文芸社、1992年）
『田中角栄の真実』（木村喜助、弘文堂、2000年）
『田中角栄　消された真実』（木村喜助、弘文堂、2002年）
『朴正熙と金大中』（文明子、阪堂博之訳、共同通信社、2001年）
『戦後最大の宰相　田中角栄　上下』（田原総一朗、講談社プラスアルファ文庫、2004年、講談社）
『日本の地下人脈』（岩川隆、祥伝社文庫、2007年、祥伝社）
『何も知らなかった日本人』（畠山清行、祥伝社文庫、2007年、祥伝社）
『歪んだ正義』（宮本雅史、角川文庫、2007年、角川学芸出版）
『最高支配層だけが知っている日本の真実』（副島隆彦・SNSI副島国家戦略研究所編著、成甲書房、2007年）
『田中角栄研究』上下（立花隆、講談社文庫、1982年、講談社）
『角栄失脚　歪められた真実』（徳本栄一郎、光文社、2004年）
「葬られたロッキード事件『アメリカ陰謀説』」（徳本栄一郎『現代』2005年7月号、講談社）
『ロッキード秘録』（坂上遼、講談社、2007年）
『暴走する「検察」』（別冊宝島編集部編、宝島SUGOI文庫、2009年）
『「戦後再発見」双書①戦後史の正体1945―2012』（孫崎享、創元社、2012年）
『秘密解除　ロッキード事件』（奥山俊宏、岩波書店、2016年）
『ロッキード疑獄　角栄ヲ葬リ巨悪ヲ逃ス』（春名幹夫、KADOKAWA、2020年）
『〈メイド・イン・ジャパン〉の食文化史』（畑中三応子、春秋社、2020年）
『ロッキード』（真山仁、文藝春秋、2021年）
「自白の信憑性に関する諸問題など」（吉永祐介、講演＝平成9年5月29日・早稲田大学）
「日本の近代化過程における貿易構造の変化」（清水貞俊『立命館経済学』第16巻5・6号、1968年）
「「中曽根氏から、もみ消し要請」ロッキード事件、米に公文書」（朝日新聞2010年2月12日、『法と経済ジャーナル』資料庫 検証・ロッキード事件）
徳本栄一郎「田中角栄逮捕から40年 初めて語られる「ロッキード事

件」の発火点」『週刊新潮』２０１６年8月11・18日夏季特大号
立花隆『ロッキード裁判批判を斬る』全３冊（朝日文庫、１９９４年）

（本稿の資料探索においては奥菜秀次さんのご教示を受けました。謹んで感謝いたします）

日航ジャンボ機は自衛隊の誤射で撃墜された

陰謀論

国は生存者捜索に消極的だった？

１９８５年8月12日、日本航空１２３便（ボーイング747SR-46）はクルー15名、乗客５０９人とともに定刻通りの18時12分に羽田空港を発(た)ち、伊丹空港へと向かった。ところが同日18時24分にその機体に異常が発生、操縦不能に陥ってしまう。パイロットたちの必死の努力にもかかわらず機体は群馬県と長野県の県境の御巣鷹山(おすたかやま)の近くに墜落、生存者わずか4名、他は全員死亡という惨事になった。

ちなみに墜落場所は当初、御巣鷹山と報道されたが、実際の墜落場所は御巣鷹山に隣接する高天原山(たかまがはらやま)の尾根だった（現在では、墜落地点は「御巣鷹の尾根」とも呼ばれる）。

運輸省航空事故調査委員会の調査によると、この墜落の原因は機体の圧力隔壁(かくへき)の金属疲労であったという。この機体が以前にトラブルを起こした際、修理を請け負った米国ボーイング社が圧力隔壁を止めるためのリベットの数を間違えていた。そのため、同機が離着陸を繰り返すたびに機内の圧力の変動による金属疲労が進み、ついに飛行中に隔壁が損傷、機内から噴き出す空気で垂直尾翼と方向舵(だ)、油圧バルブが壊されて操縦不能に陥ったというのである。

だが、この事件が起きた直後から、墜落の原因にはさまざまな推測がなされており、１９９０年代には自衛隊もしくは米軍による撃墜説を説く書籍も出された。

墜落原因が調査委員会の発表通りならば、機体後部の圧力隔壁と垂直尾翼に顕著な損傷が見られるはずだ。空中で飛散した垂直尾翼の破片の多くは相模湾に落ちている。しかし、運輸省航空事故調査委員会が相模湾の海底残骸捜索を始めたのは１９８５年11月１日になってからで、それもわずか20日ほどで破片の１つも見つからないまま終わらせている。このことからしても事故調査委員会が事故原因の解明に積極的だったとは思えない。むしろ国の方針は事件の真相をもみ消すことだったのではないか。

１２３便が墜落したのは８月12日の18時56分頃と推定されているが、陸上自衛隊に出動派遣要請が出たのは21時30分、救難ヘリによる残骸発見（墜落現場特定）がなされたとされるのは翌日の４時39分、１人目の生存者発見が10時54分（当初の発表では11時45分）と時間がかかりすぎている。こうした事実も、国が墜落現認調査や生存者捜索について消極的だったのではないかという疑いを生じさせる。

自衛隊演習中の事故説やミサイル命中説も

最近、改めて注目されているのは墜落原因を自衛隊のミサイル演習による事故に求める説である。例えば、技術者で墜落被災者遺族でもある小田周二氏はミサイル演習時に飛ばした無人曳航標的機（ミサイルの標的にするために飛ばす無人機）が、１２３便の尾翼に衝突し、それで生じた破損が墜落原因となったとする。

小田氏は墜落現場の報道写真にオレンジ色の金属片が写り込んでいることに注目した。航空機にオレンジ色に塗装された箇所はないはずだから、その金属片は狙いをつけやすいよう目立つ色で塗装された無人曳航標的機の一部だったという。

また、小田周二氏は、墜落事故当時に現場近くを飛んでいた米軍輸送機の通信担当者マイケル・アントヌッチ中尉（当時）が、１２３便と米軍・横田基地の交信を傍受したと証言しているにもかかわらず、その交信内容が、公表されたブラックボックス（フライトレコーダー）の記録に残っていない点にも注目した。その点を根拠に、小田氏はブラックボックスの記録も改ざんされているとする。

また、作家の青山透子氏は、自衛隊のミサイル試射実験中の事故で１２３便に命中したとする。青山氏は、８

月12日18時30分頃、静岡県藤枝市で、飛行中の１２３便の機体に張り付いたような赤いものと１２３便を追うように飛んでいく自衛隊のファントム戦闘機2機を見たと語る証言者と出会ったという。青山氏は、その赤いものこそ１２３便を標的と誤認して追尾する自衛隊のミサイルだっただろうとする。

航空自衛隊F-4戦闘機

青山透子氏は、１２３便機長は追いかけてきたファントム機からの指示で、山中に不時着するよう指示されたのではないかと推測する。山中への誘導は、機体を隠してミサイル衝突の証拠隠滅を行うためだった。

青山氏はさらにその上空を１２３便が飛んだ群馬県上野村の小学校・中学校の文集から、墜落の日の上空に赤い光を見た、あるいは2機のファントム機も飛んでいたなどといった証言を拾い集めている。

青山透子氏が著書『日航機１２３便　墜落の新事実』で示した自衛隊ミサイルによる撃墜説のその他の傍証は次のようなものである。

○墜落現場に発見された遺体に、火熱による損傷が通常の火災現場に見られないほど激しいものがあった。生存者捜索に携わった地元消防団員から、現場はガソリンとタールが混ざったような臭いがした、という証言を得た。

航空機の燃料は家庭用の灯油と同様、石油中のケロシンという成分から作られる。現場で灯油以外の石油系の臭いがした上、通常の火災よりも激しい火熱にさらされた遺体があるということは、ケロシン以外の燃料が現場で使われたことを意味している。

これは、真相隠蔽を図る自衛隊が、ミサイルの赤い破片（小田周二氏の言うオレンジ色の金属片と同じもの）などの焼却と目撃者（生存者）の口封じのために火炎放射器を使ったものと推測される。
○123便の機内で撮影された写真が墜落現場で奇跡的に回収されているが、その写真に写り込んだ窓から黒い点のようなものが見えている。画像解析の結果、この点の正体はオレンジ色の物体であることが判明した。これは123便に衝突したミサイルだろう。

さらに青山透子氏は、著書『日航機123便墜落　圧力隔壁説をくつがえす』において、1987年に運輸省航空事故調査委員会が出した報告書とその付録に用いられている「異常外力」という言葉に注目する。

報告書によると、航行中の機体の側面に「異常外力」が加わったとあるが、青山氏はこれを空中で物体が機体に衝突したことを意味するとして、その正体は自衛隊のミサイルだったとみなしている。

さて、2011年、国土交通省の外局（行政機関において特殊な事務に携わる独立性の高い組織）である運輸安全委員会は「日本航空123便の御巣鷹山墜落事故に係る航空事故調査報告書についての解説」（以下、「解説」）を公表し、圧力隔壁破壊が起きた状況について改めて説明した。

その「解説」について、青山透子氏は〈（「○○になるはずです」「不思議ではないのではないでしょうか」など）曖昧な表現が多数書かれている〉、あるいは〈（海底捜索調査で残骸回収がうまくいかなかったことに対する）言い訳とも取れる内容〉があるなどと断じている（青山透子『日航123便墜落の新事実』）。

ちなみに日本乗員組合連絡会議（民間航空労働者の組合、以下、日乗連）も報告が出た翌年に「日本航空123便事故報告書に対する日乗連の考え方」を公表し、その内容には納得できないとしている。

森永卓郎氏や植草一秀氏も青山説を評価

青山透子氏の自衛隊ミサイル誤爆説については経済評論家の森永卓郎氏がウェブマガジンなどで好意的な評価を行っている。森永氏は述べる。

〈青山氏は、東京大学の大学院を出て、博士の学位も取っている。東大を出ているから正しいというのではない。博士論文は厳密な審査が行われる。そのため論文には明確な根拠が求められる。憶測で書くことは許されないのだ。その論文作成の姿勢は、この本でも貫徹されている。証拠となる文献、そして実名での証言を集めて、青山氏は厳密な論証を行っているのだ〉（森永卓郎「日航123便はなぜ墜落したのか」）

また、経済学者の植草一秀氏も青山透子氏の説に賛同している。植草氏は、ブラックボックスのボイスレコーダーに残った123便機長の音声で、報告書に「オールエンジン」と文字起こしされた箇所に注目する。これは実は「オレンジエア」で航空自衛隊演習用兵器の呼称であると考えられると植草氏は言う。

つまり機長は、自分が乗る123便が自衛隊の演習で誤爆したことを知っていたことになる。

真相

「調査報告書」は圧力隔壁破壊説と適合する

123便の垂直尾翼について海底に沈んだ分の破片探索が不十分なまま終えたのは事実だ。だが、回収されたわずかな破片からでも、垂直尾翼はミサイル攻撃などで一気に吹き飛んだわけではなく、まず一部が相模湾上空でちぎれ、残りは機体についたまま墜落現場まで運ばれたことが判明している（『検証　陰謀論はどこまで真実か』所収拙稿ではこの点について事実誤認を含んでいたため、この場を借りて訂正したい）。

また、垂直尾翼に近い後部の圧力隔壁の破片はすべて墜落現場で回収されている。そこには内側からの力（例えば内部の空気の流出）で変形した跡こそあれ、ミサイルのような外部からの衝撃をうかがわせる痕跡はなかった。今のところ、回収された機体やフライトレコーダーに残された飛行記録・交信記録が示す状況を最もよく説明できるのが、圧力隔壁破壊が起きたとする事故調査委員会の仮説であることは否定できない。

青山透子氏は「解説」（「日本航空１２３便の御巣鷹山墜落事故に係る航空事故調査報告書についての解説」）について、〈曖昧な表現が多数書かれている〉と書いたが、青山氏が「曖昧な表現」と呼ぶものは、むしろ慎重で丁寧な口調とみなすべきである。「解説」では小田周二氏が標的機の破片とみなしたオレンジ色の金属片について、次のように明記されていた（以下、「解説」からの引用中「本文」「写真」というのは１９８５年に公表された事故報告書での該当箇所を指す）。

御巣鷹（群馬県多野郡上野村）の尾根に建立されている昇魂之碑（2010年）

〈ミサイル又は自衛隊の標的機が衝突したという説もありますが、根拠になった尾翼の残骸付近の赤い物体は、主翼の一部であることが確認されており、機体残骸に火薬や爆発物等の成分は検出されず（本文p63、2.16.7）、ミサイルを疑う根拠は何もありません〉（（ ）は引用者が加えたものではなく、原文ママ）

ちなみに１２３便の主翼には日本航空のマークである日の丸がペイントされていた。オレンジ色に塗装されていたというのはその箇所だったのである。

また、共同通信本社外信部次長の堀越豊裕氏は、運輸省航空事故調査委員会キャップだった藤原洋氏にインタビューし、問題のオレンジ色の金属片は右主翼下部の一部で、どこの箇所かも確認できているとの言質を得ている（堀越豊裕『日航機１２３便墜落　最後の証言』）。

一方、「解説」は次のような事実も指摘する。

〈設計・製造において軽量化の実現が使命である航空機の構造は、想定される荷重には十分な強度を有していても、想定外の荷重には意外なほど弱いものです。報告書では垂直尾翼の損壊に関する調査結果が本文p34、2.15.1.3にありますが、外板やリベット等の破断面の観察では、破壊が外板の内側から外側の方向に進行したことを示しているとしております〉

〈外部からの物体の衝突では、破断面が内側から外側の方向へ進行している事実及び本文p58、2.16.2.1、本文p205～209、写真-58（図10）及び59にあるリベット頭の部分から筋状に吹き出して付着したとみられる黒色の付着物といった事実を、説明できないのではないでしょうか〉（図10は上に載せた）

「解説」に掲載された図10

機体の破断面が内側から外側に進行しているということは、機体の崩壊が内側からの圧力変動で生じたことを示している。リベット頭というのは油圧配管系の油漏れを防ぐネジであり、そこから外側に向けて油が噴出しているということは油圧装置の内側で圧力変動が生じたことを意味している。

この状況は隔壁破壊説となら適合するが、外部からのミサイル衝突では説明できない。

また、「解説」では墜落現場の特定および救助作業開始が遅れた理由について、次のように説明している。

〈現在はGPSが開発され、正確な位置を簡単に知ることができるようになりましたが、GPSがない事故当時、夜間に航空機で墜落場所を特定するには、墜落場所の上空を通過するときの無線航法援助施設（TACAN等）からの方位と距離を読みとることで行っていました。飛行機の場合は、高高度を高速で飛行し操縦席からの視界が狭いので測位する場所の真上であることを特定することが難しく、方位は5度、距離は1マイル程度の精度でしか読み取れません。ヘリコプターの場合は、速度を落と

無線航法援助施設ＴＡＣＡＮ（航空保安管制群のサイトより）

してコース・セレクター・ノブを利用することで、方位1度、距離0・1マイル程度の精度で読み取ることができます。昼間は、著名な山等の目標からの方位と距離を目測で測りますが、操縦士の能力（土地勘や目測の精度）によって大きく精度が異なります〉

〈夜間の位置の精度では救助隊を誘導することができなかったようです〉

〈ヘリコプターから救助員をロープ等で降下させ人を吊り上げて救助する方法がありますが、そのためにヘリコプターは、救助員を下ろす場所のすぐ上空（通常10～30m）まで進入して精密なホバリング（空中停止）を行う必要があり、昼間でも大変高度な技術のいる作業です。夜間でも船舶や岩場から吊上げ救助を行うことがある海上保安庁では、その場合の手順として、別の飛行機から照明弾を投下して海面を照らし、ヘリコプターのサーチ・ライトで周辺の海面や吊上げ場所を照射して操縦士がヘリコプターの位置、高度、姿勢が分かるようにして行います。また、吊上げ場所へ進入するのに、オートパイロット（自動操縦装置）を装備した機体はそれを使って行うように手順が決められております。大変危険な作業なので、操縦士等の資格を限定し、乗組員全体で段階を踏んだ訓練を重ねた後で実施できる、極めて高度な技術を要する作業です。

これらの手順は、障害物のない海上だからできることで、地上では火災発生のおそれがあるので照明弾は投下できず、海面と違い段差のある山岳地帯ではオートパイロットを使った進入もできません。このような状況を考慮すると、付近の障害物や降下場所の状況もはっきりしない本事故の現場において、夜間、ヘリコプターを使用して救助作業を行うことは、2次災害を引き起こす危険

が極めて高いことは間違いありません〉

〈暗視装置をパイロットが装着して操縦を行う方法もありますが、当時、自衛隊にはその装備はありませんでした〉

そもそも123便の事故については、洋上で異常が起き、さらに内陸部を迷走したため、墜落地点の特定は困難を極めた。

堀越豊裕氏の取材では、当時、自衛隊入間基地（埼玉県入間市・狭山市）に中央救難調整所があって、そこが123便捜索・救助活動の拠点となったが、実際の救難作業は百里基地（茨城県小美玉市）や松島基地（宮城県松島市）、小松基地（石川県小松市）などから寄せ集めたヘリコプターや捜索機に頼らざるを得なかったという。そのため、現地の自衛隊と現地の警察との直接連絡もできずに入間経由で電話連絡をするありさまだったという。

事故当時に防衛庁航空幕僚監部広報室長としてメディアに対応していた佐藤守氏に堀越氏が取材した際、「結局、自衛隊も大慌てでお粗末だったというのが真相ではないか」と問うたところ、佐藤氏も苦笑しながら「お粗末だったと言われるとカチンとくるが、お粗末だったのかもしれない」と答えたという。

墜落地点特定や救助作業の開始が遅くなったのは意図的なものではなく、当時の自衛隊が、レスキューのための組織としてはあまりにも未熟だったためと考えるべきだろう。

日航やロ社が隠蔽に協力する理由はない

123便墜落の原因が何らかの攻撃によるものではないかという推測は事故直後、日航関係者の間でも行われていた。堀越豊裕氏は前掲の『日航機123便墜落　最後の証言』で、1985年8月下旬、日航の十字覚整備班長（当時）が朝日新聞の取材に対し、「爆弾以外ありえない」とコメントしたことを指摘している。先述のように米軍もしくは自衛隊による撃墜説を説いた書籍も1990年代に出ていた。

ここで重要なのは、米軍もしくは自衛隊の撃墜説が正しいとすれば、日航および整備に携わったロッキード社は被害者であって、隠蔽に協力する筋合いはないということである。むしろ、撃墜が証明されれば日航およびロッキード側に整備不良や操縦ミスといった落ち度はなかったということになって責任は回避できる。つまり、日航としては撃墜の可能性があるなら、それを徹底的に追及する必要があったのである。

しかし、運輸省航空事故調査委員会の調査結果は墜落の原因は整備不良による金属疲労の可能性が高いというものとなった。「解説」の記述はそれを改めて説明し、撃墜の可能性を完全否定するものであった。

つまり、2011年以降に出た小田周二氏や青山透子氏の著書は刊行前からその内容が否定されていたのである。だからこそ青山氏は「解説」が取るに足りないものであるかのように言いつくろう必要があった。

「赤い光」は夕日や墜落現場の炎だったか

さて、堀越豊裕氏は青山透子氏と会見した際、123便とともに赤いものと2機のファントム機を見たという目撃者について、裏を取るために取材したいと申し出たところ、「ごめんなさい。私だけに（情報提供）ということになっているので」と断られたという。

確かにジャーナリストには取材源秘匿の義務が発生するという一面はあるが、それは一方では青山氏が得たという証言の信憑性を第三者が確かめる手段はないということである。

123便が飛んでいたのは夕暮れ時であり、墜落現場では火災も起きた。遠目に「赤い光」として認識されうるものとしては夕日の照り返しや墜落現場の炎などいくつも候補がある。

また、「123便とともに赤いものと2機のファントム機を見た」という証言についてだが、元日航機長の杉江弘氏は次のように述べる。墜落当日、航空自衛隊百里基地から2機のファントム機がスクランブル発進した事実はあるが、そのファントム機と123便が交信した記録が自衛隊にも123便のフライトレコーダーにも残っていないという。

ファントム機の発進自体が19時05分だから18時30分頃に目撃されることはありえない。また、青山透子氏が言うように発進時刻の改ざんが行われたとしても、18時30分頃に目撃されたとすると、123便の機体異常が報告されてから数分でファントム機が追いついたことになって、それはやはり不可能だとしている（杉江弘『ＪＡＬ123便墜落事故自衛隊＆米軍陰謀説の真相』）。

現場回収物と生存者が証拠隠滅説の反証

１２３便の機内で撮影された写真に写り込んだ窓から黒い点のようなものが見えていて、画像解析の結果、点の正体はオレンジ色の物体であったという。しかし、その写真の画像解析なるものにしても、青山透子氏の著書にはデータが提示されていない。そもそも、青山氏が、ミサイルが写っているとみなしたものは、写真上の単なる黒い点である。

墜落現場の火災では航空機燃料以外の複数の可燃物が一緒に燃えている。ガソリンとタールの混ざったような臭いという証言はさまざまな可燃物が共に燃えたことによる異臭という程度の意味しかない。

墜落の衝撃で空中に拡散した航空機燃料に引火したなら、それが灯油と同成分のケロシンであっても局所的に激しい火熱が生じるのはおかしくない。発熱量を比較しても、ガソリンが1リットルあたり約33ジュール（約8キロカロリー）なのに対し、ジェット燃料や灯油は1リットルあたり約36・5ジュール（約8・7キロカロリー）である。つまり、ガソリンよりもジェット燃料や灯油の方が、同じ容積あたりでの発熱量が高いのである。

また、現場で灯油以外の石油系の臭いがしたのは、航空機燃料以外の複数の可燃物が一緒に燃えたからと考えられる。通常の火災よりも激しい火熱にさらされた遺体があるという話も、墜落の衝撃で空中に拡散した航空機燃料に引火したことで、局所的に激しい火熱が生じたからという理由で説明できる。

さらにいえば、杉江弘氏も指摘しているが、**墜落現場から回収された大量の破片やブラックボックス、そして4人の生存者の存在自体が自衛隊による証拠隠滅作戦という想定に対する最大の反証だろう**。証拠隠滅と目撃者の口封じのために、本当に火炎放射器を使ったなら、いずれも残っているはずはないものばかりである。

青山氏は運輸省航空事故調査委員会が出した報告書とその付録に用いられている「異常外力」という言葉に注目し、自衛隊のミサイルが機体に衝突したことを意味すると言う。だが、「外力」というのは工学用語では単に材料の外側からかかる力を意味する。

金属疲労によって機体を崩壊させるほどの圧力変動は、まさに機体の部品に対する「異常」な「外力」だろう。「異常外力」を機体外部からの攻撃の意味に解するのは曲解にすぎない。

青山氏への評価は学歴・経歴で判断したか

事故当時、現場近くを飛んでいたとされる米軍輸送機の通信担当者マイケル・アントヌッチの証言については、小田周二氏だけでなく青山透子氏も言及している。アントヌッチの証言は事故から10年後の１９９５年に公表されたものである。

アントヌッチは横田基地と１２３便の交信について、横田基地から１２３便への呼びかけはあったが１２３便からの返信はなかったとしており、交信そのものが成立していなかったとも解釈できる内容となっている。アントヌッチは、搭乗機は、救助作業のために墜落現場近くで乗組員を下ろそうとしたが横田基地への帰還命令が出たため、帰って司令部に報告。その後、所属飛行隊の副司令官からマスコミへの発言をしないよう命じられたという。しかし、空軍の公式記録にはその発言を裏付ける公式記録はないとされており、史料としての扱いは難しい。

植草一秀氏の言う「オレンジ」については、植草氏の憶測の域を出ない。「オレンジエア」が民間機機長の通信に出てくるほど航空自衛隊演習用兵器の意味で定着しているなら航空関係者や軍事関係者の著書で見かけてもよさそうなものだが、植草氏もそのような例示は行っていない。

植草氏は次のように述べている。

〈青山氏は墜落事故ののち、東京大学の大学院博士課程を修了し、博士の学位を取得。博士論文に対しては厳密な審査が行なわれ、論文には明確な根拠が求められる。

憶測で書くことは許されない。青山氏はその姿勢を新著記述においても貫いている。証拠となる文献、実名での証言を集め、厳密な論証を行なっている〉（植草一秀『国家はいつも嘘をつく』）

この文章が先行していた森永卓郎氏のウェブマガジン記事（前掲）のほぼコピー&ペーストである以上、青山透子氏の著書に対する植草一秀氏の評価は森永氏と同一とみてよいだろう。

しかし、実際には青山透子氏の著書には憶測や検証不能な記述が多い。例えば、『日航１２３便　墜落の新事実』だけに限っても、青山氏は１２３便墜落当時の運輸大臣だった山下徳夫（１９１９〜２０１４）に会見して話を聞いたというが、青山氏の説を裏付けるような言質を取ったわけではない。青山氏は山下氏の態度から「オレンジ色の物体を知っていた様子であったと推定する」としている（「オレンジ色の物体」とは青山氏が想定する自衛隊のミサイルのこと）。

また、青山透子氏は、日本の法医学の権威で１２３便墜落事故では現場での遺体身元確認作業にも携わった押田茂實（しげみ）氏に現場で撮影したビデオの所在について質問し、警察に提出したまま返してもらっていないとの返答を得たという。

しかし、青山氏は押田氏から特に自分の想定を裏付けるような言質を得てもいない（ちなみに押田茂實氏自身による墜落現場に関するレポートには、警察がビデオ返却に応じないことへの抗議は記されているが、事故の原因に関しての不審感は述べられていない）。

ミサイルが写っているという写真の画像解析にしても、青山透子氏は「大学の画像研究機関の専門家」に依頼したというだけで、画像に対して具体的にどのような操作が行われたのかわからない。そして解析された写真の現物も青山氏の著書には掲載されていない。

こうして見ると、森永卓郎氏や植草一秀氏が青山透子氏の論証を緻密だと言っているのは、青山氏の著者略歴にある「東京大学大学院博士課程修了、博士号取得」という経歴から判断したものとしか思えない。なお、青山氏は今のところ何の専攻によってその博士号を取得したものか公表しておられないようである。

いずれにしても、自衛隊による撃墜説はすでに成り立ちようがない砂上の楼閣といってよいだろう。

隔壁破壊の方が説明しやすい

日乗連（日本乗員組合連絡会議）が「解説」について不審としたのは、主に次の5項目である。

1、「解説」では隔壁破壊により機内の空気が吸い出されて急減圧が生じたにもかかわらず、開口部と操縦室、客席との位置関係から乗員・乗客は強い風を感じることはなかったとしている。しかし、機体を壊すほどの空気の流れがあったならその風を乗員・乗客が感じなかったとは考えにくいし、急減圧が生じたなら機長は意識を失って操縦し続けることはできなかったはずである。

2、ボイスレコーダーに残った警報音が客室高度警報音（客室の気圧低下が危険領域に入ったことを示す警報）か、離陸警報音（着陸用の主脚などが離陸時の正しい位置にないことを示す警報）かについて、「解説」ではブラックボックスに主脚が移動した記録がないので客室高度警報音に間違いないとして急減圧が起きた証拠の1つとする。しかし主脚の状態を示す記録にはエラーマークが含まれており、実際には主脚の移動があったかどうかは不明瞭である。したがって離陸警報音だった可能性は除外できない以上、その音を客室高度警報と断定することはできない。

3、「解説」では事故当時のソナーでは海底の破片を探査することは困難だったことが示されている。それならなぜ当時より高性能のソナーが開発されて以降に海底を再探査しないのか。

4、捜索救難に関する詳細な記録が残っていないことについて、「解説」では、当時は、事故原因の調査において、同時に事故による被害の軽減のための調査も行うべきであるという考えがなかったためだと言い訳している。しかし、国連の専門機関であるＩＣＡＯ（国際民間航空機関）が１９７０年に出したマニュアルでは〈乗客乗員の生存に関する状態と状況や、機体の破壊状況を調査することは、事故原因を究明するのと同じく、重要なことである〉と述べられている。「解説」が述べている言い訳を認めると、事故調査委員会は当時の国際規範にも従っていなかったことになる。
5、報告書および「解説」では、隔壁破壊による空気噴出で、APU（航空機後部の補助動力装置）および垂直尾翼が吹き飛ばされたとしている。だが、APUが吹き飛べばその周囲の圧力が下がるので、垂直尾翼を吹き飛ばすほどの空気の流れが生じるとは考えにくい。実際には垂直尾翼およびAPUが何らかの原因で脱落した後から隔壁破壊が生じたのではないか。
以上の疑義により、日乗連では〈私たちはこの「解説書」を読んで、JL123便の事故調査に関して、より一層疑問や疑念が深まってきました〉とした。


これらのうち、3、4については私も妥当な批判と思う。2についても確かに「解説」の説明は十分とはいえない。ただし、フライトレコーダーには航空機関士による「ギア、ファイブオフ」という声も記録されており、これは123便の5つの車輪（ギア）が正常な位置になることの確認だったと思われる。

NPO法人「航空・鉄道安全推進機構」理事・北村行孝氏と元読売新聞東京本社編集委員・鶴岡憲一氏の共著『日航機事故の謎は解けたか』では、客室高度警報音と離陸警報音が同じ音を使用していることは123便事故調査に疑問の余地を残しただけでなく、パイロットにとっても操作ミスを引き起こす原因となりかねないとした。その上で、今後は、まったく別の音源を使うべきだと提言している。

1について、元日航機長の杉江弘氏は、気圧低下に反応して作動する酸素マスク自動落下と自動機内アナウンスがあったこと、機内で気圧低下を示す霧が発生したという生存者の証言、ボイスレコーダーに残ったクルーの声に現れた低酸素症の徴候などから機内で相当な気圧の低下が生じたことは確かであるとする。

5について、自分たちが想定する垂直尾翼およびAPU脱落の理由について日乗連は言及していない。だが、123便墜落事故の原因に関する議論では、調査委員会の結論としての隔壁破壊説と、撃墜説の他に、垂直尾翼が旗を振るように振動して崩壊し、それが機体全体への崩壊につながったというフラッター説が出されたことがある（フラッターとは旗めき、転じて構造物の風などによる振動のこと）。機体崩壊の順序に関する日乗連の想定はフラッター説を踏まえてのものだろう。

この機体崩壊の順序については、ブラックボックスの航行記録は異常発生の直後、APUのある後部脱落と思われる瞬間に、後方への空気噴射を示す前向きの加速度、次いで垂直尾翼のある後部上方への空気の噴射を示す下向きの加速度を検出している（『日航機事故の謎は解けたか』）。この状況は123便の崩壊が内側からの空気の噴出によるものであることを示しており、隔壁破壊によるものと考えた方が、日乗連の想定よりも説明しやすい。

記録改ざん説はクルーと人命への冒涜

日航機撃墜説の論者は共通してフライトレコーダーの飛行記録・交信記録は改ざんされていると主張するが、裏を返せば、彼らが主張するシナリオは実際の飛行記録・交信記録と矛盾しているということに他ならない。

フライトレコーダーの交信記録には、機体を制御しきれない状況で乗客の命をできるかぎり守ろうとするクルーたちの苦闘を示す会話が記録されていた。米軍や自衛隊を邪悪な組織だと言い張るためにそれを改ざんと決めつける行為こそ、クルーたちの志と失われた人命を冒涜するものといえよう。

だが、実際の遺族である小田周二氏が自衛隊撃墜説に固執し続けているという事実は123便にまつわる陰謀論の別の側面をも示している。123便墜落は多くの未来ある人命を理不尽に断ち切った。この惨事が整備の手抜きなどによってもたらされたことに耐えられない人々は、その罪を担うべき、わかりやすく強大な敵を求めずにはいられない。米軍や自衛隊、ひいてはその背後にあるアメリカ合衆国や日本国はその敵たるにふさわしい存在なのである。

さらにいえば、当時の首相である中曽根康弘（1918～2019）は墜落現場での救助活動に関して何ら積極的に動こうとしなかった。中曽根は回顧録で次のように述べている。

〈実際、静岡県に落ちたとか、群馬県に落ちたとか、情報がずいぶん迷走していました。米軍もレーダーで監視していたから、当然、事故については知っていました。あの時は官邸から米軍に連絡はとらなかった。しかし、恐らく防衛庁と米軍でやり取りがあったのだろう〉（『中曽根康弘が語る――戦後日本外交』）

中曽根康弘の語り口はまったく他人事のようである。杉江弘氏は、内閣総理大臣の知らないところで防衛庁と米軍が救助をめぐって直接交渉を行ったとすればそれこそ日本の政治的独立性や指揮系統を米軍が侵犯したことになること、中曽根や当時の運輸大臣である山下徳夫が官邸で救難活動の方針を協議したという記録がないことを指摘している。その上で、〈政府が国民の生命を守るという責任を放棄していたと言われてもやむをえないであろう〉と断じている（『JAL123便墜落事故 自衛隊&米軍陰謀説の真相』）。

なお、巷間、中曽根康弘が生前、123便墜落の真相について「墓場まで持っていく」と述べたという噂があるが、それが事実無根であることはITジャーナリストの篠原修司氏が考証している。すなわち、篠原氏が中曽根の著書や雑誌・新聞、国会の記録等を調べたが、123便墜落事故関連に限らず、中曽根が「墓場まで持っていく」という表現を使った事例そのものが見つからなかったのである（中曽根自身の発言ではなく第三者が「中曽根から聞いた」という形で漏らしたとしても、これだけの重要発言がメディアで取りざたされないとは考えにくい）。

結局、中曽根は123便墜落事故、ひいてはその個々の乗員・乗客の人命について無関心だったのだろう。

当時、横田基地などの在日米軍でも救援活動に協力する準備はしていたが、自衛隊との協力を仲介すべき政権が動かなかったため、ついに連携がなされなかった（マイケル・アントヌッチの証言の裏付けが得られない原因の1つはこのときに米軍と自衛隊との情報共有ができなかったため、米軍側の動きに不明瞭な点があるからである）。

あるいは政権が積極的に動いていれば、救助作業も迅速に進み、もっと多くの人が助かったかもしれない。その無念は多くの人の胸に刻まれている。

そうした人々の心情がある限り、123便墜落事故を

めぐっては新たな陰謀論の担い手と信奉者が生まれ続けるだろう。（原田実）

参考文献

『御巣鷹山ファイル　ＪＡＬ１２３便墜落「事故」真相解明』（池田昌昭、文芸社、１９９８年）
『御巣鷹山ファイル２　ＪＡＬ１２３便は自衛隊が撃墜した』（池田昌昭、文芸社、１９９８年）
『御巣鷹山ファイル３　ＪＡＬ１２３便　空白の14時間』（池田昌昭、文芸社、１９９９年）
『インターネットで解くＪＡＬ１２３便事件』（池田昌昭、文芸社、２００１年）
『完全犯罪　ＪＡＬ１２３便撃墜事件』（池田昌昭、文芸社、２００３年）
『墜落の夏――日航１２３便事故全記録』文庫版（吉岡忍、新潮社、１９８９年）
『日航ジャンボ機墜落』（朝日新聞社会部、朝日新聞社、１９９０年）
『壊れた尾翼――日航ジャンボ機墜落の真実』文庫版（加藤寛一郎、講談社、２００４年）
『日航機墜落――１２３便、捜索の真相』（河村一男、イースト・プレス、２００４年）
『日航機遺体収容――１２３便、事故処理の真相』（河村一男、イースト・プレス、２００５年）
『御巣鷹の謎を追う――日航１２３便墜落事故』（米田憲司、宝島社、２００５年、宝島ＳＵＧＯＩ文庫、２０１１年）
『隠された証言――日航１２３便墜落事故』文庫版（藤田日出男、新潮社、２００６年）
『法医学現場の真相』（押田茂實、祥伝社新書、２０１０年）
『中曽根康弘が語る戦後日本外交』（新潮社、２０１２年）
『新装版　墜落現場　遺された人たち』（飯塚訓、講談社＋α文庫、２０１５年）
『日航機墜落事故　真実と真相』（小田周二、文芸社、２０１５年）
『日航機事故の謎は解けたか』（北村行孝・鶴岡憲一、花伝社、２０１５年）
『５２４人の命乞い　日航１２３便乗客乗員怪死の謎』（小田周二、文芸社、２０１７年）
『ＪＡＬ１２３便墜落事故自衛隊＆米軍陰謀説の真相』（杉江弘、宝島社、２０１７年）
『日航機１２３便墜落　最後の証言』（堀越豊裕、平凡社新書、２０１８年）
『日航１２３便墜落　遺物は真相を語る』（青山透子、河出書房新社、２０１８年）
『国家はいつも嘘をつく』（植草一秀、祥伝社新書、２０１８年）
『日航１２３便墜落　圧力隔壁説をくつがえす』（青山透子、２０２０年）
『日航１２３便　墜落の新事実』（青山透子、河出書房新社、２０１７年　河出文庫、２０２０年）
「平成17年度国勢調査結果速報」統計局ホームページ
「日本航空１２３便の御巣鷹山墜落事故に係る航空事故調査報告書についての解説」運輸安全委員会、２０１１年7月
「この解説書の大きな意義 ～納得感のある開かれた事故調査への一歩

～」柳田邦男、２０１１年7月
「日航１２３便はなぜ墜落したのか」（マガジン９「森永卓郎の戦争と平和講座」第76回、２０１７年8月30日）
「『日航１２３便墜落―遺物は真相を語る』の著者・青山透子氏からの中傷への反論」（小川和久、２０１８年8月20日）
篠原修司「中曽根元首相「真実は墓場まで持っていく」発言は本当にあったのか?」（YahooJapan ニュース、２０１９年11月30日）
「統計情報―換算係数一覧」（石油連盟）
https://www.paj.gr.jp/statis/kansan/

第4章

アポロとＵＦＯをめぐる陰謀論

アポロ計画で持ち帰った「月の石」は地球の石だった

陰謀論

2019年1月、NASAは衝撃的な発表を行った。アポロ11号が持ち帰った「月の石」が、実は「地球の石」だったというのである。

早稲田大学の名誉教授で、オカルト否定派としても有名な大槻（おおつき）義彦氏は、このNASAの発表を受けて、同年2月の自身のブログで、「それ、見たことか!!」「私に向かってもう絶交だと怒った大多数の科学者よ、それでどうする?!」「手をついて謝れ！」と書いている。

実は大槻氏は50年前から、「月の石」と称するものに疑惑があることを知っていたのである。

研究成果が上がらない月の石

1969年7月、アポロ11号は月へ着陸。月面から石を持ち帰り、その石は世界数カ国の科学者たちによって研究されることになった。日本では東京大学の物性（ぶっせい）研究所が研究することになったが、当時、東京大学の大学院博士課程2年生だった大槻義彦氏には、同研究所に2人の友人がいた。

友人たちは、当初、月の石を研究

『ビートたけしの超常現象㊙Xファイル』（テレビ朝日、2008年12月30日）に出演して陰謀論を主張する大槻義彦氏。ほかの番組も含め、大槻氏が月の石の陰謀論の誤りを認めることはなかった。

できるとのことで意気揚々としていたものの、時間が経つにつれてなぜか意気消沈。聞けば、研究成果がまったく上がらないという。そこで大槻氏は別の研究方法を提案したが、結局、それから3年経っても何ら進展は見られず、月の石の研究はまったくの無駄に終わったのだという。

これをきっかけに、大槻氏はアポロ11号の月の石と称するものが、実はただの地球の石にすぎないと確信するに至った。

行方不明になった月の石

それから20年ほど経った頃、大槻義彦氏は当時の物性研究所の所長と話す機会があり、かつて研究していたという月の石の所在についてたずねてみた。すると、その所長は何も知らず、月の石は行方不明になっていることが判明したという。

なんといい加減な話だろうか。大槻氏はそれを聞き、「そうか月の石などというインチキ物、六本木のドブにでも捨てたのだろう」と笑ってしまったそうだ。

テレビ番組での怒りの告発、そして真相解明へ

それでも大槻義彦氏は、月の石がインチキであることを表だって言わないでいた。しかし、たまたま出演したテレビ番組でアポロの月着陸陰謀論が取り上げられた際、それまでの月の石に関するデタラメな実態が頭に浮かび、ついに怒りをぶちまけた。

「月から持ち帰った石だと?! あんなの地球のただの石ころだよ！」

大槻氏のこの発言は大きな波紋を呼ぶ。関連学会は大騒ぎとなり、知り合いの物理学者からは、「今後、絶交」だと宣言されてしまったという。

だが大槻氏は真実の告発を止めなかった。すると、孤軍奮闘していた大槻氏に思わぬ援軍が現れる。NASAの心ある一部の科学者が月の石の真相解明に取り組み、ついに「月の石と称するものは実は地球の石だった」と発表したのである。

これによって、大槻義彦氏の長年にわたる闘いは終わ

りを迎えた。氏の正しさはアポロ計画の当事者であるNASA自身によって、やっと認められたのである。

真相

大槻義彦氏は2000年代から、テレビ朝日の『ビートたけしの世界はこうしてダマされた!?』（2003年12月31日）や『ビートたけしの超常現象㊙Xファイル』（2008年12月30日）、テレビ東京の『感涙！ 時空タイムス』（2006年11月20日）、『新説!? 日本ミステリー』（2008年7月1日）といった番組に出演し、月の石の陰謀論を主張し続けてきた。

これらの番組では、大槻氏の主張に乗っかるかたちでの無益なパフォーマンスが繰り返され、具体的に月の石の陰謀論の誤りが指摘されることはなかった。それもあってか、2010年代以降も大槻氏は自身のブログにて月の石の陰謀論を繰り返し主張し続けている。

なかでも2019年2月に、数度にわたって書かれたブログ記事は、大槻氏による最終勝利宣言とでもいうべきものだった。冒頭の「陰謀論」でも紹介したとおり、ついにNASAは大槻氏の正しさを認めたというのである。

しかし、それは大槻氏の誤解だった。実際はこれから具体的に指摘するように、数多くの事実誤認を含んでいるからである。

引用元の記事に書いてあったこととは

大槻義彦氏は問題のブログ記事にて、NASAの発表を報じた朝日新聞の記事を次のようにまとめている。

〈『地球、惑星科学 レターズ』という論文誌はNASAの研究者の論文を掲載し、アポロのアームストロング船長の持ち帰った『月の石』は地球の石であった、と断言した。（朝日新聞1月31日電子版）〉

アームストロング船長というのは、アポロ11号で初めて月面に降り立った人物だが、大槻氏はほかの箇所でも、NASAの発表にあるのは「アポロ11号」「アームストロングが拾った石」などと何度も書いている。

ところが当該の『朝日新聞』電子版、２０１９年1月31日の記事には、「アポロ11号」も「アームストロング」という名前も一切書かれていない。これは記事のもとになった論文でも同様である。

実際に書かれているのは、**「アポロ14号が持ち帰った月の石」**の話だ。つまり大槻氏は元の論文はもちろん、それをもとに簡略化して書かれた数百字程度の記事ですら、まともに読んでいないのである。

実際のＮＡＳＡの発表とは

それでは、実際のＮＡＳＡの発表と、もとになった論文の内容はどのようなものだったのか。まとめると次のようになる。

２０１９年1月24日、論文誌の『アース・アンド・プラネタリー・サイエンス・レターズ』に、新発見となるかもしれない論文が掲載された。アポロ14号の宇宙飛行士が持ち帰った月の石の一部に、40億年以上前の地球最古の石が含まれているかもしれないという。

研究を行ったのは、スウェーデン自然歴史博物館のジェレミー・ベルッチと、オーストラリア・カーティン大学のアレクサンダー・ネムチンほか、総勢9名の研究者たち。

研究対象は、１９７１年にアポロ14号の宇宙飛行士が月面で採取した「１４３２１」という重さ約9キロの石（角れき岩）のサンプルである。それのごく一部（重さ1・8グラム）が異質だったことから分析が行われることになった。

アポロ14号の月の石「14321」。矢印で示された左下の明るい部分が地球最古の石だと考えられている（出典：NASA）。

まず研究チームは、サンプルに含まれる石英とジルコンという物質に注目。これらは地球ではよく見つかるが、月で

写真中央に見えるのが月面にあったときの「14321」。この撮影後、アポロ14号の宇宙飛行士アラン・シェパードによって採取された（出典:「『月の石』は地球最古の石だった、40億年前に形成 」https://natgeo.nikkeibp.co.jp/atcl/news/19/012900064/）。

は非常に珍しい物質だった。そこでこれらを分析したところ、酸素を含んだマグマの中で結晶化したことが判明。さらにその結晶化に必要な圧力が生じるには、月だと地中167（±27）キロの深さに相当することもわかった。

しかし、それほどの深さになると、たとえ隕石が落ちて月面に衝突しても、その衝撃で掘り返されることはまずない。また、ほかに月面へ出てくる仕組みも知られておらず、月起源説は考えづらかった。

そこで考えられたのが地球起源説である。研究チームの分析によれば、地球の環境では地中19（±3）キロの深さで結晶化するという。そうしてできたものが巨大隕石の衝突によって勢いよく掘り起こされ、出てきた地球の石が今度は隕石となって地球から月へと飛ばされる。月に隕石として運ばれた地球の石は粉々になるが、一部は月の石と一体化。その結果できたのが今回のサンプルだと考えられるという。

なお今回分析された物質のうち、ジルコンは風化に強い頑丈な鉱物で、年代測定にも適していた。そのためジルコンから、つくられた年代は約40億〜41億年前である可能性が高いとわかった。これは現在知られている地球最古の石（カナダのアカスタ片麻岩、40億3100万年）よりも古い可能性がある。

地球最古の記録が更新されれば、歴史的な大発見である。なにしろ、地球が誕生した約46億年前から40億年前までは、ほとんど痕跡が残っておらず、一般には「冥王代」と呼ばれる暗黒時代ともされるからだ。

冥王代の頃は地球が形成される時期であるため、地球内部の温度が高く、活発なマントル対流によって地殻（地表の下にある厚さ5〜60キロの岩石）はできても再びマントルへ飲み込まれ、消えてしまうことが多い。また、当時は巨大な小惑星が何度も地球へ衝突していた頃で、地殻もその多くが衝撃で破壊されてしまったと考えられている。

　よって冥王代の石が地球で見つかる可能性は低いが、今回のように月へ飛ばされた石であれば（当時の地球と月の距離は現在の3分の1）、地球ほどの地殻運動が月にない分、残りやすかったというわけである。

地球の石だと認めると矛盾が生じてしまう

　このように論文とＮＡＳＡの発表には、アポロ計画、もしくはアポロ11号が持ち帰った月の石がすべて、ただの地球の石ころだったなどという内容はまったく書かれていない。

　今回、地球の石とされたのは、重さ１・８グラムの小さな石片である。アポロ計画で持ち帰られた月の石の総量は３８２キロだから、石片はごくごく一部だということがわかる。そもそもこれまでの研究によれば、月に隕石として運ばれた地球の石は、月面を覆うレゴリス（岩石由来の粒子やかけらなど）のうち、０・０５～０・５％だと推定されている。月面で、ごろごろ見つかるわけがない。

　また、今回発見された石片も「ただの地球の石ころ」などではなく、先述のように年代が確定すれば、地球最古の石の記録が更新される大変貴重なものである。だからこそ各種マスコミが取り上げるニュースになったのだ。

　それにもかかわらず、こうしたことを大槻義彦氏は残

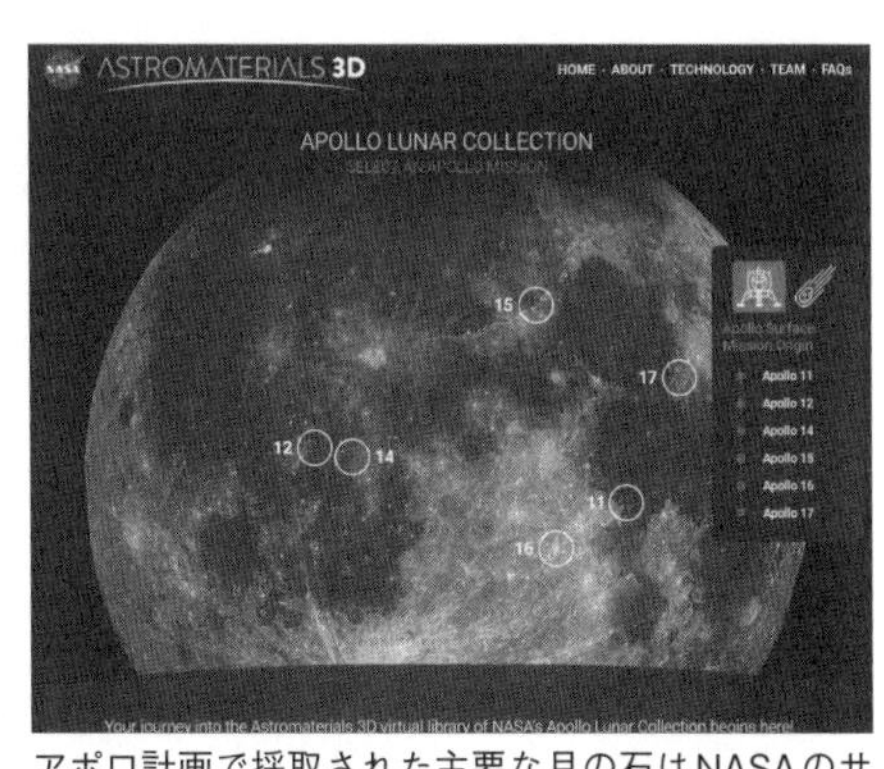

アポロ計画で採取された主要な月の石はNASAのサイトにて3Dで公開されている。閲覧するには、スマホなどで「ASTROMATERIALS 3D」と検索。出てきたサイトの「VISIT APOLLO COLLECTION」と書かれたところをクリック。すると上の画面が表示されるので、あとは閲覧したい号やサンプルをクリックしていけばOK。

念ながら理解されていない。それもそのはずで、今回の石の地球起源説は、これまでの月の石の研究がもとになっている。「月でつくられた可能性はきわめて低い」というためには、月の環境を知ることが不可欠だ。そこで月の石の研究が大いに役立っているのである。

しかし月の石の陰謀論では、本来、研究成果というものを認めない。成果を認めれば月の石を否定する根拠を失い、陰謀論自体が成立しなくなるからである。すると今回の場合、どうなるだろうか。地球の石だと主張するために、月の石の研究成果を認めるという自己矛盾におちいってしまうのである。

普通は、これがわかった時点で、今回のNASAの発表は月の石の陰謀論には使えないと気がつく。ところが大槻氏は、発表も論文も理解されていなかった。ニュースにある「月」「地球」「石」といったキーワードを拾い読みし、あとは自分に都合よく話をつなぎ合わせるだけだった。

その結果、自己矛盾におちいっていることすら気づかなかったのである。

なお大槻氏は、「アポロ計画における月面着陸の唯一の証拠は月の石」だと主張し、その月の石は証拠たり得ないという立場をとっている。そこからは月面着陸も否定する立場だと推測され、大槻氏はテレビ番組にて、『アポロは怪しい』と言うと学会から総スカンを食うからはっきり言えない。察してくれ」という趣旨の発言も繰り返してきた。

これは実質的に月面着陸を否定する立場だといえる。ただし本人のブログでは、月面着陸について「『ノーコメント』と言い張ってきた」などとも書いており、いまだにはっきり認めていない。

研究成果は発表され、月の石もしっかり返還されている

さて、ほかの主張はどうだろうか。まず月の石の研究成果については、先述のように今回の発表内容そのものがこれまでの研究成果に支えられている。

もともと月は地球に比べると、岩石などに与える環境の変化が少なく、古い時代のものが良質の状態で残り

やすい。例えばアポロ11号が持ち帰った月の石（火成岩）は38億年前のものだったが、まったく変質しておらず、まるで昨日できたような新鮮さを保っていた。一方、日本でよく見つかる火成岩の場合では、1千万年以内のものでも、かなり変質していることが多い。

また宇宙規模でみれば、月と地球はすぐ隣といえるほど近い。そのため、月の石を研究することで、冥王代のような地球表面にはほとんど手がかりが残されていない時代の地球に何があったかを探ることも可能になる（こうした研究を行う学問を比較惑星学という）。比較惑星学では、月の石は貴重な研究材料となっている。また岩石学などでも同様である。

1969年にアポロ11号が持ち帰った月の石は、世界の142グループ、356人もの研究者たちによって研究されたが、日本では3つのグループが選ばれている。そのうちの1つは岩石学の研究を行う、東京大学の久城（くしろ）育夫講師（現在は名誉教授）をリーダーとする研究グループだった。このグループには大槻義彦氏の友人が50年前にいたという東京大学の物性研究所も参加していた。

久城グループの研究成果は、日本はもちろん、海外でも発表されている。大槻氏いわく、「3年経っても何ら進展は見られず、月の石の研究はまったくの無駄に終わった」とのことだが、そのような事実はまったくない。

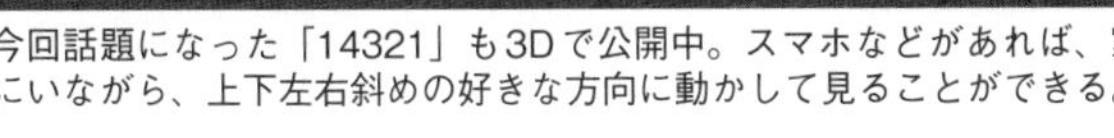

今回話題になった「14321」も3Dで公開中。スマホなどがあれば、家にいながら、上下左右斜めの好きな方向に動かして見ることができる。

また、月の石が行方不明になったという話も事実無根だった。筆者は2010年8月に久城育夫氏本人に取材をしてお話をうかがい、当時研究された月の石は、1970年にはNASAへ返還済みであることを確認している。

肩書きや実績があっても陰謀論にハマってしまうことがある

以上のように、月の石の陰謀論は多くの事実誤認によって成り立っている。大槻義彦氏がこうした陰謀論を主張することになってしまったのは、怒りの告発という動機はあったにせよ、地道な事実確認を怠ったことが一番の理由だと考えられる。

大槻氏のように科学者としての立派な肩書きと実績があっても、事実確認を怠れば陰謀論にハマってしまうことがある。そうした実例を知ることができたという点では、この月の石の陰謀論にも少しは意味があったのかもしれない。（本城達也）

参考文献

「大槻義彦の叫び、カラ騒ぎ」（※Ｙａｈｏｏ！　ブログの終了にともない、現在ははてなブログへ移転）

香取啓介「アポロが持ち帰った月の石…まさか『地球の石』だった？」『朝日新聞』（２０１９年1月31日）

『ビートたけしの世界はこうしてダマされた⁉』（テレビ朝日、２００３年12月31日）

『感涙！　時空タイムス』（テレビ東京、２００６年11月20日）

『新説⁉ 日本ミステリー』（テレビ東京、２００８年7月1日）

『ビートたけしの超常現象（秘）Ｘファイル』（テレビ朝日、２００８年12月30日）

J.Belluccia, A.Nemchin「Terrestrial-like zircon in a clast from an Apollo 14 breccia」『Earth and Planetary Science Letters』（Volume 510, 15 March 2019）

NASA「Earth's Oldest Rock Found on the Moon」（https://solarsystem.nasa.gov/news/820/earths-oldest-rock-found-on-the-moon/）

ナショナルジオグラフィック日本版サイト「『月の石』は地球最古の石だった、40億年前に形成」（https://natgeo.nikkeibp.co.jp/atcl/news/19/012900064/）

『図解入門 最新地球史がよくわかる本』（川上紳一、東條文治、秀和システム、２００６年）

『月の科学』（久城育夫、武田弘、水谷仁、岩波書店、１９８４年）

「Apollo 11号結晶質火成岩の溶融実験」（秋本俊一、西川正名、桂敬、中村保夫、久城育夫、日本火山学会、１９７０年春季大会講演要旨）

「Apollo 11 号の細粉の組成」（久城育夫、原村寛、中村保夫、日本火山学会、１９７０年春季大会講演要旨）

「月の結晶質火成岩の成因と月内部の物質」（久城育夫、「月・惑星シンポジウム」昭和45年度）

「アポロ岩石のこと」『地学雑誌』（久城育夫、東京地学協会、2014, 123

（４），N73）

『Science』（30 January 1970. Vol 167, Issue 3918）

「月のサンプルを待つ科学者たち――実証する〝宇宙物語〟」『読売新聞』（１９６９年7月13日付朝刊、第11版、第22面）

「月の石チョッピリ来日――警官の護衛つき、夜は銀行の大金庫」『読売新聞』（１９６９年10月６日付朝刊、第14版、第15面）

「『月の石』東京に着く――組成分析に自信」『朝日新聞』（１９６９年10月６日付朝刊、第14版、第１面）

「月の石、日本に到着――厳重警戒、すぐ銀行へ」『毎日新聞』（１９６９年10月６日付朝刊、第14版、第１面）

「月の石の秘密――こうして解明」『読売新聞』（１９６９年10月14日付朝刊、第11版、第10面）

「大きい地球との違い――日本での月の石の分析」『朝日新聞』（１９６９年11月８日付朝刊、第12版、第14面）

「三つの鉱物を確認――地球とは違う〝磁石〟も」『毎日新聞』（１９６９年11月８日付朝刊、第14版、第１面）

「月は地球より古い天体――日本人科学者が分析発表」『毎日新聞』（１９７０年１月６日付夕刊、第４版、第１面）

「太陽系成因に迫る――米の月科学会議終わる」『毎日新聞』（１９７０年１月９日付夕刊、第４版、第２面）

「ほぼつかめた月の年齢――日本の学者が現地座談会」『朝日新聞』（１９７０年１月10日付朝刊、第11版、第４面）

アメリカ政府は「月面に異星人が住んでいる」という事実を隠蔽している

陰謀論

建造物に見える物体が多数発見されている

地球の衛星である月には、異星人が住み着いている。そのことは、世界中の天文学者たちが長年行ってきた月面観測によっても明らかだ。彼らは月面に、大規模な建造物としか思えない物体を数多く発見しているのだ。

例えば1824年、ドイツの有名な天文学者フランツ・フォン・グルイテュイゼン男爵（月には彼の名前からとったグルイテュイゼン・クレーターがある）は、月面の中央部分にある「シュレーター」というクレーターの北側に**巨大な幾何学図形をした月面都市**を見たと発表した。

月面にある無数のクレーターの中に見られる**白いドーム状の物体**については、1930年代から現在まで**数百件もの報告**がある。

1954年、アメリカの科学ジャーナリストであるジョン・オニールは、月の北東半球にある「危難（きなん）の海」と呼ばれる地域の近くに、**橋のような構造物**を5ヶ所発見した。さらに1956年7月には、ミネソタ州ダーリン天文台長のフランク・ハルステッドが、月の南東部にある「ピッコロミニ・クレーター」の中に**直線状の黒い物体**を発見した。同じ年の11月、ニューメキシコ州アラモゴードの天文学者ロハンド・E・カーティスは、**一辺が4～5キロもある十字型の光**を観測した。

こうした奇妙な建造物らしきものは、1959年に始まった旧ソ連のルナ計画や1966年に開始されたアメリカのサーベイヤー計画によって打ち上げられた数々の月探査機が電送してきた写真、さらには実際に月面に降り立ったアポロ計画の宇宙飛行士が撮影した写真にも写っている。

例えば1966年にソ連のルナ9号は、**構造物らしきものが幾何学的に配置**されている写真を送ってきたし、同じ年アメリカのルナ・オービター2号が「静かの海」を写した写真には、**古代エジプトのオベリスクのような物体**が7基認められた。

1977年、アメリカのジョージ・H・レオナードは、NASAが公表したこのような写真の中から、ドームや橋などの他に、**動き回る光点**、**巨大なモーターのような機械**、**幅50キロのクレーターに内接する正八角形の構造物**、**一辺の長さが何キロもある十字形の機械装置らしき物体**などが写ったものを拾い出し、『それでも月に何かがいる』と題する本として発表した。

『それでも月に何かがいる』（ジョージ・H・レオナード著、宮祐二訳、啓学出版、1978年刊）表紙

月面で異星人に遭遇し、地球に連れ帰った

月面に異星人や、彼らが作った建造物が存在する証拠は、アポロ11号の3人の宇宙飛行士が行った会話記録の中にもある。彼らの会話の中には、月面で異星人に捕らえられた地球人を見たとか、道路を見たというものがあるのだ。

当然アメリカ政府やアメリカ航空宇宙局（NASA）は、月面に異星人が住んでいることを承知している。それどころか彼らは、実際に月面で異星人に遭遇し、地球に連れ帰ってもいるのだ！

このことは、1976年に打ち上げられたアポロ20号の元船長が明らかにしている。アポロ計画は公式には1972年のアポロ17号で打ち切られたことになっているが、極秘のうちにアポロ19号と20号とが打ち上げられ、月面に達した20号は男女二体の異星人を見つけた。男性の方はすでに死亡していたが、女性の方は生きていて地球に連れ帰られているのだ。

しかしアメリカ政府もNASAもこうした事実を一切認めようとせず、世界の目から隠蔽（いんぺい）しようとしているのだ。

真相

大気の状況や光学的現象で、奇妙な地形に見えただけ

月面にある、建造物にも見えるような物体の目撃報告は、グルイテュイゼン男爵の発見をはじめとして無数にある。しかし、地上からの望遠鏡を用いた観測については、望遠鏡の精度が低かったため画像がぼやけた、あるいは大気の状況やレンズの反射などによって生じた光学的現象により、普通の地形が奇妙なものに見えたのだとも考えられる。さらに、観測者の先入観によって、自然の地形を人工物として認識することもある。

この好例が、有名な「火星の運河」である。

火星に網目（あみめ）状の直線を最初に発見したのは、イタリアの天文学者ジョヴァンニ・スキアパレッリであった。彼はこれを「溝」（イタリア語でcanali）と呼んだのだが、これが「canals（運河）」と英訳され、以後何人もの天文学者が火星表面に数多くの運河を発見、詳細なスケッチまで残した。しかし現在では、これらはすべて錯覚であったと考えられている。

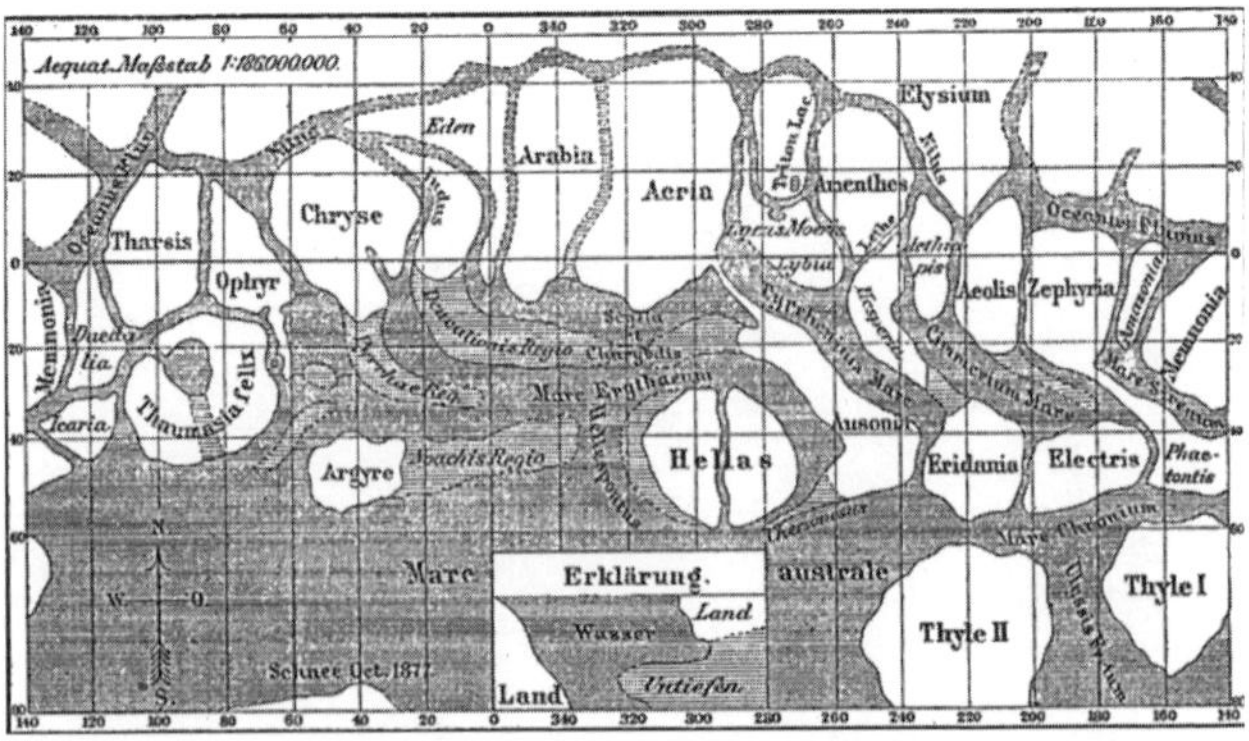

ジョヴァンニ・スキアパレッリが作成した火星の地図（1877年）

送信トラブルで画像がゆがんだり、ないものが写ることも

では、月面探査機が送ってきた画像についてはどうか。

地球と違って大気の干渉もなく、しかもずっと近い距離から月面を撮影した画像に奇妙な物体が写っていることは、大気の屈折などの光学現象では説明できない。

だが、これら探査機の写真は宇宙から地球まで電送されてくるものである。送信の途中電波が乱れ、画像がゆがんだり本来なかったものが影のように写ってしまうことがあるのだ。数々の建造物やＵＦＯとされる写真も、こうした原因によるものだろう。

ＮＡＳＡが公表した写真を調べたジョージ・Ｈ・レオナードの指摘はどうだろう。

ジョージ・Ｈ・レオナードは、ＮＡＳＡが一般に公表した写真を調べて、さまざまな物体を発見した。しかし、ＮＡＳＡが広報用に公開する写真はいずれも複製であり、解像度が低くなっているのだ。実際レオナードも、ＵＦＯ懐疑派のジェームズ・オバーグと一緒に写真のオリジナルを検討した結果、自分の主張を取り下げたと言われている。

会話が切り取られ、異星人に捕まった話に

アポロ11号の宇宙飛行士が行った会話については、ニール・アームストロング、バズ・オルドリン、マイケル・コリンズの3人が、月面着陸に先立って月軌道を周回中に行われた会話の一部が切り取られて、異星人に捕まった地球人を見たとか、道路を見たものだなどとして紹介されている。

左からニール・アームストロング、マイケル・コリンズ、バズ・オルドリン（NASA提供）

まず、アポロ11号の打ち上げから80時間20分18秒を経過した時点での会話は、月面のクレー

ターの中に、異星人に捕らえられた人間を見た証拠だとされることがある。

この部分の会話は以下のようなものだ。

オルドリン「あれはすごいクレーターだな」

アームストロング「上空を通過した際写真を撮ったかい」

コリンズ「いや、ただ通り過ぎただけだ。後で撮った方がよいだろう。もっと適切なタイミングがあるだろう。憎たらしいアンテナが邪魔しなければね」

コリンズ「この種の、円錐形の小型クレーターの中にいるほど心細いことはないね」

アームストロング「中に住む人はきっと出られないだろう」

コリンズ「そうだね。キミは正しいよ。急な勾配が見えるよね。どこも底に向かってすぼまっている。縁（ふち）には白いものがたくさん流れこんでいて、少しするとより色の濃い層で覆われている。縁には常に白いものがある。白い円錐型は非常に特徴的だ」

このアームストロングの発言「中に住む人はきっと出られないだろう」という部分が、異星人に捕らえられた地球人を見た証拠とされるのだ。原文では「People that live in there probably never get out.」であり、確かに「人（People）」という言葉が使われているのだが、この前後に宇宙人を見たとか、捕らえられた人がいるなどという会話はない。

彼らの会話はhttps://apolloinrealtime.org/11/で音声で確認できるのだが、確認してみても宇宙飛行士たちの会話は他の部分と同じように、普通の調子で続いている。もし異星人や、捕らえられた地球人を目撃したのであれば、言葉や口調などに驚いた様子が表れそうなものだが、それが一切感じられないのだ。

こうした会話の流れを考えると問題の発言は、「（もし）クレーターに人が入ったら出られそうにない」ということを、独特の言い回しで述べただけと思われる。

もう一ヶ所、クレーターの近くに道路が見えると述べた部分もある。

これは82時間55分21秒から始まるもので、以下のような内容だ。

コリンズ「なんと、あのモルトケを見ろよ、一番のお気に入りだ。あのすごいのを見てくれ。道路が見えるだろう。ほら、あの三角形の道路が、すぐそばを通っているのが見えるか」

アームストロング「ああ」

コリンズ「あれはＵＳ１（国道一号線）だと思うがどうか」

アームストロング「そうだ」

モルトケとは、アポロ11号の着陸地点となった「静かの海」近くにある「モルトケ・クレーター」のことであり、会話の中には確かに「roads（道路）」という言葉が何度か出てくるのだが、クレーターの中に道路があるとは言ってない。月面にはいくつか、ほぼまっすぐに走る溝のようなものが見られ、実際モルトケ・クレーターの近くにも、そのような直線が写った写真がある。

モルトケ・クレーター（NASA提供）

コリンズはおそらく、そうした直線を何本か間近に見て、道路のようだと言いたかったものと思われる。国道一号線という呼び方からも、道路というのは例え話と考えられる。

とはいえ、総計２００時間近くにも及ぶ全交信記録の中からこのような部分を見つけ出す忍耐と執念には、敬服すべきものがある。

極秘に月ロケットを打ち上げたら、監査報告で判明する

アポロ20号について、最初にYouTubeで公開したのは、自らアポロ20号の船長を務めたと述べるウィリアム・ラトリッジである。

彼はアポロ計画にも関係の深いベル研究所の職員であったというが、パイロットではなかったし、アポロ計画の中で宇宙飛行士として名が出たこともない。このような経歴の人物が宇宙船の船長にいきなり抜擢されることは、まったくあり得ないとは言えないにしてもかなり異例のことである。

さらに、彼の証言を裏付けるべき、同乗したという2人の宇宙飛行士のうち実在が確認されているソ連人宇宙飛行士はすでに死亡しており、もう1人は生存しているとされるが実在が確認できない。そして、彼の動画が最初にYouTubeにアップされたのは2007年の4月1日、つまりエイプリル・フールだったのである。

そもそも宇宙船の打ち上げは、莫大なマン・パワーと予算を必要とする大事業である。アポロ計画では、全体で約9兆円もの予算がかかり、直接計画に参加した人員も約17万5000人に及んだ。

最近日本でも探査機はやぶさ2管制室の模様が何度もテレビ放映されたが、こうした映像でも明らかな通り、管制室には常に大勢の人間が詰めている。極秘のうちに月ロケットを打ち上げようとしても、こうした人の動きから察知されるだろうし、連邦会計検査院の監査報告を調べれば、このような大規模な予算の動きはすぐに判明してしまう。

また、アポロ計画で打ち上げに使われたサターンV型ロケットは、全長111メートル、総重量約3000トンという巨大なものだった。これが凄まじい轟音と光を発しながら、空に向かって飛んでいくのである。

そのため、毎日望遠鏡で空を見上げている、世界中の何万という天文ファンの目を逃れて月へ向かうロケットを打ち上げるなど、とうていできない相談である。（羽仁礼）

参考文献
並木伸一郎『月の都市伝説』（学研）
ジョージ・H・レオナード『それでも月に何かがいる』（啓学出版）
高倉克祐『世界はこうしてだまされた』（悠飛社）
と学会『トンデモ超常現象99の真相』（洋泉社）
https://www.hq.nasa.gov/alsj/a11/a11transscript_cm.pdf
https://apolloinrealtime.org/11/

ＵＦＯをめぐる情報は隠されている――ロズウェル事件とエリア51

陰謀論

２週間前にアーノルド事件が起きたばかりだった

２０１０年9月27日、米国の首都ワシントンのナショナル記者クラブで、前例のない会見が開かれた。会見を主催したのは、ＵＦＯ研究家のロバート・ヘイスティングス。そして彼と一緒に、元米空軍のパイロットだという7人の男性が発表のひな壇の上に並んだ。彼らは集まった記者団に向かって、**「異星人が操っているＵＦＯは、すでに地球に来ている。ＵＦＯは地球上の核施設上空によく出現しており、彼らは、我々の核兵器の行方に強い興味をもって、我々を監視している」**と訴えたのだった。

このニュースは、ＣＢＳニュースなど、米国の主要メディアでは広く報じられたが、日本国内ではまったくといってよいほど知られぬままに終わった。ヘイスティングスは**「米国政府は、宇宙人が地球に来ていることはもちろん知っている。だが、米国民の目をその真実から遠ざけているのだ」**と主張している。

米政府によるＵＦＯ隠蔽工作は、今に始まったことではない。隠蔽工作は、１９４７年7月にあった有名なロズウェル事件のときから、すでに始まっていたことなのである。ロズウェル事件は74年前の事件とはいえ、決して過去の事件ではない。

２０１０年10月にもドナルド・シュミットとトマス・キャリーによる共著『ロズウェルにＵＦＯが墜落した』の翻訳書が日本で出版されている（並木伸一郎訳、学研刊）。ロズウェル事件は、今もその真相を明るみに出す調査が脈々と続けられている、現在進行形の事件なのだ。

ロズウェル事件は次のように起こった。１９４７年７月８日正午ごろ、米国ニューメキシコ州のロズウェル陸軍飛行場で広報官をしていたウォルター・ハウト中尉は、驚くべき内容のプレスリリースを持って地元マスコミの間を走り回っていた。そのリリースには、次のように書かれていた。

〈かねがね噂のあった空飛ぶ円盤を、ロズウェル陸軍飛行場は、首尾良く入手した〉

「かねがね噂のあった」と前置きがあるように、当時米国では、米国上空を飛び回る謎の飛行物体が国民の間で非常に大きな関心事となっていた。その２週間前には、全米を騒がせた初の円盤目撃事例「ケネス・アーノルド事件」が起きたばかりだった。以後、毎日のように空飛ぶ円盤が米国のどこかで目撃され、米国上空を自由に飛び回る謎の飛行物体の正体をめぐって、米国民は、円盤フィーバーの最中にいたのだ。

観測気球の見間違いとされた

そんな中、ロズウェル陸軍飛行場から「空飛ぶ円盤、回収せり」という大ニュースが発表され、ＡＰ通信などで全世界に向けて発信されていった。同飛行場が手に入れたという円盤の破片は、ロズウェルから北西に１２０キロほど離れているフォスター牧場で、羊の見回りをしていたカウボーイのマック・ブラッツェルが発見したものだった。

フォスター牧場には、長さ４００メートルほどにわたって、一面に見慣れぬ破片が散乱しており、マック・ブラッツェルはその一部を拾って、１９４７年７月６日に郡の保安官へと届けたのだった。対処に困った保安官はすぐにロズウェル陸軍飛行場に連絡した。飛行場からはただちに情報将校のジェシー・Ａ・マーセル少佐とシェリダン・キャビット大尉が、現地へと派遣された。

その２人が現場で見たものは、**まさにこの世のものと思えないような不思議な物体**だった。マーセル少佐によるとその物体は、銀紙のように薄く重さはゼロに等しいのに、スレッジハンマーで叩いても曲げることができず、火をつけてもまったく燃えなかった、という。マーセル少佐たちが回収した謎の破片はロズウェル陸軍飛行場へと運ばれ、その後Ｂ29へ積まれて、フォートワースの基地へと輸送されていった。

空飛ぶ円盤に関する続報を求めて、世界中のマスコミから押し寄せる問い合わせの電話で、ロズウェル陸軍飛行場の電話がパンク状態に陥っている中、フォートワースの基地では、ロジャー・Ｍ・レイミー准将による円盤に関する否定会見が開かれていた。

空飛ぶ円盤の破片というのは間違いで、観測気球の見間違いにすぎなかったとされたのだった。報道陣の前には、現場から回収された破片が並べられ、それらを回収したマーセル少佐が、自ら気球の破片を持ち上げて笑っている姿が写真に撮られた。この会見を境にしてロズウェル事件は、「世紀の大スクープ」から「世紀の笑い話」へと転落していったのだった。

「ＦＢＩメモ」には「記者会見の内容はウソ」

それから約30年以上の間、ロズウェル事件は誰から顧(かえり)みられることもないまま、闇の中へと沈んでいた。この事件が再び世の脚光を浴びるようになったのは、ＵＦＯ研究家のウィリアム・ムーアらが『ロズウェルＵＦＯ回収事件』という本を１９８０年に発表し、事件の再評価を行ってからのことだった。

気象観測気球の単なる見間違いで片づけてしまうには、ロズウェル事件にはあまりに不可思議なことが多すぎた。例えば、『ロズウェルにＵＦＯが墜落した』によれば、ロズウェル事件について記者発表が行われた当日、ＦＢＩのダラス支局からシンシナティ支局長宛に送られた「ＦＢＩメモ」なるものが残されている。

そのメモが送られたのは、ロジャー・Ｍ・レイミー准将が「空飛ぶ円盤ではなく観測気球だったと訂正した直後のことで」、メモには「記者会見の内容はウソであり、残骸は予定通りライトフィールドに向かった」と書かれていたというのだ。

また、ロズウェル陸軍飛行場からプレスリリースが流される前に、アルバカーキのラジオ局KOTAがこの事件に気づき、円盤回収事件をスクープしようとしていた。だが、テレタイプで緊急電を叩いているうちに、ダラスのFBIから**「アルバカーキに告ぐ。通信をただちに止めよ」という脅迫の割り込みが入った。**もし、本当に観測気球にすぎなかったとしたら、なぜこのような脅迫が必要だったのだろうか。

UFOや異星人の死体を目撃した者も多い

ロズウェル事件では、気球の破片などではなく、墜落したUFOの機体や、異星人の死体そのものを目撃した、と名乗り出ている目撃者も数多い。

当時ニューメキシコ州ソコロに住んでいた故バニー・バーネットは**「サンオーガスチン平原に墜ちた円盤とグレイの異星人の死体を見た。**墜落現場には、ペンシルベニア大の考古学者のチームもいたが、やってきた軍の将校に追い出された」と友人の夫妻に、すでに1950年ごろに打ち明けていた。

また事件当時5歳だったジェラルド・アンダーソンも、親戚と化石採りに出かけていたサンオーガスチン平原で、**ドーム状の円盤と、乗っていた4人の異星人を目撃している。**異星人のうち2人はすでに死んでおり、1人が虫の息、残りの1人は近くにしゃがんでいた。

円盤の近くにはバニー・バーネットと思われる人物と、ペンシルベニア大の考古学者らも来ていた。だが、やはり後からやってきた軍隊に脅され、強制的に立ち退かされてしまったという。つまり、バーネットの証言とジェラルド・アンダーソンの証言は、完全に呼応し合っているのだ。

1995年7月に亡くなったジェイムズ・ラグスディルという老人も、パイン・ロッジという場所でガールフレンドと野宿をしていたときにUFOの墜落を目撃したとする宣誓文を、生前に書いている。彼は、**円盤の機内で倒れていた異星人へと近寄り、そのヘルメットを脱がそうとした**、という。

さらに当時ロズウェル陸軍飛行場近くの葬儀屋に勤めていたグレン・デニスが、飛行場内の病院に勤めていた友人の看護師ナオミ・マリア・セルフから、「異星人の死体解剖を手伝った」という話を聞いた、と証言している。異星人の指は4本しかなく、その先には吸盤がついていた、という。

だが、グレン・デニスにこの話をした直後から、この看護師の姿は飛行場から消えた。デニスは後で、看護師は英国に向かう途中に飛行機が墜落して死亡した、と聞いた。

米空軍の発表は信用できない

UFO研究家からロズウェル事件の真相を公表しろと追及されていた米空軍は、1994年になってやっと『**ロズウェルレポート**』という報告を発表した。その報告によると、ロズウェル近郊に墜落した物体は空飛ぶ円盤などではなく、極秘計画「プロジェクト・モーガル」で使用されていた気球の可能性が高い、と説明された。「モーガル」とは、高層の大気を走る低周波を利用して、ソ連の原爆開発を監視しようというプロジェクトだった、などと取り繕おうとした。

1997年6月になって、空軍はさらに続編として『**ロズウェルレポート：ケース・クローズド**』（『実録ロズウェル事件』と題して、97年10月にグリーンアロー出版から和訳が出ている）という報告書を発表した。

この報告書では、サンオーガスチン平原で目撃されたという異星人の死体は、緊急脱出の際の影響を調べるために、1954年から1959年にかけて空軍が行っていたダミー人形の落下実験を見間違えたのではないか、と推測された。さらにロズウェル陸軍飛行場で行われたという異星人の解剖は、1956年にあったKC－97型機の墜落事故（11人死亡）と、59年の気球の事故（2人死亡）のことを勘違いしているのではないか、とされた。

UFO研究家の多くは当然のように、この軍の発表に納得をしていない。**もし落ちたものが気球だとしたら、その破片が、果たしてスレッジハンマーで叩いても曲がらないものなのだろうか。また、単なる飛行機事故やマネキンの見間違いだったのならば、なぜ事件の目撃者はそろって、軍から脅迫されねばならなかったのだろうか、**というのだ。

エリア51では地球製の円盤を製造している！

ロズウェル事件でUFOの回収に成功した米政府は、その後、宇宙人たちとのコンタクトにも成功した。米政府は彼らと密約を結び、宇宙人から、地球の科学技術の水準をはるかに超えた「超テクノロジー」の供給を受けることとなった。

その動かぬ証拠が、**宇宙人から譲り受けた超テクノロジーを使って、反重力で飛行する地球製空飛ぶ円盤を造っている、米国ネバダ州にある悪名高き極秘基地「エリア51」**である。

エリア51を世界的に有名にした最大の立て役者といえば、何といってもボブ・ラザーだ。彼は1989年3月、エリア51内のS-4という円盤研究施設で働いていた物理学者として地元ラスベガスのKLASTVに偽名で出演し、エリア51には宇宙からやってきた空飛ぶ円盤が9機隠されている、という爆弾発言を行った。

ボブ・ラザーによると、S-4で渡された120項目ほどある概要報告書には、異星人の白黒の解剖写真や、**異星人はレティクル座ゼータⅡの第4惑星からやってきたとか、人類は異星人の遺伝子操作で造られた**、といったことが書かれていたという。

ボブ・ラザー

また、円盤を飛ばすエネルギー源には、地球には存在していない原子番号115という元素が使われていたともいう。

真相

記者会見を開いたのは事実だが、新たな情報はなかった

「陰謀論」の冒頭にあるUFO研究家がワシントンで2010年9月下旬にUFOに関する記者会見を開いた、という話は本当である。だが、それは「開いた」という

だけのことで、米空軍元パイロットという、何となく信憑性がありそうな感じの人物らをそろえたという点を除けば、新たな情報はほとんどなかった。

空軍元パイロットが沈黙を初めて破った、という惹句（じゃっく）はよかったものの、彼らが実際に体験した、今まで誰も知らなかったリアリティあふれるＵＦＯ事件といったものが発表されたわけではない。**30～40年も前の著名なＵＦＯ事件をほじくり返して再び発表してみただけ**であった。

大体、宇宙人は地球の核兵器の行方を心配してやってきているという主張は、**１９５０年代に流行ったコンタクティ（宇宙人と友好的な接触をしたとする人）らが語ったおとぎ話にそっくり**である。今さらアダムスキー並みのネタを出してくるというのは、ＵＦＯ業界もかなりネタ切れではないかとかえって心配になる。

というような批判を、ワシントンで行われた記者会見のすぐ後に、米国の懐疑主義者がブログで発表した。その批判に対してロバート・ヘイスティングス側もすぐに再批判を行っているのだが、その内容は、批判にはほとんど触れないまま「懐疑主義者らは、どうせみんな米国の核関連業界とつるんでいるのだ」という、まことに見当外れの陰謀論的な内容にすぎなかった。議論の筋をずらし、単に陰謀論に持っていって議論を終わらせる、というだけではやはりダメだろう。

言及されていない部分に「真実」が隠れている

２０１０年10月に和訳が出た『ロズウェルにＵＦＯが墜落した』など、ロズウェル事件のビリーバー（肯定）派の本を読んでいると、これでもかこれでもか、と目撃証言や米空軍の口封じといった話が出てくる。そこで、ロズウェル事件を本気で懐疑的に追っているような好き者な人を除けば、書かれている内容をそのまま信じてしまいそうになるかもしれない。

だが実際は、『ロズウェルにＵＦＯが墜落した』もそうだが、自分の説に都合の悪い「事実」は極力触らずに言及を避けていたり、他のＵＦＯ研究家や懐疑論者から批判を受けた点については、まるでなかったかのように今までと内容を変えたりして書かれている。

こういった本を読む場合に気をつけるべきなのは、本に書かれている内容ではなく、むしろそこに書かれていないことに気を配ることである。当然書かれているはずなのに、なぜか言及されていない部分に、事件の「真実」が隠れていることが多いからである。

米軍がいかにロズウェル事件を隠蔽しようとしたか、という話は何度も何度も出てくる。だが、そうだとしたら当然浮かんでくるはずの、この事件の最大の問題点について、この本もまた何も説明しないままスルーしてしまっている。それは、「後になってから、空飛ぶ円盤など墜落していなかったと言い出して事件を隠蔽するつもりだったのならば、**なぜ米軍は、空飛ぶ円盤を回収したなどということを、そもそも最初に発表してしまったのか**」という疑問点だ。

米空軍とUFOをめぐる逸話や噂話は、掃いて捨てるほどいくらでもある。だが、米軍がマスコミに対して「円盤を捕獲した」とプレスリリースまで撒いてしまったという事例は、このロズウェル事件を除いて他にない。軍自らがそんなことを発表してしまったからこそ、事件から60年以上経った今でも、巷でずっと騒がれるようになってしまったのだ。つまりロズウェル事件が未だ騒がれ続けているのは、米軍の自業自得ともいえるのだ。

回収物が円盤でなかったと気づき、発表内容を変えただけ

『ロズウェルにUFOが墜落した』によれば、宇宙船と異星人の遺体を回収したことを知ってしまった民間人に対し、他言したら家族を皆殺しにすると脅し、軍内部でも最高レベルの箝口令を敷いたことになっている。だったらなぜそんな極秘事項を、米軍はペラペラとマスコミに発表してしまったのか。

同書によると、米軍がロズウェルで空飛ぶ円盤や宇宙人を回収してから、その「事実」をマスコミに発表するまで、2日間以上の猶予があったことになっている。それが本当なら、情報が錯綜してわけがわからないままフライングで発表してしまった、などということもありえない。軍が宇宙人の円盤を本当に回収していて、それを

本当に隠蔽するつもりであったのならば、マスコミに発表するなどありえないことだろう。

普通に考えれば、**米軍にはロズウェル事件を隠蔽する気などそもそもなく、ただ途中で、回収したものが円盤でなかったということに気がついたために発表内容を変えた**、と素直にみるのが一番道理にかなっていると思われる。

『ロズウェルにＵＦＯが墜落した』などに書かれている類の一方的な話だけを読んだら、米政府は何かを隠蔽している、ロズウェルでは、異星人の乗り物と生きたエイリアンが回収されていたにちがいないと、一般の人々が思い込んでしまっても仕方がないかもしれない。だが、真相はかなり違う。

では日本のＵＦＯ特番や多くのＵＦＯ研究者が〝隠蔽〟したままにしている「ロズウェル事件の虚構」の細部について以下で説明したい。

マーセル少佐には「大げさに」話す傾向があった

ロズウェル事件は事件そのものが起きた１９４７年当時と、事件の再評価が行われた１９８０年以降では、その姿が実は大きく変わってしまっている。

１９４７年当時も不思議な破片を回収したという話は確かにあった。だが、円盤の巨大な機体を見たとか、ましてや異星人の死体を目撃したなどという派手な話はどこにもなかった。当時もなかったし、現在も生き残っている当時からの事件関係者で、そんなことを主張している者は誰もいない。**円盤の機体や異星人の死体などという話を語る人が現れてきたのは、ロズウェル事件が有名になった１９８０年以降のこと**なのだ。

１９４７年当時の事件関係者で、最も重要な証言者といえば、墜落現場で自ら破片を回収したジェシー・マーセル少佐だろう。１９９３年には彼を主人公にした『ロズウェル』という映画まで制作されている。

映画の中で彼は、回収した円盤の破片を軍の手で気球とすり替えられてしまい、軍の隠蔽工作によって笑い者にされた悲劇の主人公として描かれていた。『ロズウェルにUFOが墜落した』でも、「すぐれた将校で、〝真っ正直な〟人間」だと紹介されている。だが、彼は本当に「真っ正直な人間」で、軍の隠蔽工作の被害者だったのだろうか。

米国のUFO研究家はジェシー・マーセルの証言の信憑性を探るために、空軍内部に残っている、200ページにも上る彼に関する全履歴のデータを情報公開法によって手に入れ、詳細な分析を試みている。その結果判明したのは、まことにしょうもない〝事実〟だった。

ジェシー・マーセルは、物事を大げさに語りたがる〝ほら吹き〟だったというのだ。マーセルはインタビューにやってきたUFO研究家に対して、自分の履歴を非常に格好よく脚色して話していた。

ウィリアム・ムーアの『ロズウェルUFO回収事件』によれば、ジェシー・マーセルは爆撃手・機体中央砲手・パイロットとしてB24に乗って1928年以来468時間の戦闘飛行を記録し、5機の敵機撃墜に対して、5つの航空勲章を授与されていた、はずだった。他のインタビューでは、パイロットとして3000時間の飛行時間があるとも答えていた。

だが、実際の空軍の記録には、ジェシー・マーセルがパイロットであったとはどこにも書かれていなかった。マーセルは、航空写真の分析の専門家として、空軍機に乗っていただけだった。確かに航空勲章をもらってはいたが、5つではなく2つ。それも、敵機撃墜などという派手なものでなく、勲章授与に値するだけの期間、空軍機に乗っていたというだけのことだった。

ジェシー・マーセルは自分の学歴について、ジョージ・ワシントン大学から物理学の学位をもらい、さらにウィスコンシン大やオハイオ州立大、ニューヨーク大やルイジアナ州立大学などにも通ったと話していた。だが、裏付けが取れたのはルイジアナ州立大学に1年半ほど通っていた、ということだけ。

学位をもらったはずのジョージ・ワシントン大学には、マーセルのデータは何も残っていなかった。ウィスコンシンやオハイオ、ニューヨークという地区となると、マーセルは住んでいたことさえなかったのだ。

また、ジェシー・マーセルは、１９４９年にソ連が原爆開発に成功した際にトルーマン大統領がラジオで読んだ原稿は、自分が書いたものだとも自慢げに語っていた。だが、当時ホワイトハウスは、ステートメントを文書で発表しただけで、そもそも大統領によるアナウンスなど行ってはいなかった。

さらにダメ押しとして、ジェシー・マーセルに関する空軍の査定書の中に、マーセルの「唯一の弱点は、問題を大げさにする傾向があることだ」とはっきりと書かれていたことが、ＵＦＯ研究家の調査によって判明してしまった。

研究家たちはでっちあげと言ったが、マーセル自身が本物と主張

こうなると、スレッジハンマーでも曲がらない、などといった大げさな表現がどこまで本当だったのか、非常に危うくなってくるだろう。フォートワース基地で撮られた、フォスター牧場から回収した物体をジェシー・マーセルがつかんでいる写真（次ページ）は、今でも残されている。だが写真を見るかぎり、現在では誰が見ても、**破れた銀紙か、単なる凧（たこ）の破片のようなものにしか見えない**。いくら60年前とはいえ、こんなものをなぜ当時は円盤だと思ってしまったのか、そのことの方が不思議だと思える写真だ。

これがもし本物の破片の写真だったら、ロズウェル事件の謎などほとんどなくなってしまうと言っていいだろう。そのためＵＦＯ研究家の多くは、ジェシー・マーセルが物体をつかんでいる写真は、本物のＵＦＯの破片を、あらかじめ基地内に用意されていた気球の破片と取り替えてから撮られたでっちあげの写真にすぎないと決めつけている。しかし、でっちあげの写真だという証拠はどこにもない。

そもそも、軍の隠蔽工作にはめられたはずのジェシー・マーセル自身が、全然違うことを言っているのだ。それも、ロズウェル事件の再評価につながったＵＦＯ研究家の著書『ロズウェルＵＦＯ回収事件』の中でだ。

マーセルは、フォートワース基地で撮られた写真につ

いてこう語っている。「私が床の上であまりパッとしない金属片を持っているところを彼らは撮った」「このただ一枚の写真に写っているのは、われわれが発見した本物の破片だ。あれはでっちあげの写真ではない」

確かにマーセルは、自分の写真撮影の後に残骸が入れ替えられた、とは言っている。だが、少なくとも彼と一緒に写っている破片は、本物だと主張していたのだ。

しかし、そのマーセルが言う本物だという写真を見るかぎり、彼が手にしている物体は、他の写真に写っている残骸と同一のものにしか見えない。どう見ても単なる凧の破片以上のものではないのだ。

それにマーセル少佐とともに墜落現場へと派遣されたシェリダン・キャビット大尉は、現場で回収した破片の正体は死ぬまで「明らかに気球だった」と語っていた。

マーセルが持っているのは「気球」ではない

ただ、ここで一言注意しておきたいのは、フォスター牧場で回収された物体は、通常いわれているような「気球」そのものではない、ということだ。例えば、ジェシー・マーセルが破片と一緒に写っている写真で、彼が手にしている物体は、どう見ても竹ひごのようなものがついた、しわくちゃの銀紙かアルミホイルのようなものにしか見えない。

フォスター牧場で回収した物体をつかむジェシー・マーセル少佐

しかし、これを気球の残骸だと考えると、気球のどこに竹ひごやアルミホイルが使われているのか、という疑問が湧いてしまうだろう。**これは気球本体ではなく、**

その気球から下に向けてたくさん吊り下げられていた「レーダーターゲット」の残骸なのだ。

ロズウェル事件当時には、自分の位置が即座にわかるＧＰＳなどというものはなかった。そのため、空をふらふらと飛んでいく気球の位置を追跡するためには、地上からレーダー波を当ててやり、その反射を見て位置を測定していく方法しかなかった。だが、気球本体が反射するレーダー波の量はたいしたことがないので、気球の下に伸びるロープに、多数のレーダー反射板を吊り下げることで、レーダーによる追跡を容易にしたのだ。その反射板が、凧のような構造をしており、銀紙や竹ひご状のものでできていた、というわけだ。

レーダー反射板を吊り下げた気球（写真はテキサス大学アーリントン校の「Special Collections」より）

スレッジハンマーでも曲がらなかったとか、丸めてもすぐにしわ1つなく元に戻ったといった荒唐無稽な話を別にすれば、フォスター牧場で見つかった破片は、別段不思議なものでもなんでもなかった。ジェシー・マーセルを含めて目撃者が口をそろえて見たと言っている、当時回収された物体は、バルサ材のようなスティックや非常に薄い金属箔（はく）、固い紙、糸のようなもの、鳩目（はとめ）金具（ひもを通すために紙や靴などにあけた小さい穴にはめる丸い金具。ハトの丸い目に似ていることから、こう呼ばれる）、象形文字のような模様が描かれたテープ、真っ黒い箱のようなもの、周囲10センチほどのアルミ筒といった、実にたわいのないものにすぎなかった。

これらの物体は皆、米空軍が円盤の正体として指摘していた「プロジェクト・モーガル」に詰まれていたレーダー反射板の機材と完全に合致している。

例えば、気球に吊されていたレーダー反射板には鳩目金具が使われていたし、バッテリーは真っ黒な箱に入れられていた。周囲10センチくらいのアルミ筒も、確かに気球を保持するために使われていた。

象形文字のような模様が描かれたテープというのがちょっと不思議に思えるかもしれない。だが、気球は手元にあった適当な機材で組み立てられていたので、レーダーターゲットを固定するために、オモチャメーカーから調達したセロテープが使われていた。そこのテープの表面に描かれていた花柄の模様が、たまたま象形文字にそっくりだったのだ。

事件当時の文献でも、気球のようなものとされていた

米空軍は、ロズウェル近郊に墜落した物体の正体を、１９４７年６月４日にアラモゴード基地から打ち上げられた、「プロジェクト・モーガル」に使われた「フライト４」と呼ばれる気球だと推定している。当時、このプロジェクトで気球を打ち上げる作業を行っていたチャールズ・ムーア博士が、残されている当時の気象データを利用して、彼らが打ち上げた「フライト４」の気球の飛行経路のシミュレーションを試みている。

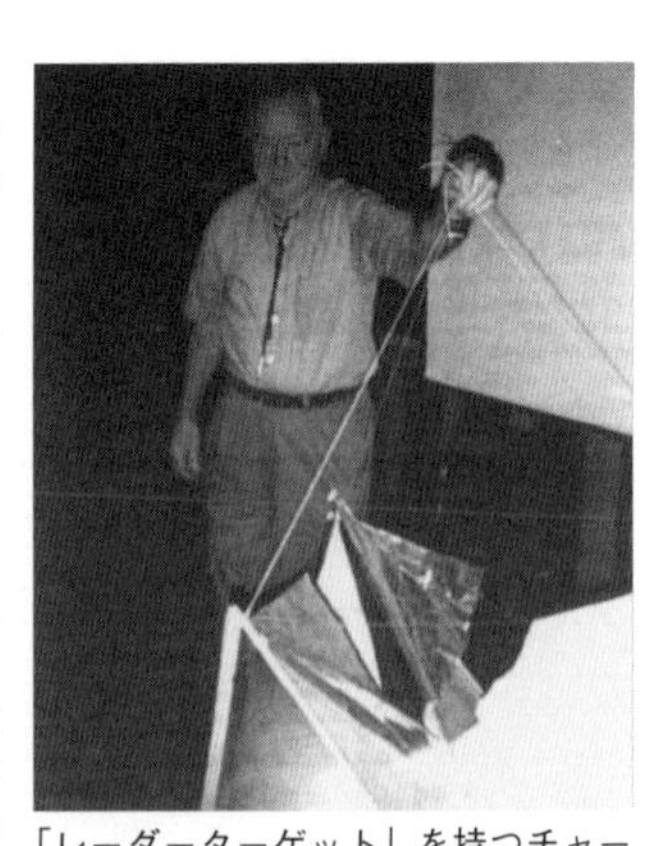

「レーダーターゲット」を持つチャールズ・ムーア博士

そのシミュレーションによれば、気球は、まずアラモゴード基地から北東に向かって上昇していき、北西から北東へと向きを変え徐々に下降していき、最終的にアラモゴード基地から北東に１４０キロほどの地点に落下していた可能性が高かった。そこはまさに謎の破片が見つかったフォスター牧場の位置とほぼ一致していた。

また『ロズウェルにＵＦＯが墜落した』の中では、記者発表当日にＦＢＩのダラス支局からシンシナティ支局長宛に送られた「ＦＢＩメモ」の内容を「記者会見の内容はウソであり」と書かれているかのように記されている。まるでロズウェルに墜落したものが空飛ぶ円盤で

あったことを裏付けている資料でもあるかのような形で引用されている。

しかしこれは、メモの原文を見れば、とてもではないが、そう解釈できる代物ではないことがわかる。あまりにひどいミスリーディングといえよう。ロズウェル事件当日のこの事件にかかわる公文書は、実は２つほどしか見つかっておらず、このＦＢＩメモは、そういう意味で非常に重要な文書の１つなのである。

『国際ＵＦＯ公文書類集大成‐１』（コールマン・Ｓ・フォンケビッキー編纂、たま出版、１９９２年）によれば、このメモには〈空飛ぶ円盤に見せかけた物体が本日ニューメキシコ州ロズウェルで回収されたと報告してきた。円盤は六角形の気球からケーブル線でつるされていた。なお、この気球の直径は約二〇フィートだった。（中略）この物体はレーダー反射板のある高高度気象用気球に類似している〉と書かれているのだ（正確にいえば、「円盤は六角形の気球からケーブル線でつるされていた」というのは誤訳で、正しくは、気球からケーブルで六角形をしたレーダー反射板が吊されていた）。つまり、**事件発生当日にＦＢＩは、ロズウェルに墜ちたものは、「レーダー反射板のある高高度気象用気球」だったと、すでに断定済み**だったのだ。

事件が起きた当時の文献でも、ロズウェルに墜ちたのは、プロジェクト・モーガルに使われていたレーダー反射板がついた気球のようなものであった可能性が高い、とされていたわけなのである。この重要な「ＦＢＩメモ」をいったいどう解釈すれば、ロズウェルに墜ちたのは空飛ぶ円盤であった、などということができるのであろうか？

証言の変遷を調べると、事件をより深く楽しめる

ロズウェル事件で異星人の死体が回収されたというのは、フォスター牧場以外に実は「第２墜落現場」なるものが存在していて、そこに円盤の機体やら異星人の死体やらが落ちていたのだという、後になってから急に言われ出した話にすぎない。では、１９８０年に発刊された『ロズウェルＵＦＯ回収事件』前後から急に現れてきたこれら異星人の死体の目撃者たちの信頼性は、いったい

どのくらいあるのだろうか。

バーネットが提出した日記は当時なかったインクで書かれていた

まず、最初にサンオーガスチン平原に墜ちた円盤と異星人の死体を見たと言い出したのは、バニー・バーネットだった。だが彼にとって大変に都合が悪かったのは、1990年になって、当時の彼の行動を逐一記録していた、彼の妻の日記が発見されてしまったことであった。

この妻の日記によれば、**ロズウェル事件当日、バニー・バーネットは墜落現場に行ってなどいなかった。異星人を目撃したなどという話も、日記のどこにも書かれていないということが判明してしまった。**

また、1990年になって急にバニー・バーネットと同じくサンオーガスチン平原で円盤と異星人の死体を目撃したと言い出したジェラルド・アンダーソンは、一時はUFO研究家の注目を集めたものの、すぐに化けの皮がはがされてしまった。アンダーソンは、ロズウェル事件を扱ったテレビ番組『解かれざる謎』を90年に見て、自分が5歳のときに体験した円盤墜落事件と事実が多少異なっているとして証言を始めた。

アンダーソンは、サンオーガスチン平原で異星人の死体を見た証拠として、現場に一緒に行った叔父の日記なるものをUFO研究者らに提出していた。だが、アンダーソンはUFO研究家のことを甘く見過ぎていたようだ。

UFO研究家らは、すぐにその日記の年代鑑定を行った。その結果、日記が書かれている紙は1947年当時に入手可能なものであったが、**日記に使われているインクの方は、1974年以降にならないと手に入らないシェファー製のブラックインクだと見破られてしまった。**

この事実がばれると、ジェラルド・アンダーソンは、その日記は後で書き写したコピーにすぎず、オリジナルではないと言い出した。だが、そのオリジナルの日記なるものは未だ公開されてはいない。

さらにアンダーソンが墜落現場で出会ったと言っていたバスキルクなる考古学者の正体が、実は、彼が高校のときに人類学を習っていた教師のことだったなどの事実が次々と明るみに出た。それで、最初はアンダーソンを信じていたＵＦＯ研究家からさえ見捨てられる結果となった。

存在しない看護師から異星人解剖の話を聞いたというグレン・デニス

　存命中の人間で、ロズウェル事件に関する最有力の証言者の１人と目されていたのは、当時ロズウェル陸軍飛行場近くのバラーズ葬儀社に勤めていたグレン・デニスだ。彼は、ロズウェル陸軍飛行場の病院に勤めていた看護師ナオミ・マリア・セルフから異星人解剖の話を聞いたという。

　だが、グレン・デニスの話は、裏付ける証拠が彼の証言以外にまったく何もない。さらに問題なのは、その看護師が異星人の解剖に本当に立ち会ったのか、という以前に、ナオミ・マリア・セルフなどという名の看護師が、ロズウェル陸軍飛行場にはいなかった、ということが判明したのだ。

　米国の科学雑誌『オムニ』が看護師ナオミ・マリア・セルフの行方を追跡して、１９９５年秋季号に「消えた看護師」というレポートを発表している。レポートの結論は、**「そんな看護師は実在しない」**ということだった。

　ロズウェル陸軍飛行場には当時５人の看護師がいたことが判明しているが、その中で１人だけ存命中の看護師ローズマリー・ブラウンは、他の４人の看護師のことをよく覚えていたが、**ナオミなどという看護師のことはまったく知らなかった**という。当然異星人の解剖などという話も、当時ロズウェル陸軍飛行場内の病院に勤めていたにもかかわらず、何も聞いたことがなかったそうだ。

　こういった事実が判明すると、グレン・デニスは急に証言内容を変えてきた。看護師の本当の名前は、Selfではなくて、SelffとかSipesだったのだ、などと言い出したのだ。だが、こういった類似の名前も、ＵＦＯ研究家らは、実在しないことをすでにチェック済みだった。

　ロズウェル事件を円盤の墜落事件として押している最大の論客の１人、ＵＦＯ研究家のケヴィン・Ｄ・ランドルは当初はグレン・デニスのことを高く買っていたが、そのランドルからさえデニスは、嘘つき呼ばわりされる

ロズウェルの「国際ＵＦＯ博物館」

ようになってしまった。『ロズウェルにＵＦＯが墜落した』でも、〈彼（デニス）は、研究家に故意にニセ情報を提供したわけで、ロズウェル事件の目撃者としては信用性に疑問をもたれても仕方がない〉と、その信憑性にクエスチョンマークがつけられてしまっている。

また、空軍が発表した報告書『ケース・クローズド』の中で、グレン・デニスが事件当時、飛行場近くのバラーズ葬儀社に勤めていたということ自体に疑問符が投げかけられている。当時の紳士録や電話番号簿を調べると、デニスの名はロズウェルにあった他の葬儀屋の項に載っている、というのだ。

ちなみにロズウェルには「国際ＵＦＯ博物館」というＵＦＯ関連の娯楽施設があるが、そこの副館長を務めているのが、自らの証言内容にクエスチョンをつけられてしまったグレン・デニスなのである。また、この博物館の初代館長は、ロズウェル事件でプレスリリースを配った張本人のウォルター・ハウトが務めていた。館長だったウォルター・ハウトは、１９８０年代に始まったロズウェル事件の再評価と同時に、この事件における重要人物として、マスコミなどによく取り上げられていた。

だが一方のグレン・デニスは、それ以前からウォルター・ハウトと旧知の仲だったにもかかわらず、ロズウェル事件で**看護師から宇宙人の遺体の話を聞いていたなどと言い出したのは、事件が有名になってからずっと後のこと**だった。ウォルター・ハウトがずっと騒いでいたにもかかわらず、自分が聞いた宇宙人の遺体のことをデニスがずっと何も言わなかったというのは、かなり不自然であろう。

死ぬ直前に証言を変えたジェイムズ・ラグスディル

ガールフレンドと一緒に異星人の死体を見たと証言をしていたジェイムズ・ラグスディルも、死の直前になってコロコロと証言を変えていた。最初彼は遠くから円盤や異星人の姿を見ただけだと言っていたのに、やがて異星人のヘルメットを脱がせようとしたと言い出した。最後には、異星人の黄金のヘルメットを7つ砂漠に埋めたなどいうことまで言い出したとされている。

さらに問題なのは、以前は円盤が墜落していた地点はロズウェルの北方約56キロの地点だとしていたのに、死ぬ間際になって、実は墜落地点はロズウェルの西方80キロの地点だったと、墜落地点の位置を大きく変えてしまったことだ。円盤の機体と異星人が回収された第2墜落現場の位置を、ロズウェル事件の関係者がみなそう言うからという理由で、ロズウェルの北方約56キロだと決め込んでいたＵＦＯ研究家らも、この変節には困り果てた。

さらにロズウェルにできた国際ＵＦＯ博物館が、このジェイムズ・ラグスディルの言い出した新しい墜落地点を買収しようとしているという噂がＵＦＯ業界に流れるにいたって、**ラグスディルは「金のために証言を変えた」とまで非難されている。**現在では、ラグスディルの証言を自分の本の中で高く評価していたＵＦＯ研究家のケヴィン・Ｄ・ランドルでさえも、ラグスディルのことを嘘つき呼ばわりしている。

エリア51の出自ははっきりしている

地球製ＵＦＯが造られていると噂されている、ネバダ州南部に広がる「エリア51」は、約50年前から存在していた。だが、一般の人々の注目を引くようになったのは、ここ30年ほどのことだ。それまでは一部の航空ファンや軍事評論家たちが関心を持っていただけだったのが、**ＵＦＯと関連づけられたために、世界中で有名な「誰もが知っている極秘基地」という、かなり情けないものになってしまった。**

謎の軍事施設といっても、エリア51の「出自」ははっきりしている。１９５５年当時、ソ連と冷戦の真っ最中だった米国は、鉄のカーテンの向こう側をどうにか覗こうとして、スパイ偵察機Ｕ‐２を開発していた。このＵ

エリア51の境界線に立つ警告看板

－２機をテスト飛行させるため、人目につかない秘密基地の場所として選ばれたのがグルームレイクというところだった。

超音速偵察機ＳＲ－71「ブラックバード」や、湾岸戦争で一躍有名になったステルス戦闘機「Ｆ－１１７Ａ」なども、みんなここで開発されてきた秘密兵器だ。だがそれがいつの間にか、異星人のテクノロジーを利用した地球製ＵＦＯの製造基地ということにされてしまったのである。

一部では、エリア51で開発されている秘密兵器の存在を隠すために、米政府は煙幕弾代わりに宇宙人テクノロジーという話を故意に流しているのだ、という説もある。だが、「宇宙人がいる」という話を積極的に流すことで、秘密兵器の存在を隠せると米空軍がもし本気で考えているのだとしたら、米空軍は筋金入りのバカだといえる。

隠れてそっと秘密兵器を開発していれば誰にも気づかれずに済んだのに、「宇宙人がいる」などという噂が流れてしまったために、「エリア51」は「世界で一番有名な秘密基地」となってしまったのだ。世界中からＵＦＯ見たさに、物好きな観光客が次々と訪れる観光地になってしまった。

「世界で一番有名な、誰でも知っている秘密基地」で、衆人環視のもと、秘密兵器を作る気分がどんなものか、ぜひ基地の人に一度聞いてみたいものである。

ボブ・ラザーの主張は何1つ裏が取れない

ところで、ネバダ砂漠の中で地球製のＵＦＯが研究されていると説くボブ・ラザーの話は、どこまで真実なのだろうか。ラザーがマスコミに登場した１９８９年当時、ＵＦＯ業界はその2年前に暴露されたＭＪ（マジェスティック）-12（トゥウェルブ）というニセ文書をめぐる騒動で、異常に活気づいていた。

MJ-12文書というのは、ロズウェル事件で回収された円盤と異星人の情報を隠匿するために、MJ-12と呼ばれる秘密組織が作られたことを伝える超極秘の政府文書とされたものだ。

MJ-12の関連文書として「アクエリアス文書」という出所不明な文書が混じっていた。その文書には「回収された異星人の円盤のテスト飛行が、ネバダ州で行われている」と書かれていた。

ネバダ州の秘密基地といえばエリア51ということで、UFO研究家たちの注目がエリア51に向かおうとしていたちょうどその矢先に、「そこで円盤を研究していた」と名乗り出てきたのが、ボブ・ラザーだったわけなのだ。

何といっても、そんなトンデモないことを実名を明かして主張している人物がボブ・ラザーくらいしかいないので、その証言内容についての客観的なチェックは、ほとんどやりようがない。だが、数少ないチェックポイントを調べてみると、ラザーの話は信じるより、眉に唾をつけたくなることの方がずっと多くなってくるのだ。

例えば、ボブ・ラザーが反重力機関の動力源として挙げている元素115だが、ラザーによれば、異星人にもらったものではなく、米国の研究所から分けてもらったものだと証言している。

しかし元素115は、ロシアとアメリカの共同実験で初めて合成されたのが2003年のことで、「モスコビウム」という名前とともに公認されたのは2016年のことだった。**1989年当時に地球上で製造に成功していた施設など1つもなかった**のである。

ちなみに原子番号110番を超える元素は超重元素と呼ばれており、普通は非常に不安定になる。だが、原子番号が114の付近まで増えると、原子核物理学の理論的な予想でマジックナンバーと呼ばれる、比較的安定な元素が存在すると考えられていた。

もし単なるほら吹きだったら、こんな難しい核物理学に関する知識を持っているわけがないとして、ボブ・ラザーの主張を支持している人々もいる。だが、ラザーが元素115の話を始める20年以上も前に、米国の科学雑誌『サイエンティフィック・アメリカン』の１９６９年４月号で、その話はすでに特集されていた。だから、別段驚くような新知識ではないのだ。それに、いくら**準安定な元素であったとしても、それで重力制御できるなどと言っている物理学者は、ラザー以外には誰もいない。**

この他ボブ・ラザーは、重力には原子レベルで働く重力Aと惑星レベルで働く重力Bの２種類があるとか、いろいろなことを言っているが、いずれも現代物理学ではまったく確認されていない。大体、６〜７日しかS‐４内で働いていないと言っているラザーに、そこまでのことがなぜわかったのかも不思議だ。

他にもボブ・ラザーの証言は、謎と疑問だらけと言っていい。ラザーによれば、UFOは、前方に重力場を発生させることで、自分自身を引っ張って飛んでいるのだという。しかし、これでは浮かぶことすらできない。

つまり、自分の靴ひもをいくら引っ張っても宙に浮かないのと同じ理屈である。重力場の理論などを持ち出すまでもなく、ニュートン力学のレベルで作用反作用則に反してしまっている。

ボブ・ラザーがUFOの研究をしていたというS‐４施設の存在も、裏がまったく取れない。S‐４はパプーズレイクという場所にあるとされ、そこをソ連の人工衛星が上空から撮影した写真はある。だが、S‐４施設があるはずの場所には何も写っていない。単なる山肌があるだけなのだ。

うまくカモフラージュしているのかもしれないが、ジープが通った跡の轍（わだち）が見えるほど詳細な写真でも、何も見えない。それにボブ・ラザーによると、S‐４では一時ソ連との共同研究も行われていたという。その存在がソ連がすでにばれているのならば、今さら丹念にカモフラージュをする必要もないだろう。

ボブ・ラザーが主張している、自らの学歴についてもまったく裏が取れない。彼は、**MIT（マサチューセッツ工科大学）とカルテク（カリフォルニア工科大学）で修士号を取ったと主張しているが、誰が調べてもそんな記録はまったく残っていない。**

一部ではボブ・ラザーに関するすべての記録を政府が消した、という陰謀説も囁かれている。だが、政府の闇の勢力は、インク消しのホワイトを持って、全卒業生らの全卒業アルバムの中から、彼の名だけをいちいち消して回るほど暇なのだろうか。

またボブ・ラザーはMITなどで学んだ恩師の教授の名前を2人挙げているのだが、そのどちらもMITにもカルテクにもいなかったことも判明している。つまり、**ラザーの主張は何1つ裏が取れていない**のである。

これは政府の闇の勢力がよほどうまく事を運んだか、さもなければボブ・ラザーが最初からほらを吹いているか、そのどちらかなのであろう。

ちなみにボブ・ラザーウォッチャーの手で裏が取れているラザーの経歴とは、以下のようなものだ。

1959年1月26日、ロバート・スコット・ラザー（ボブ・ラザー）、フロリダのコーラルゲイブルズで生まれる。

1976年8月、ニューヨーク州ロングアイランドのトレスパークラーク高等学校を卒業。成績は369人中261番とされる。つまり下から3分の1番め。

1976年、ロサンゼルスピアス大学に出席。パシフィカ大学で物理学と電子工学の理学士の学位を受けたと主張しているが、パシフィカ大は学位を売っていた疑いで1978年に閉鎖している。カリフォルニア工科大学にも短期出席していたと主張しているが、これも確認できていない。

1980年7月27日、カリフォルニアで13歳年上のキャロル・ナディン・ストロングという女性と結婚したが、その結婚証明書にはボブ・ラザーの最終学歴は「高卒」とある。

1982年、マサチューセッツ工科大学で勉学したともいうが、在籍していた証拠は誰も発見できていない。ロスアラモス国立研究所の電話帳にボブ・ラザーの名前が確かに掲載されてはいるものの、正規の研究員ではなく、下請けの技術者として働いていたのではないかともいわれる。

1986年4月19日、ラスベガスで、トレイシー・アンネ・ムークと結婚したが、その2日後には、前妻キャロルが、ラスベガスで排ガス自殺している。

1990年6月5日、客となった売春婦の仕事を手伝った容疑で逮捕される。

1990年7月25日、トレイシーと離婚。

1990年8月20日、3年の執行猶予付きの有罪判決。奔放な生活をとがめられ、裁判官から精神科医に診てもらった方がよい、ともアドバイスされる。

１９９３年６月、ボブ・ラザーをモデルにした映画構想が発表される。予算は８００万から１０００万ドルで、１９９４年秋にリリースの予定とされたが、実際に映画が『ボブ・ラザー：エリア51と空飛ぶ円盤』(Bob Lazar: Area 51 & Flying Saucers)』というタイトルで公開されたのは２０１８年のことだった。


ちなみに「エリア51」騒動から20年近く経った２００６年11月、ボブ・ラザーが久し振りにマスコミに登場した。ロシアの元スパイが猛毒の放射性ポロニウムで殺害されたとされる事件に絡んで、通販でポロニウムを販売している会社「ユナイテッド・ニュークリア」の責任者として、ラザーがテレビに取り上げられたのだ。

また、２０１６年８月には日本のテレビ番組『幻解！超常ファイル ダークサイドミステリー』（ＮＨＫＢＳプレミアム）にも出演。従来の話を繰り返した。

しかし、同番組に出演した懐疑的研究者のマイケル・シャーマーからは、ボブ・ラザーの証言を検証した上で、「彼は妄想癖か、話をでっち上げているかのいずれか」だと言われてしまっている。それに対してラザーは、「もうほっといてください」と言っていた。

どうやら話の裏付けとなる証拠を出すことすら放棄したようである。

いつものパターンが繰り返されるロズウェル陰謀論

最後に、オカルト雑誌の『ムー』（２０１９年11月号）にて、ロズウェルの現場で奇妙な金属片が発見されたと報じられていたので触れておきたい。

その現場は、事件当時、フォスター牧場で謎の金属片が散乱していたことから、「デブリ・フィールド」と呼ばれるところだという。そこには軍が回収しきれなかった小片が、今でも残っている可能性が高いそうだ。

取材班はその現場で金属探知機を使い、小さな金属片を３つ発見する。見た目にはただのゴミだが、「地球外のものの可能性」があるという。しかし、２０２１年４

月現在、その金属片のまともな研究は行われていない。それもそのはずで、実は２０１０年にも現場では金属片が拾われていたのだが、いまだに「地球外のものの可能性」を示唆するだけで、追試すら行われていないのである。いったい、10年以上も何をやっていたのだろうか？

　この「新発見を匂わすが続報は出ない」、または「新発見を主張するが、検証可能なかたちでデータを公表しない」というパターンは、古今東西の様々なオカルト分野で繰り返されてきたことだ。

　なぜ、そうしたことが繰り返されてしまうかといえば、真相解明など二の次にされてしまっているからだと考えられる。現実に優先されるのは、情報を内輪で囲い、もっともらしさを演出し、ネタを永続させることになっているからではないだろうか。

　その点で、今や完全にビジネスとも一体化してしまっているロズウェル陰謀論も同様の状況におちいってしまっている。読者の多くがこうした状況に疑問を呈さない限り、おそらくこれからも同じことが繰り返されるのだろう。（皆神龍太郎が執筆し、本城達也が一部加筆した）

参考文献

『ロズウェルにＵＦＯが墜落した』（ドナルド・シュミット／トマス・キャリー、学研、２０１０年）
『ロズウェルＵＦＯ回収事件』（ウィリアム・ムーア他著、南山宏訳、二見書房、１９９０年）
『ロズウェルに墜ちたＵＦＯ』（ランドル＆シュミット著、南山宏訳、徳間書店、１９９６年）
『宇宙人とＵＦＯ　とんでもない話』（皆神龍太郎著、日本実業出版社、１９９６年）
『The Randle Report UFOs in the '90s』（Kevin D Randle, Evans, 1997）
『The Roswell UFO Crash: What they don't want you to know』（Kal K. Koeff, Prometheus books, 1997）
『Skeptic UFO Newsletter』（Philip J.Klass）
『ALIEN LIAISON』Timothy Good, Arrow, 1991（翻訳書『エイリアン・リポート』、扶桑社ノンフィクション、１９９６年）
『The Robert Lazar Timeline』by Tom Mahood
２５７ページ上段の写真の出典：https://library.uta.edu/roswell/images

第5章

世界史の中で語られた陰謀論

ノーベル賞は選考時に人種差別をしている

陰謀論

特定の人種を優遇してきたという疑惑

ダイナマイトの発明者アルフレッド・ノーベル（1833～1896）は自分の発明が戦争に用いられて多くの人命を奪ったことに悩み、その莫大な遺産を基金として毎年、物理学、化学、医学・生理学、文学、世界平和の5部門において人類に貢献した人物に賞を与えるように遺言した。この遺言に従って開設されたのが有名なノーベル賞である。

アルフレッド・ノーベル

ちなみに1969年からはスウェーデン国立銀行も、経済学の分野に貢献した人物にノーベルの名を記念した賞を授与し始めたため、これをノーベル経済学賞として6番目の部門に数える説もある。

ノーベル賞の第1回授与は1901年のことだから20世紀の歴史はノーベル賞とともにあったといってよいだろう（そして21世紀の現在もその権威は失われていない）。だが一方で、ノーベル賞は実は人類全体ではなく、特定の人種に有利なように選考が操作されてきたという疑惑がある。

「有色人種には与えないという暗黙の了解があったのでは」

特に、日本人に対してはノーベル賞選考過程において明確な排除が行われていたという。野口英世（ひでよ）（187

6〜1928）が梅毒病原体の培養成功や小児まひ・狂犬病・トラホーム、黄熱病などの病原体発見などの業績で、1913年から1927年にかけて、9度にわたってノーベル賞候補として推薦されながら、ついに受賞を逸したことは有名な話だ。

北里柴三郎（1853〜1931）はジフテリアの血清療法に関する研究で第1回のノーベル医学・生理学賞候補になりながら、受賞の栄冠は共同研究者でドイツ人のエミール・アドルフ・フォン・ベーリングにさらわれる形になった。後年公開された当時のノーベル賞選考委員会の資料には「第一回ノーベル賞受賞者として黄色人種はふさわしくない」と書かれていた（後藤秀機『天才と異才の日本科学史』）。

エミール・アドルフ・フォン・ベーリング

また、水沢緯度観測所（現・国立天文台水沢VLBI観測所）の所長だった木村栄（1870〜1943）は1902年、緯度測定のための観測における地球の自転軸と南北軸のずれを補正する方程式にZ項という概念を導入し、国際的にも高い評価を受けていた。ところがノーベル賞選考委員は木村に物理学賞を与えることなく、その業績を黙殺した。

以上の事実から、上智大学名誉教授の渡部昇一（1930〜2017）は評論家の日下公人氏、竹村健一との鼎談の中で「戦前の人種差別が支配的な時代には、有色人種には自然科学のノーベル賞はやらないという暗黙の了解があったんじゃないかと思う」と述べている。

東洋人にノーベル賞は時期尚早との意見も

東大医学部教授の山極勝三郎（1863〜1930）と当時は大学院生だった市川厚一（1888〜1948）のチームが、1915年にウサギの耳に人工がんを発生させる実験に成功した。この研究はノーベル賞に値するものであったが、彼らはついに受賞することはなかった。これはノーベル賞史上最大の汚点とされる。

やはり東大医学部教授で日本における神経生理学の権威だった呉建（くれけん）（１８８３〜１９４０）は１９３０年代に６回もノーベル医学・生理学賞候補となりながら、ついに受賞することはなかった。

山極勝三郎の門下で呉建の推薦者だった病理学者（東京医科大学初代学長兼理事長）の緒方知三郎（おがたともざぶろう）（１８８３〜１９７３）は１９３５年頃、山極先生の人工がんの研究を日本人だという理由で無視した選考委員たちが、同じ日本人である君（呉建）を選ぶはずがない、として呉建に対しノーベル賞受賞を断念するよう勧めたこともあったという（岡本拓司「戦前期日本の医学界とノーベル生理学・医学賞—推薦行動の分析を中心に—」）

ノーベル賞医学・生理学賞選考はスウェーデンのカロリンスカ医科大学で行われるが、同大学の名誉教授フォルケ・ヘンシェンは１９６６年10月24日に赤坂プリンスホテルで行われた来日講演会で、山極（勝三郎）の審査において「ノーベル賞はヤマギワにすべきだ。私は強く主張しました。しかし委員の中から、東洋人にノーベル賞は時期尚早である、との意見が出されました。当時、私はまだ若く、意見は通りませんでした」と証言している（朝日新聞社『１００人の20世紀・上』）。

このことから見ても、ノーベル賞選考が人種偏見によって左右されていたことは確かだろう。

人種差別主義者なのに受賞した人も

ノーベル賞選考において差別されていたのは日本人だけではない。コネティカットカレッジ教授（米）のマーク・ジマーは、ノーベル賞の１２０年に及ぶ歴史において、自然科学系の受賞者６２３人のうち女性は３・７％（物理学賞が４人、化学賞７人、医学・生理学賞12人の計23人のみ）、黒人はゼロで、圧倒的多数が白人男性であるという事実を指摘する。

かに星雲（おうし座）の中心には強烈な電波の発生源（パルサー）がある。かに星雲パルサーの実際の発見者はジョスリン・ベル・バーネルという女性科学者だった。だが、１９７４年、かに星雲パルサー発見の功績によりノーベル物理学賞を受賞したのはその発見を報告した論文の筆頭署名者だったアントニー・ヒューイッシュという男性である。ノーベル賞選考委員会は本来、女性に与えられるべき栄誉まで男性に与えていたのである。

自然科学系のノーベル賞受賞者には明らかな人種差別主義者もいる。1962年、DNAの二重らせん構造を解明したことにより共同研究者のフランシス・クリックらとともに医学・生理学賞を受賞したジェームズ・ワトソンは黒人の知性は遺伝学的に白人より劣っているという発言を繰り返した。その結果、2007年には所属するコールド・スプリング・ハーバー研究所の会長職を解任され、2019年には同研究所の名誉職も剥奪された（研究所ではワトソンの人種差別発言について「事実無根の見境ない個人的意見」「偏見の正当化を目的とした科学の不正利用」と非難している）。

また、ジェームズ・ワトソンにノーベル賞をもたらしたDNA二重らせん構造の解明には女性科学者ロザリンド・フランクリン（1920～1958）の研究資料を無断で流用した疑いもあった。ノーベル賞選考委員会はこのような人物の受賞をも許してしまったのである。

平和賞は政治的謀略に利用されてきた

ノーベル賞の中でも特に平和賞は、実際に様々な政治的謀略に利用されてきた経緯がある。佐藤栄作（1901～1975）は日本国首相在任中に、「核兵器を作らない、持たない、持ち込ませない」という非核三原則を提唱したことなどで1974年にノーベル平和賞を受賞した。だが現在では、佐藤が米軍による核兵器の一時持ち込みを認める密約をアメリカ政府と交わしていたことが明らかにされている。ノーベル財団は米軍による核持ち込みのもみ消しに一役買ったわけだ。

中華人民共和国政府がチベットにおける分離独立運動の実質的指導者とみなしているダライ・ラマ14世が1989年にノーベル平和賞を受賞したとき、中国政府は「ノーベル賞授与は中国への内政干渉に当たる」という声明を出した。2010年に人権活動家の劉暁波（りゅうぎょうは）（1955～2017）が平和賞を受賞したときにも中国政府はノルウェー政府に対し、閣僚会談の中止などの抗議措置をとった。

２００９年10月、アメリカ大統領に就任したばかりの民主党バラク・H・オバマがノーベル平和賞を受賞したときには、アメリカ本国では共和党の支持者ばかりではなく、民主党の支持者からも、「まだ大統領としての業績が何もないのに」と失笑まじりの批判が相次いだ。ノーベル財団が平和賞選考を通して行使する国際的な政治力は受賞者と対立する勢力にとって脅威であり、さらにその選考理由はときとして受賞者を支持する立場の者にとっても不可解なものなのである。

真相

個々の例を見ると受賞を逃す理由があった

戦前のノーベル賞選考において日本人に対する人種差別が作用したか？　事実関係からいうとそういえるかは怪しい。

視野を日本人だけでなく東洋人もしくは有色人種全体に広げると、１９１３年にインドの詩人ラビンドラナート・タゴールがノーベル文学賞を、１９３０年にはやはりインドの物理学者チャンドレシェーカル・ヴェンカタ・ラーマンが物理学賞をそれぞれ受賞している（渡部昇一が「自然科学」と断っているのは、タゴールの存在が念頭にあったからだろう。だが、どうやらラーマンの業績の方はご存じなかったと思われる）。

ラビンドラナート・タゴール（1909年頃）

チャンドレシェーカル・ヴェンカタ・ラーマン（1930年頃）

有色人種にノーベル賞を与えないという不文律（ふぶんりつ）が選考委員に共有されていたなら、野口英世が幾度も候補に挙げられるということ自体が起こらなかっただろう。

ちなみにノーベル財団が公開した資料により、

1913年から1917年にかけて野口英世をノーベル賞に推薦した10人のうち、9人はアメリカ、ロシア、フランスなどの研究者であったことや、日本からの推薦者は京都帝国大学医学部助教授（当時、後に京都帝国大学名誉教授）の松本信一（しんいち）（1884〜1984）のみだったことが判明している。

戦前に日本人がノーベル賞を逃したとされる個々の例を見直してみると、いずれもそれなりに受賞を逸する理由があったことがわかる。

例えば、北里柴三郎の場合、血清療法のアイディアそのものはそれまでの実績から、エミール・アドルフ・フォン・ベーリングに由来するとみなされており、北里は補助的立場からデータを提供したものとされていた。

第1回ノーベル賞の授与ということで選考委員は受賞者をベーリング1人に絞ったが、現在なら同時受賞となるケースである。だから当時の状況を考えると、ベーリング1人が受賞できたことが差別だったとはいえない。

なお、後藤秀機氏の著書で言及された「第一回のノーベル賞受賞者としては黄色人種はふさわしくない」云々の文章だが、後藤氏はその出典として『科学朝日』編『ノーベル賞の光と陰』を挙げている。しかし、その『ノーベル賞の光と陰』では、初版（1981年）、増補版（1987年）ともその記述を見ることはできない。

ちなみにノーベル財団の資料公開で、北里柴三郎が第1回ノーベル医学生理学賞の有力候補者だったことが判明したと報じられたのは1988年3月（読売新聞では1988年3月22日朝刊）である。それ以前に出された『ノーベル賞の光と陰』が第1回ノーベル医学生理学賞選考の経緯を詳しく記すこと自体が無理だったのである（もちろん1988年当時の報道にも「黄色人種」云々の記述はない）。つまりは後藤秀機氏の記述は根拠不明ということになる。

木村栄についていえば、彼が提唱したZ項はその実用性から急速に受け入れられたが、当時の地学ではそれが必要となる理由は解明できなかった。それが解明されたのはようやく1970年になってからで、流体であるマントルと固体である地殻の間で、地球の自転、太陽や月の引力などによる揺らぎにずれがあることが判明してからである。

ノーベル賞選考委員が理論的により完成された業績を優先させたとしてもおかしくはない。

知識がなくて選考できなかった面も

山極勝三郎についていえば、同時代的には人工がんの発生ではデンマークの病理学者ヨハネス・フィビケルが1913年にラット（ねずみ）での実験でがんを発生させた例の方が先行しているとみなされていた（フィビケルは1926年にノーベル医学・生理学賞を受賞）。

山極勝三郎（1910年頃）

1950年代に入ってから、ヨハネス・フィビケルの行った手法ではがんは発生しないことが明らかにされ、フィビケルはラットに生じた別の病変をがんと誤認した可能性が取りざたされるようになった。そのため、フィビケルの受賞は選考委員の落ち度で山極こそが受賞者にふさわしかったのではないかという議論が始まったわけである。

そのため、山極勝三郎に賞を与えなかったこととフィビケルの受賞とが「ノーベル賞史上最大の汚点」といわれるようになったわけだ。しかし、1910～20年代当時のノーベル賞選考委員は、1950年代以降の知識を当然持ちえなかったわけで、現時点での評価からその選考を責めるのは酷といえよう。

緒方知三郎が呉健に、山極先生が日本人だからノーベル賞選考委員に無視された、と告げたという件については、実際の選考の経緯が公表されていない以上、緒方の憶測の域を出ないものである。

さて、フォルケ・ヘンシェンの来日講演会における「ノーベル賞はヤマギワにすべきだと主張したが、東洋人にノーベル賞は時期尚早である、との意見が出された」との「証言」は朝日新聞社の書籍に掲載され、私自身も『検証　陰謀論はどこまで真実か』の拙稿において事実とみなした上で考察の対象とした。しかし、東京大学大学院教授の岡本拓司氏によると実際の講演に関する記録では、ヘンシェンの証言は、自分は山極勝三郎とヨハネス・フィビゲルを2人とも推薦した、現在（1966年）の考えでは両名とも同時受賞すべきだった、とするものだったという。

また、フォルケ・ヘンシェンは山極勝三郎とヨハネス・フィビゲルの業績に関する報告書をノーベル賞選考委員会に提出したが、彼自身は選考委員ではなかったため、実際の選考過程に関わるはずもなかった。つまり、ヘンシェンの証言で選考における日本人差別が裏付けられたというのは眉唾（まゆつば）な話だったのである。

野口英世の業績の多くは誤りだった

野口英世についていえば、彼にとって不運だったのは、1914年に第1次世界大戦が勃発したことだ。ノーベル医学・生理学賞は大戦中の15年から18年まで4年にわたって受賞者なしだったが、この時期は野口がその生涯において最も盛んに研究業績を上げていた時期である。

スウェーデンは大戦で中立を保っていたが、それだけに特定の交戦国に肩入れしているかのように思われるようなイベントは避けようとする風潮があった。野口英世自身、1915年10月8日付で高等小学校時代の恩師・小林栄に宛てた書簡で「交戦国民の学者たる小子へは中立国の義務として忌憚するものと存知候」、「小子は目下、ノーベル賞絶望と存知候」と書いている。

交戦国たる日本の国民である自分に賞を与えることを中立国スウェーデンは避けるだろうから今年、自分がノーベル賞を受賞する望みは絶たれた、という意味だ（小子は自分をへりくだって言う語）。大戦後も野口英世はいったん失った運を取り戻すことはできなかった。

ちなみに野口英世が行ったとされる梅毒病原体の培養は追試に成功した例がなく、野口のデータには錯誤もしくは改ざんがあった疑いがある。野口は小児まひ・狂犬病・トラホーム・黄熱病の病原体について細菌説をとっていたが、野口の没後にそれらが実はウイルスであることが証明された。

野口英世の没後50年ほどの間に、彼の業績の多くは誤りであることが判明している。野口がノーベル賞を取れなかったことは彼自身にとっては痛恨であったが、結果として彼は後世、ノーベル賞史上の汚点として記憶されることを免れたわけである。

余談だが、文部科学省作成の道徳教材として全国の小学校に配布されている『私たちの道徳 小学校五・六年生』では「黄熱病とのたたかい」という見出しで、野口英世が黄熱病ワクチンを作った後に黄熱病の流行するアフリカに行って自らも黄熱病で倒れ、その死を世界中の人々が惜しんだと述べている。しかし、その初版、改訂版とも、野口が黄熱病の病原体特定に失敗したこと、彼が作ったワクチンが実際には黄熱病への効力はなかったことなどについてはまったく触れていない。道徳教材で野口を取り上げながら、彼の業績に関する事実が書けないということ自体に、野口を英雄として扱い続けることの無理が現れているようである。

こうして当時の状況を念頭において個々の業績を見ていくと、彼らがノーベル賞を逸したのは、それぞれに事情があってのことであり、選定が必ずしも不当だったといえないことがわかる。

白人優位のバイアスがゼロではない

もちろん一般論でいえば、白人優位の考え方が支配的だったときに、西欧に属するスウェーデンで行われたノーベル賞選考にまったくバイアス（偏（かたよ）り）がなかったとは言い切れない。しかし、それが選考結果に与えた影響について過大視することはないだろう。

選考委員も人間である以上、ノーベル賞の選考はどうしてもその時期の通説や流行の思潮、話題となった事件などの影響を受けることになる。自然科学においては（あるいは社会科学においても）いったん広く受け入れられた説がくつがえることはざらにある。

黒人や女性の受賞者が少ないのは差別や偏見が影響

では、日本人ということから離れて、黒人および女性の自然科学系ノーベル賞受賞が少ないのはなぜか。これは陰謀よりももっと深刻な問題だろう。コネティカットカレッジ教授のマーク・ジマーは次のように指摘する。

〈黒人が少ない理由はさまざまだ。貧困、地域の教育機関の資金不足、良き手本や先輩の不在。ネガティブな固定観念で判断されるのを恐れて実力を出せなかったり、明らかに成功しているのに過大評価されていると感じる可能性もある。露骨な差別や無意識の差別的な言動も影響する〉（「自然科学系ノーベル賞に根強い「白人男性偏重」」（日本版Newsweek電子版、２０２０年10月16日）

「明らかに成功しているのに過大評価されていると感じる可能性」というのは、実際には自分の成果なのに委縮して周囲にその功績を譲ってしまう傾向、「露骨な差別や無意識の差別的な言動」というのは教育機関・研究機関で周囲からの露骨な、もしくは意図しない形で差別によってその能力や業績に適切な評価が与えられない傾向を意味するものだろう。

つまり、自然科学系ノーベル賞に黒人受賞者がいない理由はノーベル委員会よりもむしろ現代社会全体の中で黒人が置かれている教育・研究環境にこそ問題があるというわけである。女性受賞者が少ない理由も社会的偏見の影響が考えられる。

社会的偏見というのは、家庭など周囲から、女性だからという理由で自然科学系への進学や研究機関への就職を反対されて、進路を閉ざされたりすることを指す。あるいは、研究機関に所属してからも、実際には研究において重要な役割を担っているのにチームの他の男性、特にリーダーから補助的な役割とみなされて適切な評価を与えられず、したがって表に名前が出ない、などである。

かに星雲パルサー発見を実際の発見者である女性ではなく、論文筆頭署名者の男性にのみ与えられたというのもその当時、女性研究者の立場が社会的に正当に評価されていなかったことの反映とみなすことができる。宇宙情報専門サイトｓｏｒａｅのライター・吉田哲郎氏は、かに星雲パルサー発見後のジョスリン・ベル・バーネルの歩みについて次のように記している。

〈２０１８年には基礎物理学ブレークスルー賞

（Breakthrough Prize in Fundamental Physics）を受賞しました。賞の発表後、彼女は物理学の研究者になりたいと考えているマイノリティー（女性、少数民族、難民）の学生を支援するために、230万ポンド（約3億3千万円）の賞金全額を寄付することに決め、奨学金の基金としました〉〈2021年1月6日、イギリスの王立天文学会はジョスリン・ベル・バーネルに、最初のパルサーの発見と天文学への多大な貢献を称えて、ゴールドメダルを授与すると発表しました。本賞は1824年に創設された歴史のある賞であり、過去にはアインシュタイン、ハッブル、エディントン、ホーキングも受賞しています〉（「かにパルサーの閃光とパルサーを発見した女性天文学者の「栄光」」（吉田哲郎、ｓｏｒａｅ、2021年2月12日）

ジョスリン・ベル・バーネルはノーベル賞受賞を逃しはしたものの、その功績は後に続くマイノリティー、特に女性研究者に勇気を与えているようである。

ジェームズ・ワトソンの人種差別発言については、彼がノーベル賞を受賞することによって社会的発言の機会が増え、結果として論文だけでは見えなかった差別主義者としての面があらわになったということだろう。その人物を見抜けなかったことの責までノーベル委員会に問うのは無理筋である。

国益への配慮も加わるが、委員会は政府の意向に抵抗

さて、平和賞の選考はその時期の国際情勢を背景に行われるわけだが、この国際情勢ほど移り変わりやすいものはない。そのため、過去のノーベル賞を振り返ってみると、なぜその人物に与えられたのか、なぜその人物が賞を逃したのか、疑問に思える事例はいくつも出てくる。佐藤栄作の例もそうである。

ノーベル賞の権威は選定の公正さによって保たれている。それだけに、ノーベル賞の歴史を振り返るとき、公正さに疑問を抱かせるような授与の例はかえって目にとまりがちなものである。ノーベル賞、特に平和賞に関する陰謀論は、そうした疑問を疑惑へと昇華させたものだといいうる。

医学・生理学賞以外の選考についていえば、物理学賞・化学賞・経済学賞はスウェーデン王立科学アカデミー、文学賞はスウェーデン・アカデミー（学士院）、平和賞はノルウェー国会が任命するノルウェー・ノーベル委員会が行っている。

ノーベル賞選考および授与は、スウェーデンとノルウェーという北欧の小国が、世界にその存在感を示す絶好の機会である。そこに国益に関する配慮がまったく加わらないといえば嘘になるだろう。

だが、ノルウェー・ノーベル委員会元事務局長（在任１９９０〜２０１４）のゲイル・ルンデスタッドが最近著した手記によると、ノルウェー・ノーベル委員会は政府の方針と逆らって決定を下したこともあるという。例えば劉暁波の受賞に際しては、ノーベル委員会が中国の反体制活動家について調査していると知った中国当局は、ノルウェー外務省を通じて何度も警告したという。

当時、ノルウェー政府は中国との自由貿易協定（ＦＴＡ）に関する交渉を進めていた。ノルウェー政府としては、中国反体制運動家のノーベル平和賞受賞を理由に、その交渉がストップするのを避けたかったのである。

しかし、ノーベル委員会は劉暁波への授与という方針を貫き、先述のように中国はノルウェーとの閣僚会談の中止という抗議措置をとることでＦＴＡ交渉は頓挫した。

つまり、ノルウェー・ノーベル委員会は、短期的な「国益」のために政府の意に従うような組織ではないということである。ゲイル・ルンデスタットは、バラク・Ｈ・オバマについても、彼の大統領としての事蹟に多くの期待はずれがあったとしても、アメリカ経済再建、医療保険制度改革、環境保護政策実施、イラク戦争撤退とキューバ・イラクとの和解など平和賞受賞を擁護しうる功績を挙げたと論じている。

平和賞も含め、ノーベル賞選定はスウェーデン・ノルウェー両国民以外の多くの人々から見てもおおむね公正であり、だからこそノーベル賞の権威は保たれ続けているとみなすべきである。（原田実）

参考文献

『ノーベル賞の光と影』（『科学朝日』編、朝日選書、１９８１年、増

補版1987年）
『ノーベル賞』（矢野暢、中公新書、1988年）
『アルフレッド・ノーベル伝』（ケンネ・ファント、服部まこと訳、新評論、1996年）
『強い日本への発想』（日下公人・竹村健一・渡部昇一、致知出版社、2008年）
『背信の科学者たち』（ウィリアム・ブロード、ニコラス・ウェイド、牧野賢治訳、講談社、1996年）
『100人の20世紀・上』（朝日新聞社編、朝日文庫、2001年）
『ノーベル賞の100年・増補版』（馬場錬成、中公新書、2009年）
『天才と異才の日本科学史』（後藤秀機、ミネルヴァ書房、2013年）
『私たちの道徳　小学五・六年生』（文部科学省、廣済堂あかつき、2014年、改訂版2017年）
『ノーベル平和賞の裏側で何が行われているのか？』（ゲイル・ルンデスタッド著、李敬史訳、彩図社、2020年）
「Z項について」（菊地直吉）
「DNA研究の米ノーベル賞受賞者、人種差別発言で名誉職剥奪」（CNN、2019年1月14日）
「自然科学系ノーベル賞に根強い「白人男性偏重」」（マーク・ジマー、日本版Newsweek電子版、2020年10月16日）
「戦前期日本の医学界とノーベル生理学・医学賞―推薦行動の分析を中心に―」（岡本拓司、『東京大学教養学部哲学・科学史部会　哲学・科学史論叢』第4号、2002年1月）
「ノーベル賞と日本―最初の化学賞受賞者が出るまで」（岡本拓司、『科学と教育』第67巻第1号、2019年）
「柴三郎のキセキ」（学校法人北里研究所HP）
「かにパルサーの閃光とパルサーを発見した女性天文学者の「栄光」」（吉田哲郎、sorae、2021年2月12日）

ナチスによるガス室でのユダヤ人虐殺はなかった（ホロコースト否定論）

陰謀論

ガス室を爆撃しなかったのは、虐殺を知らなかったから

　ナチス・ドイツによるユダヤ人虐殺、いわゆるホロコーストは歴史に残る蛮行であった。ガス室での虐殺（以降、「ガス室での虐殺」を〈ガス殺〉と呼称）が行われた最大規模の収容所〝アウシュヴィッツ〟は今日では黙示録的な響きを持つ。なるほど、確かにあまりにおぞましい行為ではある……ただ、それが本当にあったことならば、だ。

　アドルフ・ヒトラーのイメージが歴史上最大の暴君となり、ナチスが悪の権化の組織とイメージされるようになったため、いわゆる「正統派の歴史」を見直し歴史検証すること自体がタブーとなっている。だが、果敢にもこのテーマに挑戦した人々は、ガス室の存在と〈ガス殺〉を〝ホロコースト神話〟と呼べるだけの理由を発見していた。

　1944年夏、アメリカ軍はアウシュヴィッツ収容所付近の精油所と燃料工場を爆撃した。だが彼らは少し先の〝ガス室〟を爆撃して、ユダヤ人収容者を助けることはしなかった。

　誤爆による損害を恐れたというのは口実にすぎない。戦後救出された収容者は施設内のゴム工場空襲の爆音を聞き、自分たちは爆撃で死ぬのは怖くなかった、爆弾が落ちるごとに救出への希望を感じたと証言している。

　アメリカ・イギリス（米英）軍が〝ガス室〟を爆撃しなかったのは、彼らはユダヤ人虐殺など知らず緊急救出の必要を感じていなかったからだ。また、連合軍はナチ

スの通信を傍受していたが、そこには〈ガス殺〉の事実はなかった。ガス室は存在しなかったのだ。

柵は簡単に移動できないし、煙突から煙が出ていないのもおかしい

アメリカで作成され全世界で放映された長編テレビシリーズ『ホロコースト』に触発され、ＣＩＡの2人の職員がアウシュヴィッツ空撮写真を含む報告書を発表したことがある。だがその後、カナダの写真専門家ジョン・ボールが高画質の専用紙を使い、その写真を本にまとめた。その本で様々な疑問点を指摘し、彼の同志もそれに続いた。以下がその概要だ。

○同じ場所を数日開けて写した写真で、収容所を囲む柵が移動しているのが確認できる。地面に刺し、有刺鉄線で間を連結して電流を流してある鉄製の柵が、簡単に移動できるはずがない。

○〝ガス室〟は畑の真ん中に位置していた、これでは殺人工場は付近の住民にまる見えだ。

○火葬場とされた煙突から煙が出ておらず、遺体を焼く燃料の堆積も確認できない。

そして〝ガス室〟といわれた施設を詳細に検証すると、部屋は密閉性が満たされておらず、ガスを強制排除する換気口もない。施設の残骸を調べたところ、青酸の残存量は、〝ガス室〟の残骸より、シラミ駆除目的で青酸剤が使われた脱衣所の残骸の方が多かった。だから、該当施設は殺人目的の〝ガス室〟であったはずはない。

それに、〈ガス殺〉稼働の後工程とされた遺体火葬だが、大量殺害に続く大量火葬をするには火葬炉が少なすぎる。その上、連続火葬に必要な燃料もないことが、処刑機器専門家フレッド・ロイヒターをはじめとした、多くの人々に指摘されている。

ガス室の屋根に孔がなかったのが証拠

また、〈ガス殺〉の目撃者たちの証言には深刻な矛盾があった。〈ガス殺〉の一連の流れは、次のように行われる。まず収容者を裸にしてシャワー室に偽装したガス

室に入れる。それから屋根に開いた開閉可能な小窓（概して孔と呼称されている）から固形状の青酸剤〝チクロンB〟を投入し体温で気化させる。そうやって部屋にガスを充満させて殺害にいたるというものだ。

ところが**犠牲者ごとに大きな開きがあった**。**犠牲者が死にいたるまでの時間に関して、目撃者ごとに大きな開きがあった。**同じ錠剤を使いながら、こんなことがありうるだろうか。

また、屋根に上った毒物投入係は立ち上ってくる青酸ガスにやられてしまうだろう。それに、人畜殺傷目的なら二酸化炭素等別のガスもあるのに、**なぜナチスは費用と手間暇かけてわざわざ高価な固形青酸ガスを用いたのだろうか**。この固形錠剤はシラミ駆除目的の防虫剤にすぎないのだ。

動画「Goyim Goddess Zyklon B」はビートルズの『レット・イット・ビー』の節をチクロンBに置き換えて（Let It Be→Zyklon B）、この嘘を茶化している。

〝ガス室〟があったという説への最大の反論は「ノー・ホール、ノー・ホロコースト（孔がないなら、ホロコーストはない）」という韻を踏んだスローガンで表される。つまり、チクロンBの投入孔とされた〝ガス室〟の屋根に孔がなかったことが、〝ガス室〟がなかった説の証拠となる。

先の空撮写真に写っていないし、残骸からも、ガス室の屋根の孔は見つかっていない。

虐殺命令書も遺体解剖の記録もない

それに、ホロコーストの実在を唱える歴史家は誰一人として、ヒトラーのサイン入りのユダヤ人虐殺命令書を見つけていない。規律に厳格なドイツ人が書面なしにこのようなことを行うだろうか。

それどころか、イギリスの歴史家デイヴィッド・アーヴィングは、ナチス関連の書類の中からヒトラーがユダヤ人殺害を禁じる命令を出していた会話のメモを発見していた！

確かにヒトラーはユダヤ人を嫌悪していたが、当初彼はフランスから割譲（かつじょう）したアフリカのマダガスカル島にユダヤ人を移送し、現在のイスラエルのような国を造るつもりだった。そこにユダヤ人を封じ込めるつもりだったのだ。だが連合国によるドイツ船舶の航行妨害で、それも不可能になった。

戦後のニュルンベルグ軍事裁判で出てきた〝ガス室付きの収容所〟は実際には移送のためユダヤ人を一時的に集めていた場所にすぎない。だが施設内でチフスが蔓延（まんえん）し、連合国による物資輸送の妨害もあり、病死者が相次いだ。そこで、その遺体が〈ガス殺〉されたことになったのだ。

その証拠に、遺体を解剖し死因を特定した記録は存在しない。ドイツ・ソ連（独ソ）戦がドイツ側の敗色濃くなる中、わざわざ貴重な燃料を浪費し民間人殺害工場を運転し続ける必然性もない。

収容所内にはプールや売春宿、劇場、サッカー場が設置されていたが、ナチスはこれら娯楽施設と殺害専用施設を同じ敷地内に併設したのだろうか。１９４４年9月に赤十字の代表団がアウシュヴィッツを訪れたが、変な匂いもなく、煙もなかった。つまり、ガス室での虐殺と火葬場での大量消却の痕跡はなかったのだ。

囚人たちは貴重な労働力であり、彼らを理由なく虐待した職員が懲罰され、体調不良の囚人が療養し復帰した例もある。ヒトラーがユダヤ人殲滅（せんめつ）を昔から公言していたことを〈ガス殺〉の傍証と捉える向きもある。だが、北朝鮮が長いこと対米・対南戦争を四六時中公言しても、朝鮮戦争以来戦争は起きていないという実例がある。

哀しいことに、歴史の真実を探ろうとする人々は、世間から〝ホロコースト否定論者〟という汚名を着せられる。そして入国禁止になったり、自宅謹慎を余儀なくされたりしているのが実情だ。

真相

否定論は戦後76年を経ても消えない

世に多くある陰謀論の中で、「ナチスによるユダヤ人虐殺は存在しない」「〝ガス室〟など捏造だ」という論は戦後76年を経過した今も消えない。大はイランのアハマデネジャド前大統領がホロコーストを疑問視する発言を繰り返しては悶着（もんちゃく）を起こしたし、小は日本のツイッターで同論が持てはやされ著名人が信者となり関連書が出版された。２０１４年2月には図書館所蔵の『アンネの日記』（ユダヤ系ドイツ人の少女アンネが収容所に連行されるまでの2年間の記録）切り裂き事件もあった。

ホロコーストの生存者が造った国であるイスラエルと対立するアラブ諸国では、ホロコースト否定論は人気があるようだ。その政治的立場によって歴史的事件の事実認識が著しく異なるのは日常茶飯事だ（朝日新聞と産経新聞の「南京事件」認識や本多勝一氏と古森義久氏のベトナム戦争後のインドシナを描いたルポは同じ出来事とは思えないレベルの差があり、その典型）。だが、当事者にとっては迷惑この上ない話だろう。

なお、本稿中ではホロコーストに関する正史を**〈公式論〉**、ホロコーストの存在否定を**〈ホロコースト否定論〉**、疑う人々を**〈ホロコースト否定論者〉**と呼ぶこととする。

心理的負担軽減のため、虐殺手法は進んだ

ユダヤ人を列車で収容所に移送し、敷地内の〝ガス室〟で殺害し、遺体を即座に焼却して証拠隠滅を図る。このベルトコンベア式の〝殺人工場〟システムは、ユダヤ人虐殺の始まった頃から存在していたわけではない。

１９４１年6月22日の独ソ戦開始以来、ナチスの移動殺戮部隊（アイザックグルッペン）がドイツ占領地域内のユダヤ人を選別し銃殺する任を負っていた。殺人が問題とならぬ戦時下の軍隊とはいえ、異様な任務内容に様々な問題が発生した。

多くの人に処刑が目撃されたため、「ナチスがユダヤ民間人を大量処刑している」という噂があっという間に広まった。女・子供を含む無抵抗の民間人大量処刑をさせられた部隊員の方も

ナチス・ドイツが支配したポーランドのレシュノでも、アイザックグルッペンによる処刑が行われた（1939年10月）。

ショックが大きく、処刑遂行後に嘔吐する者もいた。

すでにこの頃からユダヤ人処刑を指して「殺す」「殺害する」という表現は避けられ、「処分する」「選び捨てる」「粛清する」「移住させる」「一掃する」といった婉曲語法が用いられていた。

最初の〈ガス殺〉は、トラックの中に作った小部屋に人を閉じ込め、ディーゼルエンジンの排気ガスの一酸化炭素で殺害する方法だった。だが、殺害対象が膨大だったため〝効率〟が悪かった。ここでも処刑した側の心理的ショックの問題（遺体は反吐や糞尿にまみれていた）が、解決できなかった。

次の手法が、収容所内のシャワー室に擬した部屋に人を入れ、一酸化炭素を充満させるやり方だった。これなら閉鎖空間内での処刑だから目撃者はいない。だが、これも長続きしなかった。

そこでついに、〝ガス室〟の天井に開いた孔に挿入された金網式の筒に、固形の青酸ガス剤〝チクロンB〟を投入し気化させる手法にいたった。

ナチ側から見るとこの手法にはメリットが多くあった。殺害が機械的になることで〝殺す側〟の心理的ショックが減少する。大量処刑が可能になることで〝殺す側〟の頭数も減らせる。

それに、チクロンBを使うことで、ガスを発生させるときに重い容器を持ち運ばなくとも済む。収容されていたユダヤ人を遺体処分役〝ゾンダーコマンド（特殊部隊。ユダヤ人から選抜し、数ヶ月の延命と引き換えに、同胞であるユダヤ人の死体処理に従事させた）〟に任命することで、ナチス側の心理的ショックもほとんどなくなった。

以上が、「陰謀論」にある「なぜ費用と手間暇かけて高価な固形青酸ガスを用いたのか」という疑問への答えである。

軍の到着時に遺体は残っていなかった

〈ホロコースト否定論者〉は〈公式論〉中の特定事実を示して〝こんなことがありうるだろうか〟〝これを信じろと言うのだろうか〟という論法を好む。例えば「〈ガス殺〉されたという遺体を解剖し、死因を特定した記録は1つもない」「ヒトラーの署名入りの〈ガス殺〉命令書は存在しない」「連合軍が捕獲したドイツの膨大な書類の中に〝ガス室〟の存在を示す証拠はない」などである。

その他にも「大量殺害目的の収容所になぜ、水泳プールや売春宿、劇場、サッカー場という娯楽歓待施設があるのか」「囚人を虐待した職員が罰せられ、弱った囚人が隔離収容所の病院で手当てを受け回復した後、復帰していた」「〝ガス室〟より脱衣所の方が（毒ガス成分の）青酸の残存が多いのはおかしい」等もある。

骨粉砕機の横に立つゾンダーコマンド

これらを知った人々が驚き、〈ホロコースト否定論〉にはまるさまは、ウェブのQ&Aや読者のレビューでよく見られる。

だがすべてはそれぞれの記述を考察すれば謎が解けるトリックだった。〈ガス殺〉遺体の解剖・検死云々だが、ガス室稼働中にソ連軍が到着し施設を占領したなら解剖や検死もできたかもしれない。だが、運営役の親衛隊がソ連軍の侵攻を察知して証拠隠滅を図り、ガス室の稼働を停止し破壊した。

つまり、軍が到着した時点で〈ガス殺〉遺体は焼却され残っていないため、検死も解剖も不可能だったのだ。ただし、〈ガス殺〉された女性囚人の毛髪が生地作成用に残されており、そこから青酸が検出されていて〈ガス殺〉の証拠となっている

命令書が存在しない例は多い

アドルフ・ヒトラーによる〈ガス殺〉命令書が存在しないのは事実だ。だが、ソ連のスターリン首相やカンボジアのポル・ポト首相、中国の毛沢東主席ら、数百万人の自国民の大量虐殺や処刑、大量殺人につながった武装闘争等を行った国のトップの命令書や指示書が存在しな

い例は珍しくはない。

また、強制収容所の運営は、ガス室ができる前にヒトラーの元警護隊で私兵でもある親衛隊が統括運営することになったため、命令系統が軍とは異なる。親衛隊はヒトラーの指示書がなくとも命令で動けたため、「指示書がない行動をしたら違反」という概念は元からないのだ。

水晶の夜の後、破壊されたミュンヘンのシナゴーグ（ユダヤ教の会堂）

1938年11月9日夜から10日未明にかけて、〝水晶の夜〟と呼ばれる事件があった。それは、ユダヤ人青年によるパリのドイツ大使館員殺害への報復として、ドイツ全土で突撃隊を中心にユダヤ人街が破壊され、ユダヤ人が殺害されたという事件だった。そのときも、文書命令などはなかった。

獅子身中の虫であった突撃隊を粛清したときには、その突撃隊がクーデターを企てているという情報があった。陸軍は情報を得ると、すぐに行動を起こしたが、このときもヒトラーの文書命令はなかった。

突撃隊隊長エルンスト・レームにはヒトラー本人から口頭で自決強制があった。だが、エルンスト・レームはこれを拒否し、処刑されている。

エルンスト・レーム

ヒトラーのパーソナリティとナチス＝ドイツの命令・指揮という点から考えれば、命令書や指示書などなくてもおかしくはないのである。

また、独ソ戦は空前の民族絶滅戦争となりナチスはソ連市民を無差別に大量殺戮したが、ヒトラーは改選前の指示書で「政治将校のうち、不服従な者を処分せよ」と命じていただけだった。

ホロコーストに関与した人員の千倍以上の軍上層部、兵士たちは総統閣下の命令書なしに絶滅戦をしたのである。

ナチスの書類は婉曲語法に満ちている

ドイツ政府の公文書内の〈ガス殺〉の証拠だが、ベルリン陥落後、連合国はナチスの莫大な量の書類を押収した。人類の歴史上、機密書類を含め、これほど多くの書類が手に入った例は珍しいといわれる。

最近でも、これらの書類とともに押収され保管されていたヒトラーの蔵書から、彼の思考パターンやユダヤ人虐殺に影響を及ぼした愛読書の分析がなされている。

書類の中には占領地帯におけるユダヤ人掃討作戦の報告もあった。そこでは「ユダヤ人問題の最終解決」「再定住」「追放」というフレーズが繰り返し使われていた。〈公式〉側は「再定住」は「処刑」、「追放」は「射殺」、「特別任務」は「処刑」の婉曲語法であると指摘したが、〈ホロコースト否定論者〉は牽強付会と嘲笑した。

しかし非合法活動に隠語が使われた例は多々ある。民間企業の経営者が盗聴を命じたときは〝耳のこと〟と表現され、田中角栄元首相はロッキード社からのワイロを〝ピーナツ〟と呼んだ。ニクソン大統領はウォーターゲート事件を〝１９７２年のこと〟、ＣＩＡ内部で外国要人暗殺工作を〝執行活動〟と称した。ソ連ＫＧＢは暗殺を〝濡れごと〟と呼び、暗殺破壊専門部門を〝Ｖ課〟〝第13課〟と呼称した。このように隠語の類例は多い。

ＣＩＡの場合、〝暗殺〟という用語を会議で用いた時点で議事録への記載が中止されたほどだ。あの、敵を殺しまくることで有名なイスラエルの諜報機関モサドでさえ、ターゲットの殺害が決議されても書類上は〝標的を絞った予防行為〟という超婉曲な用語となっている。

連合国が押収したナチスの書類だが、それらの文面には「我々は今日、リトアニアにおいてユダヤ人問題の解決という目標を達成したと確信した」とあったが、文書タイトルは「該当占領地における処刑リスト」であった。また、そこには「もはや占領地域内には（徴用した）労働者とその家族以外にユダヤ人はいないが、いずれ彼らのことも処刑することとなろう」ともあった。

婉曲語法説の大きな根拠は「処刑した」の文面に訂正線が引かれ「再定住させた」に書き直してある文書が見つかったことだ。強制収容所との連絡便には「処刑を担当するメンバーは〝戦時中の重要な特別任務〟を遂行したことにより報奨が付与される。いかなる状況下においても〝処刑〟という言い回しは厳禁とする」という一節もあった。

婉曲語法の典型が、２０１９年に原本が見つかった「フランケ・グリクシュ報告」と呼ばれるナチス親衛隊人事局少佐グリクシュのアウシュヴィッツ訪問記録である。タイトルは「ユダヤ人の再定住行動」だが、グリクシュが見分した「再定住行動」とは労働力として利用できない囚人をガス室で殺害することだった。その上で遺体から金歯や歯のすきまに隠した貴金属を奪った後に焼却することでもあった。

プールも売春宿も、利用できた囚人は一部

「収容所内にはプールや売春宿、劇場、サッカー場が設置されていたが、ナチスはこれら娯楽施設と殺害専用施設を同じ敷地内に併設したのだろうか」という疑問はどうか。当たり前だが、収容所内の娯楽施設の存在は〈ガス殺〉を否定する証拠にはならない。

「水泳用プール」は現存しているが、収容人数のわりにひどく小さい上、その位置も収容所の縁の、電流が流れる有刺鉄線近くにある。そのため、プールに飛び込みをしたら鉄線に水がかかり大変なことになる、というツッコミがあるほど変だった。

これはもともとは火災時放水用の貯水地で、2代目所長がプールを兼ねる設備に改造したものだ。泳げるのは親衛隊員かごくごく少数の囚人で、一般囚人は近くに寄ることさえできなかった。大体、外界とのゼロ距離地点にあるプールを囚人に利用させたら脱走する可能性がある。

売春宿にしても、利用できた囚人はプールと同様に幹部囚人と呼ばれたごく一部の者たちだけだった。そして、サッカーができたのは収容所を運営するナチス親衛隊員とゾンダーコマンドのメンバーだけだった。

各種娯楽施設は名ばかりの「囚人用」であった。娯楽施設の中には、以前は労働可能な囚人を〈ガス殺〉していたが、優先順位が変わり、労働者として利用する方を優先することになった際に作られた施設もあった。

虐殺と労働力確保のバランスを取っていた

「陰謀論」で紹介した「囚人たちを理由なく虐待した職員が懲罰され、体調不良の囚人が療養し復帰した例もある」という主張はどうだろう。

確かに、体調を崩した囚人が治療を受けることができ、虐待が禁止され、貨物列車で着いた囚人の殺害禁止指令があったことは事実だ。だがそれは、大戦後期に労働力が不足したため、以前なら許された囚人への理由なき虐待が禁止されただけだ。それに体調不良の囚人は即ガス室送りになったが、体調が回復すれば助かるチャンスができただけである。

それに到着時の即時〈ガス殺〉選別や回復しない囚人の〈ガス殺〉がなくなったわけではない。到着した囚人の殺害禁止は特定の1つの便のみに出たものだし、その便の囚人も結局は殺害されている。

だから、デイヴィッド・アーヴィングが言う、「ナチス関連の書類の中からヒトラーがユダヤ人殺害を禁じる命令を出していた会話のメモを発見し、〈ガス殺〉への強力な反証となった」という主張は成立しない。

着いた囚人を普通に扱うことが平常運航なら、なぜ特定の一移送についてのみヒトラー自らの「ベルリンから移送されたユダヤ人を、殺害しないこと」という指示が出たのだろうか。

ナチの二大目標である対ソ戦勝利とユダヤ人殲滅は、前者が頓挫した際、労働力の確保が急務となった。そこでユダヤ人の労働力投入割合を増やし、彼らの殺害のペースが落とされたのだ。

ナチスが「労働を通じた絶滅政策」という虐殺と、労働力確保のバランスを取っていたことは専門家の間では常識だ。ナチの上層部にはゲッベルスやヒムラーのように、ユダヤ人絶滅と軍需製品増産目的の労働力確保の並行を不快に思った者もいた。

赤十字が訪問したときの話にしても、収容所での虐殺

ハインリヒ・ヒムラー

情報が広まったため、ナチスが赤十字の訪問前に該当の各収容所を一時よそ行き仕様にしたことは有名な話だ。〈ホロコースト否定論者〉はこんな基本的なことさえ知らないふりをするのだ。

「青酸の残存量はガス室の残骸より、シラミ駆除目的で青酸剤が使われた脱衣所の残骸の方が多い。だから殺人目的のガス室ではあり得ない」という主張にも反論しておこう。

シラミは人間よりはるかに青酸に強い。シラミと人間の両方を殺すために青酸を使用したら、人間を詰め込んで殺害した後の残存が、シラミを殺した後の残存より少ないのは当たり前だ。囚人が吸い込んだ分青酸ガスの壁への付着は減ってしまうからだ。

シンポジウムでも空爆で破壊は難しいという結論に

では、「米英軍が〝ガス室〟を爆撃しなかったのは、彼らはユダヤ人虐殺など知らず、緊急救出の必要を感じていなかったから」という件はどうか。

1998年、米英の戦時指導者がホロコーストの存在を知っていたと唱える本『Official Secrets: What the Nazis Planned, What the British and Americans Knew』（邦訳『封印されたホロコースト　ローズヴェルト、チャーチルはどこまで知っていたか』リチャード・ブライトマン著、川上洸訳、大月書店）が刊行された。

著者によれば、米英はドイツ軍の無線通信を暗号解読し、アウシュヴィッツからの逃亡者の報告を受け、〈ガス殺〉の事実を知っていたという。だが、ユダヤ人を見殺しにした後ろめたさから、その事実を戦後数十年間〝封印〟してきたというのだ。

この本は話題を呼んだが、「アウシュヴィッツはなぜ爆撃されなかったか」というテーマは歴史論争では古典で、この本が唱えた話も、おおよそのことは研究者の間ですでに出ていた。

1993年4月30日、アメリカのスミソニアン博物館において、ホロコースト博物館の開館に合わせて、歴史家や軍人、CIAの写真分析官らが集い、問題を討論するシンポジウムが開催された。（その模様は『The Bombing of Auschwitz: Should the Allies Have Attempted It?』2000年に収録されている）

シンポジウムでは、CIAの写真分析官ディノ・ブルジオニが、〈ガス殺〉の模様を写した偵察写真があっても、ユダヤ人虐殺を止めるのに役立たなかった理由を挙げていた。

偵察写真の主な目的は敵軍勢の動きや軍備増強、とりわけ当時ナチスが開発していたV1、V2といった長距離ミサイルの展開の把握にあった。アウシュヴィッツを撮影したとしても、写真解析班の興味はガス室でなく脇の燃料所とゴム工場にあった。また、当時の解析技術では写真拡大に限界があり、ガス室稼働の模様は細かくは把握できなかったという。

連合国側は、収容所逃亡者4人の目撃談とイラストに加え、ナチスの暗号通信を解読し、〈ガス殺〉の事実を詳細に把握していた。しかし、**内容を公表すればドイツ側に暗号解読の事実を知られてしまい、彼らが暗号コードを変えてしまう可能性があった。**だから、この情報をもとにナチスを批判することは不可能だった。

また、ガス室を爆撃した場合、誤爆で囚人に死者が出る可能性や怒り狂ったナチスが囚人を殺害する可能性があり、一度の爆撃でガス室すべてを破壊できない可能性が大きかったことも爆撃中止の理由となった。

ガス室破壊に一番適した攻撃は地上軍の侵攻で、ナチスを殲滅すればガス室も稼働不可能になる。そのため、連合軍によるドイツ諸都市爆撃と、ソ連地上軍によるアウシュヴィッツ解放という歴史の成り行きは、変わらなかったというのがシンポジウムの結論である。

以上により、「米英軍がガス室を爆撃しなかったのは、ユダヤ人虐殺など知らず緊急救出の必要を感じていなかったから」という主張は成立しないと言っていいだろう。

ロイヒターは専門的訓練を受けていない

〈ホロコースト否定論者〉の言う〝アウシュヴィッツの嘘〟の主要な根拠に、前述の処刑機器専門家フレッド・ロイヒターがまとめた〝ロイヒター・レポート〟がある。そこには「青酸ガスは爆発し得るが、〝ガス室〟と火葬場が近すぎて爆発する可能性がある」「青酸による〝ガス室〟の燻蒸（くんじょう）は部屋に密閉性がなく漏れてしまい、近くの人が巻き込まれる」などと書かれている。

　また、フレッド・ロイヒターは「〈ガス殺〉後、十分な換気がないと、〝ガス室〟のドアを開け遺体処理をする際に作業員が危険だ」「〝ガス室〟の青酸の残滓（ざんし）量が脱衣所より少ない」「〝ガス室〟近くの火葬場で、〈ガス殺〉されただけの遺体を焼却するのは不可能だ」などと述べ、〝ガス室〟の存在を全面否定した。そこで、〈ホロコースト否定論者〉はロイヒターの報告書を崇（あが）め続けている。

　しかし、まず説明せねばならないのは、ロイヒターは処刑機器扱い業を営んではいたが、大学では哲学専攻で工学の学位も資格もなかったということである。それに、生物学、毒物学、科学のすべてで専門的訓練を受けていないのだ。フレッド・ロイヒターが営んでいたのも、1人の人間の処刑機器取り扱いで、大規模設備の大量処刑を語るのは元から無理だった。

　だが、ロイヒター・レポート最新版には「本物のガス室とは、このようなものです」とのキャプション付きで、既存のガス処刑室の横にドヤ顔で座る本人写真が掲載されている。ところが、これは1人用の個部屋処刑室で、語るに落ちたとはこのことだ。

「〝ガス室〟の密閉性」に関しては、ドアの納品書類には「ガス密閉性ドア」を納品したと記されていた。ドアの実物が残っているが、**ドアの内側の四辺にはゴムが施されており、徹底した密閉構造だった。**施設の壁の残骸からはレンガの隙間をコンクリートで埋めてあったことや、排気ダクトの残骸も確認できる、つまり、「部屋は密閉性が満たされておらず、排気設備もなかった」という陰謀論は嘘だったのだ。

　最後に言うと、フレッド・ロイヒターはガス室の残骸を砕いて収取してはいたが、彼が鑑定を依頼した検査所の方では残骸の破片を砕いてサンプルとしていた。そのため、ガス室の青酸が付着していた内壁表面部分と、付着していない壁の内側部分とが混合してしまい、青酸残存量の鑑定が不正確になっていた。

また、ロイヒターはガス室と火葬場が近接したら青酸ガスが爆発すると述べたが、このガスの爆発可能濃度は人の致死量をはるかに超えている。つまり、**爆発可能濃度に達する前に致死量に達するので、その時点でガス室の中の人は死んでしまう。だから爆発の心配をする必要などない**わけだが、一見科学的に見える否定派のこのミスリードに騙される人や、受け売りで情報拡散する人は後を絶たない。

焼却炉におかしなところはなかった

「陰謀論」の「大量殺害に続く大量火葬をするには火葬炉が少なすぎる。連続火葬に必要な燃料もない」だが、通常の火葬場では一度に1人焼却する。だが、それは慣習に基づく使用法である。ガス室近くの火葬場では複数遺体を一度に焼却するので、「火葬炉が少なすぎる」ことも「必要な燃料がない」こともないのだ。

また、通常の火葬場で焼かれる遺体は脂肪分の少ない老人や病死者が大半だが、アウシュヴィッツでは〈ガス殺〉直後の脂肪分の多い遺体が大半だった。それで、燃えやすく、燃料は少なくて済んだのだ。

過剰な肥満体が多いアメリカで、遺体焼却時に大量の脂肪が燃焼し、火葬炉が過熱状態となって炉から火が噴き出したことがあった。だが、アウシュヴィッツでは焼却炉から流れ出た脂肪を燃料に使用するケースもあった。

ナチス側の焼却炉設計時の機能算定書類では、実際の稼働推定より多い焼却可能数が出ていた。つまり、ナチスの焼却炉にはおかしなところは何もなかったのだ。

デジタル技術の発達で、投入孔が可視化された

ＣＩＡの2人の職員による報告書に掲載されていたアウシュヴィッツの空撮写真だが、90年代に入り、デジタル加工技術が発達すると、より多くの情報が確認できるようになった。その結果、ガス室に向かう人員の隊列が

ジグザグに乱れていることが判別できるようになった。

そんな隊列の組み方では、軍人の行進とはいえない。アウシュヴィッツの日々の稼働記録ではその日にガス室で処刑が行われていた。写真で確認できる人々の動きはその記録と一致した。

デジタル化による最も大きな発見は、ガス室の屋根に開いたチクロンＢの投入孔が可視化されたことだ。建物を地上から撮影した写真やチクロンＢを投入した人物の証言と航空写真は一致した。

かくて何の関連もない証拠と物証と証言も一致し、ガス室の存在はさらに揺るぎないものとなった。

ところが、〈ホロコースト否定論〉側はネガは改ざんされていたと反論した。だがネガは一組22・5センチ×45メートルの巨大なロールに巻かれていた。

ロールの中から特定の数枚を切り出し再度接着して戻した場合、拡大すると接合部が判別できてしまう。一コマずつ見たが、その痕跡はなかった。

ネガはオリジナルとコピーがあるが、共に改ざんの跡も接着痕もない。ネガはＤＩＡ（アメリカ国防情報局）↓ＣＩＡ↓記録保存所という経路を辿っており、その間誰かが改ざんしたら、気づかれないことなどあり得なかった。

そして、〈ホロコースト否定論者〉の言う「一晩で移動する柵の怪」の真相とは、**「建物を囲む草木製の枠」を彼らが柵と誤認していた**、というお粗末なものであった。収容所を取り囲む脱走防止用の鉄状網は上空から見ても線でなく点にしかならないのだ。つまり、〝柵〟が連続していたということは鉄状網ではないし、草木製の枠は簡単に動かせるので、一晩で移動していてもおかしくない、ということだ。

「〝ガス室〟は畑の真ん中に位置していた。殺人工場は付近の住民にまる見えだ」という話も、近辺の土地は親衛隊が購入しており無意味な議論だった。つまり、**近辺の土地も親衛隊が購入しているので、付近の住民に見られる心配もなかった。**

そして、ジョン・ボールは「ガス室の煙突から煙が出ていない」と主張するが、彼は自分の写真集に掲載してある写真に煙が映っているものもあることに気づいていないだけなのだ。また、彼が協力しているホームページ（「Air Photo Evidence: maps drawn from World War 2 photos Researched and built by: The Committee for Historical Truth」現在はリンク切れ）ではドイツ軍の1944年7月8日の空撮写真が使われているが、同じ日に写された一連の写真に火葬の煙がはっきり写っているものもある。だが、そちらの方は紹介されていない。

また、航空写真に「遺体を焼く燃料の堆積も確認できない」というが、ジョン・ボールは燃料は常時野ざらしだと思い込んでいるようだ。燃料は倉庫に入っているという常識もないのだろう。

「チフスによる病死者の遺体が〈ガス殺〉されただけ」への反論

後年、ガス室の残骸の中から屋根の投入孔の残滓が見つかり、先の空撮写真と位置も一致した。だが〈ホロコースト否定論者〉曰く、その〝孔〟は個数が一致せず、年代ごとの接写写真で見ると大きさが変わっており、戦後に捏造された証拠だという。

〝孔〟の個数に関しては未発見の投入孔残骸があるだけだ。一方、孔の大きさが変化したことに関しては明確な理由は不明だ。アウシュヴィッツを訪れた人が孔の中に体を入れている写真があるが、現状破壊につながるのでアウシュヴィッツ記念館の許可を得ているとは思えない。

屋外には監視カメラがないようだ。かつてフレッド・ロイヒターが、無許可でガス室の残骸を砕いて持ち帰ったことがある。監視カメラがないのをいいことに、何者かが孔を広げて、孔の大きさを変えたのだと思われる。

また、アウシュヴィッツでは匂いのない仕様のチクロンBが導入されていたが、これは〈ガス殺〉の証拠とされている。概していうと害虫駆除用の薬品に匂いがついているのは、薬物が散布された後、付近に人が寄り付かないようにするためだ。だが、ナチスは通常なら匂い付きである気化性の猛毒青酸剤チクロンBを無臭仕様で発注した。それはなぜか？

匂いがあると、部外者が訪れた際、害虫駆除以外の目的（ガス殺）で使っていたときに気づかれやすくなってしまうからだ。つまり、通常とは違う使い方をしていることを気づかせないためだったのであろう。

戦後の戦犯裁判の1つ〝チクロンB裁判〟で、製造元の社員はチクロンBの無臭版製造は〈ガス殺〉協力罪に当たるとして死刑となっている。

特筆すべきは、アウシュヴィッツは他の収容所に比べて、死亡率がやたら高いことだ。チフスの死亡率は高くて30％で、収容所の重労働と劣悪な環境では、アンネ・フランクもベルダン・ベルゼン収容所でチフスで亡くなっている。

アウシュヴィッツで「どんな大量のシラミでも駆除できる量のチクロンB」を使用していたことは事実だ。だが、〈ホロコースト否定論者〉が言う「シラミを媒介として、信じ難いほど多くの囚人たちがチフスで死んだ」という説はあり得ないだろう。

まず、そんなに大量の強力殺虫剤を使用しながら、なぜシラミ媒介のチフスが大規模に蔓延したのかの説明がつかない。アウシュヴィッツの全期死亡率は実に85％で、ガス室がなくチフスが蔓延したダッハウ強制収容所は20％もいかない。アンネ・フランクが死亡したベルダン・ベルゼンは特に環境が悪く、赤痢・チフス・結核の蔓延、それに水と食料が欠乏していたが、それでも死亡率は55％だった。アウシュヴィッツの死亡率だけこんなに高いのは、そこで意図的かつ効率的な殺人システムが稼働していない限り説明できない。

また、ナチスが運営していた各収容所の中でチフスの蔓延が特にひどかった収容所は解放後、建物を焼却して殺菌している。アウシュヴィッツからの撤退の際、ナチスはガス室と倉庫を破壊したが、囚人居住区は残していた。大規模チフスが蔓延していたのが事実なら、アウシュヴィッツは囚人区画のほとんどを焼却せねばならなかったが、そのような事実はない。

チフスで死んだユダヤ人がいたことは確かだ。だが、〈チフス罹患から死亡まで〉と〈アウシュヴィッツ到着から死亡まで〉の期間では後者の方が圧倒的に短い。〈ガス殺〉があったからこそ、〈アウシュヴィッツ到着から死亡まで〉の方が極端に短くなったのだ。

死亡までの時間差はガス室内の人数差で生じた

ガス室が存在するという証言は、収容所のゾンダーコマンドや逃亡した囚人によるもの、生き残った囚人や現場のナチによるもの等、膨大にある。だが〈ホロコースト否定論者〉曰く、囚人の証言は偽証で、ナチ側証言は拷問して言わせたという。

ナチスが崩壊し、ナチス側の人間が戦犯裁判にかけられると、〈ガス殺〉の存在が明らかになった。それでも、〈ホロコースト否定論者〉は勝者による戦犯裁判だと否定した。アウシュヴィッツ所長のルドルフ・ヘスへの拷問があったためとして、戦犯たちの自白を完全否定した。

だが、ルドルフ・ヘスは死刑判決後に書いた回想録『アウシュヴィッツ収容所』（邦訳は講談社学術文庫）でも〈ガス殺〉を認めている。ヘスは逮捕時に当初偽名を使いとぼけたが、自分が所長と認めた後は殺戮を認めた。「私はヒムラーから命令を受けただけで、私は兵士で君もそうだ。我々は命令に従うしかない」と責任回避に徹した。だが、いったんしゃべり始めると話が止まらなかった。尋問側が〈ガス殺〉証言を強要した事実はない。

アウシュヴィッツ所長ルドルフ・ヘス

また、ガス室情報と証言は戦時中からあった。

米英の諜報機関はナチス本部と外部との暗号通信を傍受解析し、「総統本部」が350万から400万人のユダヤ人を東欧に追放し殺害を企てていたことを知っていた。青酸ガスによる殺害が手段に含まれることもわかっていた。

ヒトラーが〈ガス殺〉を知っており、チクロンBが青酸ガスを使用する計画に基づいて生産されたことも完全に証明されている。収容者の2人が逃亡して目撃談を語り、その模様は大きく報道された。目撃談の内容は戦後確認されたことと一致した。

また、ゾンダーコマンドの証言も多々あった。彼らの証言内に、チクロンBの投入から気化、収容者の死亡までの所要時間に著しい差が見られたのは事実だ。だが、それは同じガス室を使っても、処刑のため部屋に入れられた人数が毎回異なっていたためだ。室内の気温が気化に必要な温度まで上昇する時間に差があったのである。

自らの体験を後世に残すため、ゾンダーコマンド数人が手記をビンに入れて収容所の地中に埋めたものが戦後発見されている。経年による劣化で判読不能なものもあったが、21世紀の最新のデジタル処理で判読可能となった。その模様は著作『アウシュヴィッツの巻物　証言資料』やテレビ番組『NHKスペシャル　アウシュビッツ　死者たちの告白』（2020年8月16日放映）で紹介されている。

また、戦犯裁判は大戦直後だけでなく、1960年代にもたびたび開かれた。その席でも〈ガス殺〉の有無がひっくり返ったことはない。

アイヒマンが証言を強要された痕跡は皆無

「陰謀論」にある、「ホロコースト否定論者は、入国禁止になったり自宅謹慎を余儀なくされたりしている」にも反論しておこう。

確かに（旧）西ドイツではホロコースト否定論の主張自体が禁じられていた。だが、大戦直後のように軍による拘禁があるわけでもなく、裁判でも発言は自由にできた。また、戦後世界各地に逃亡し、安住の地を得た戦犯たちは、ユダヤ人虐殺を堂々と認めている。それになにより、〝ガス室〟は「殺した側」「殺された側」「手伝った側」の証言が一致し、事実と確定しているのだ。

ナチス親衛隊大佐でユダヤ人虐殺の中心人物であり、1960年、潜伏中のアルゼンチンから拉致されイスラエルに送還されたアドルフ・アイヒマンは、イスラエル警察による尋問でも裁判でも、ユダヤ人虐殺や〝ガス室〟を一切否定しなかった。ただただ〝自分は命令に従っただけ〟と弁明するのみであった（この裁判は、ナチス関連では戦後最大の裁判となった）。

1961年のエルサレムでの裁判中のアイヒマン

アドルフ・アイヒマンが拷問や強要を受けて〝ガス室〟の存在を言わされた痕跡は皆無だ。〈ホロコースト否定論者〉は「アウシュヴィッツ所長ヘスは拷問を受けて〝ガス室〟証言を強要させられた」と言うが、アイヒマンのケースは無視するようだ。

筆者はアイヒマン裁判の二千数百ページに及ぶ全証言記録『The Trial of Adolf Eichmann（アドルフ・アイヒマン裁判）』（1993年）全6巻を持っている。今回〈ガス殺〉に関する証言をすべてチェックしたが、アイヒマンはユダヤ人到着から選別、ガス室行き、遺体の焼却炉移動までを確認しており、ゾンダーコマンドから作業内容を聞いたと証言している。イスラエル側から誘導尋問や〈ガス殺〉証言を言わされた痕跡はなかった。

世代が変わると不正確な話を蒸し返される

最後に、〈ホロコースト否定論者〉は、ガス室の存在をどう否定して、別の説明をしようとしたかを論じておきたい。〈ホロコースト否定論者〉によると、遺体置場（ガス室）のドアが密閉性だったのは〝ガス室〟だったからでなく、敵軍が毒ガス攻撃を仕掛けてきたときに防空壕として使用するためだったという。だがその〝防空壕〟は収容所運営の親衛隊員の総数から見てあまりに小さい上、司令官一家の宿舎と距離が一番遠い位置にあるため、防空壕とは考えられない。現実に爆撃があったときに防空壕として利用されたという証言もない。

一方、〈ホロコースト否定論者〉による別の説もある。シャワー室に偽装したとされるガス室は本物のシャワー室だという。アウシュヴィッツの設計図には確かにシャワーがあったが、〈ホロコースト否定論者〉サミュエル・クロウェルによると、シャワー関連の報告書には過大な願望が反映されているという。

シャワー室には面積のわりにごく少数のシャワーしか

なかったが、それは人が体を洗う目的でなく、遺体洗浄用だったからだという。〈公式論〉の「脱衣所で服を脱いだユダヤ人を、シャワー室に擬したガス室で殺害し、遺体を火葬場で焼却する」という工程は誤りだというのだ。実際は「脱衣所で遺体の服を脱がした後で、脱衣所内に設置されたシャワー室で遺体を洗浄し、焼却する」という。この場合、シャワーの数も少しで済むという。

しかし、人の頭より少し高い位置のシャワーでどうやって遺体を洗うのだろうか。遺体を床に置いたままでは、シャワーから出た水が拡散して洗いにくいだろう。

そもそも、「遺体洗浄用のシャワー室説」も成り立たない。**設計図中のシャワー室のシャワーには水道管の接続がなく、シャワー室には排水口もない。**ガス室の瓦礫(がれき)から見つかったシャワー先端に開いた孔は小さすぎて水が出ないため、シャワーとして利用することは不可能だった。

〈ホロコースト否定論者〉は数多い陰謀論の中で長命だがマイナーだ。そのため、〈ホロコースト否定論者〉の言い分も反論も知る人の絶対数が少なく、世代が変わればとっくの昔に不正確と判明した話を蒸し返すことが可能だ。知識のない人が初めて聞くと不正確な話を信じてしまい、ハマるということを繰り返していた。

だが2001年、〈ホロコースト否定論者〉の大立物デイヴィッド・アーヴィングがホロコーストを巡る名誉毀損裁判で敗北し〈ホロコースト否定論〉から転向した。ユダヤ人数百万人が虐殺されたことを認めたのだ。

〈ホロコースト否定論者〉の機関誌『ジャーナル・オブ・ヒストリカルレビュー』は2002年以降、新規発刊はなく事実上活動を停止しており、開店休業状態となった。

かように〈ホロコースト否定論〉は欧米では息も絶え絶えで日本でも同じ道を辿っている。SNSではウケたとしてもコップの中の嵐というのが現状だ。（奥菜秀次）

参考文献
『ホロコースト——ナチスによる大量殺戮の全貌』（芝健介、中公新書）
『ホロコースト全証言——ナチ虐殺戦の全体像』（グイド・クノップ著、高木玲・藤島純一訳、原書房）
『ホロコースト全史』（マイケル・ベーレンバウム著、石川順子・高橋

宏訳、創元社）
『なぜ人はニセ科学を信じるのか――UFO、カルト、心霊、超能力のウソ』（マイクル・シャーマー、岡田靖史訳、早川書房）
『ヨーロッパ・ユダヤ人の絶滅〈上・下〉』（ラウル・ヒルバーグ、望田幸男・原田一美・井上茂子訳、志水真裕美・服部伸・片山良己翻訳協力、柏書房）
『死刑産業』（スティーヴン・トロンブレイ、藤田真利子訳、作品社）
『独ソ戦とホロコースト』（永岑三千輝、日本経済評論社）
『ホロコースト歴史地図――1918～1948』（マーチン・ギルバート著、滝川義人訳、東洋書林）
『わが闘争』（アドルフ・ヒトラー著、平野一郎・将積茂訳、角川文庫）
『アウシュヴィッツ「ガス室」の真実』（西岡昌記著、沢口企画）
『戦後最大のタブー！ ホロコースト論争 完全解説』（加藤継志著、沢口企画）
『ヒトラーの戦争1～3』（デイヴィッド・アーヴィング著、赤羽龍夫訳、早川文庫）
『アドルフ・ヒトラー1～4』（ジョン・トーランド著、永井淳訳、集英社）
『ホロコーストを知らなかったという嘘――ドイツ市民はどこまで知っていたのか』（フランク・パヨール、ディーター・ポール著、中村浩平・中村仁訳、現代書館）
『ホロコーストを次世代に伝える――アウシュヴィッツ・ミュージアムのガイドとして』（中谷剛著、岩波ブックレット）
『増補 普通の人々 ホロコーストと第101警察予備大隊』（クリストファー・R・ブラウニング、谷喬夫訳、ちくま学芸文庫）
『否定と肯定 ホロコーストの真実をめぐる戦い』（デボラ・E・リップシュタット、山中やよい訳、ハーパーBOOKS）
『ホロコーストの真実〈上・下〉――大量虐殺否定者たちの嘘ともくろみ』（デボラ・E・リップシュタット著、滝川義人訳、恒友出版）
『ブラックアース〈上・下〉ホロコーストの歴史と警告』（ティモシー・スナイダー著、池田年穂訳、慶應義塾大学出版会）
『ブラッドランド〈上・下〉ヒトラーとスターリン 大虐殺の真実』（ティモシー・スナイダー著、布施由紀子訳、筑摩書房）
『アウシュヴィッツと〈アウシュヴィッツの嘘〉』（ティル・バスティアン著、石田勇治・星乃治彦・芝野由和編訳、白水社）
『ナチス・ドイツの外国人――強制労働の社会史』（矢野久著、現代書館）
『独ソ戦 絶滅戦争の惨禍』（大木毅著、岩波新書）
『アウシュヴィッツの巻物 証言資料』（ニコラス・チェア、ドミニク・ウィリアムズ著、二階宗人訳、みすず書房）
『アウシュヴィッツ収容所』（ルドルフ・ヘス著、片岡啓治訳、講談社学術文庫）
『アウシュビッツ ナチスとホロコースト』（アマゾンプライム）
『否定と肯定』（ミック・ジャクソン監督）
『Buried by the Times: The Holocaust And America's Most Important Newspaper』（Laurel Leaf Cambridge University Press）
『Holocaust: The Documentary Evidence』（Documents compiled, translated and captioned by Robert Wolf for poster exhibit in 1990, National Archives and Records Administration）
『Eavesdropping on Hell: Historical Guide to Western Communications Intelligence and Holocaust 1941-1945』（Robert J. Hanyok, Center for Cryptologic History, National Security Agency, Second Edition）

『Britain and the Holocaust』（The National Archives）

『Auschwitz: Technique and Operation of the Gas Chambers』（Jean-Claude Pressac, The Beate Klarsfeleld Foundation）

『Why? Explaining the Holocaust』（Peter Hayes, WW Norton, 2018）

『Legions of Death & Cross of Iron: The Nazi Enslavement of Eastern Europe & The Nazi Enslavement of Western Europe』（Rupert Butler, Pen & Sword）

『Death to Dust: What Happens to Dead Bodies』（Kenneth V Iserson, Galen Pr Ntd）

『Himmler』（Peter Padfield, MJF BOOKS）

『Auschwitz Chronicle, 1939-1945: From the Archives of the Auschwitz Memorial and the Gorman Federal Archives』（Denuta Czech, Henry Holy & Co.）

『The 45th anniversary issue（Fall, 2000）of Studies』（Center for the Study of Intelligence Washington DC）

「Studies in Intelligence- Fall 2000, Fall 2000- Special Unclassified Edition」

(https://www.cia.gov/library/center-for-the-study-of-intelligence/csi-publications/csi-studies/studies/fall00/index.html)

『Denying History: Who Says the Holocaust Never Happened And Why Do They Say It?: Updated and Expanded』（Michael Shermer And Alex Grobman, University of California Press）

『Nazi Mass Murder: A Documentary History of the Use of Poison Gas』（Edited Eugen Kogon, Hermann Langbein, and Adalbert Ruckerl, Yale University Press）

『Auschwitz』（Deborah Dwork And Robert Jan Van Pelt, Norton）

『The Case for Auschwitz: Evidence from the Irving Trial』（Robert Jan van Pelt, Indiana University Press）

『Goebbels: Mastermind of the Third Reich』（David Irving, Focal Point）

『The Leuchter Report: Auschwitz: The End of the Line: The First Forensic Examination of Auschwitz』（Freda Leucher）

「The Nizkor Project: John Ball's $100,000 Challenge, Where is John Ball? 1-3」（現在はアクセス不可）

「John Ball: Air Photo Expert?」（Jamie McCarthy）

(http://www.holocaust-history.org/auschwitz/john-ball/)

「See No Evil: John Ball's Blundering Air Photo Analysis: An Essay by Brian Harmon dedicated to the Memory of Mark Van Alstine」

(http://www.holocaust-history.org/see-no-evil/)

『The Hoax of the The Twentieth Century』（Arthur Butz, Institute for Historical Review）

『The Auschwitz Myth: A Judge Looks At The Evidence』（Dr. Wilhelm Staglich, Institute for Historical Review）

『Mr. Death: The Rise and Fall of Fred A. Leuchter, Jr.』（Errol Mark Morris）

「ホロコースト百科事典」（https://encyclopedia.ushmm.org/content/ja/article/introduction-to-the-holocaust）

「蜻蛉」（https://note.com/ms2400）

『ＮＨＫスペシャル　アウシュビッツ　死者たちの告白』（２０２０年８月16日放映）

「Institute for Historical Review」（http://www.ihr.org/）

米国同時多発テロは自作自演によって引き起こされた（9・11テロ陰謀論）

2021年の視点から9・11陰謀論絶頂期を回想する

今から20年前の2001年9月11日、アラブ系テロリストのオサマ・ビンラディン率いる〝アルカイダ〟のメンバーが4機の航空機をハイジャックし、2機が世界貿易センタービルに、1機がペンタゴンに突入した。唯一ユナイテッド93便だけが〝目標〟突入に失敗し、山中に墜落した。

このアメリカ同時多発テロ（以降、「9・11テロ」と呼称）は〝ケネディ暗殺以来の衝撃〟といわれるほどの大事件で、大々的に陰謀論を喚起し、それは通称「9・11（テロ）陰謀論」とも呼ばれた。その骨子は以下の3つである。

①ビル崩壊に関するアメリカ政府の公式見解を示す『米国国立標準技術研究所報告』（NIST）、『連邦緊急事態管理庁報告』（FEMA）等の公式報告書によれば、世界貿易センター第一・第二ビルは航空機突入後に起きた火災が原因で崩落した。航空機が突入しなかった第七ビルは第一ビル崩壊時の瓦礫を浴び、火災が発生し崩落したという。だが、実際には爆破解体されていた。

②ペンタゴンに突入したのは航空機でなく、遠隔操作された無人機もしくは巡航ミサイルだった。

③ユナイテッド93便はハイジャック犯と乗客の争いの末に墜落したというが、墜落現場には機体も遺体もなかった。

これらに加え、なぜ4機のハイジャックが成功したかという疑問から発展し、

④アメリカではテロ当日、防空態勢が故意にマヒさせられていた。

という論もある。

本項では、各種公式報告書の内容及び公式発表を**〈公式説〉**とする。

２０２１年の世界に住んでいる読者の皆さんには、この９・11陰謀論はどう見えるだろうか。おそらく「そんなことあるわけない」「『９・11陰謀論』って何ですか」「昔の人は、そんな話信じていたんですか」だったりするだろうか。

本国アメリカでは９・11陰謀論拡散運動はまだ細々と続いているが、日本ではほぼ完全に絶滅したため、体感するのは難しいかもしれない。現在の日本では、「ケネディ大統領暗殺陰謀論」や「２０２０年アメリカ大統領選挙陰謀論（不正選挙）」なら、何となくネットを見ていたら陰謀を熱弁する人々に出くわしたり、ツイッターなら見つけるのは容易だろう。テレビを見ていたら特集番組や情報バラエティー番組のネタに出てきたり、書店の国際情勢の棚に「ケネディ大統領暗殺陰謀論」や「２０２０年アメリカ大統領選挙陰謀論」の本を見ることもあるかもしれない。

かつて９・11陰謀論も同じぐらいブレイクし、活字メディアでは『週刊ポスト』や『ＳＰＡ！』、『週刊朝日』『週刊金曜日』等が大々的に特集を組んだ。大手書店には陰謀を説く本のスペースが作られ、セールスも好調だった。テレビでは『ビートたけしの！こんなはずでは!!スペシャル』のゴールデンタイム特番で９・11陰謀論が特集されたりもした。

陰謀説を信じた大学教授が検証会の発起人となり、世間に同志参加を呼びかけたり、大学生が協力し合い陰謀映画を作成したこともあった。筆者は現場でリアルタイムで目撃したが、陰謀を説くイベントは大入り満員で陰謀映画上映後は万雷（ばんらい）の拍手で物販は大盛況……だった。

今や遠い昔のことと思える熱気と勢いで、こんなことが本当にあったのかと思えるほど９・11陰謀論は衰退してしまった。そこで、「９・11陰謀論はなぜこれほど衰退したのか」という謎を解くべく、本論に入ろう。

まず、９・11陰謀論ではどんな説が唱えられたかを見ていく。

陰謀論
ビルは爆破された

歴史上、火災で崩壊した高層ビルは世界貿易センタービルが初めてだった。それも、一日のうちに火災による高層ビル崩壊が立て続けに三件も起きたため、崩壊直後から爆破説が流れた。

ビル崩壊前から、消防士・レポーター・民間人ら百人以上から「爆弾が炸裂した」という証言が相次いだ。可燃物の破裂や物体落下の轟音との混同もあるだろうが、すべてがそうとは思えない。

危険を顧みず同僚を救出し瓦礫に埋もれた警備員で、〝世界貿易センタービル最後の生存者〟ことウィリアム・ロドリゲスは地下にいたときに、航空機がビルにぶつかるより前に足元からの爆発音を聞いた。そして目の前のエレベーターから、髪の毛が焦げ、火傷で皮膚が垂れ下がった人が「爆発だ！」と叫びながら出てきたのを目撃した。

ウィリアム・ロドリゲスはこの話を米国国立標準技術研究所（ＮＩＳＴ、世界貿易センタービル崩壊の最終報告書を発刊した）で証言しようとしたが、発言を封じられ「黙って座っていることしかできなかった」という。ＮＩＳＴによる報告書では、これらの証言はすべて無視されている。

9・11の真相を究明する映像作品に『Loose Change』シリーズがある。世界貿易センター第7ビル（ＷＴＣ７）崩壊直前に崩壊予測の放送が流れ、多数の人が20秒にわたるカウントダウンを聞いたという内通が、同シリーズの製作者のもとに来た。ところが、その内通者は脅迫を受け解雇され、ＮＩＳＴでは証言できなかった。そこに実名で証言する勇気ある人物が現れる。

それが空軍の特殊作戦チームに所属していたケヴィン・マックパッディンである。彼も崩壊予測の放送を聞き、安全ラインへの退却を命じられた。そしてケヴィン・マックパッディンも「無線機から漏れてきたカウントダウンの声を聞いた」という。

世界貿易センター第7ビル崩壊前にビル内にいた人で、爆破音を聞いた人は他にも多くいた。

証言を裏付ける映像もあり、爆破の際に生じる噴煙が、多くの映像で確認できる。

航空機の激突からビル崩壊の間に、煙がビルの地下から出てきている。ビル崩壊時には、ビルが崩壊していくその下の方から噴煙が飛び出している（写真）。

ビルの地下から煙が出てきている写真は、ウィリアム・ロドリゲスが言う「足元（地下）の爆発音」を裏付けるものだろう。崩壊していくビルの下の方から噴煙が飛び出している写真は、ビルが火災で崩壊していったように見せかけるため、爆弾を上から炸裂させたが、タイミングを誤りフライング爆発したのだろう。

世界貿易センタービル崩壊時に確認された噴煙

〈公式説〉を支持する人は、ビルの下方からの「噴煙」はビルが崩れるにつれ、ビル内の空気が圧縮されて窓を割って出ただけだと主張する。だが、「噴煙」は崩壊していく部分からかなり下に離れたところから出ているため、その説明は成り立たない。

ビル崩壊後には、付近一帯を覆うほどの、火山を思わせる巨大噴煙が発生していた。これはビル内部の爆発がもたらしたのだろう。

そして、世界貿易センター北棟（WTC1）は崩壊時に、上層部が斜めに傾き折れ、噴煙の中に消えていった。ビルが形を残したまま落ちていったのであれば、上部の重みのためビル全体の崩壊は左右対称にはならない。ビルはいびつに崩れていったはずだ。

崩壊後の跡地を見ると、斜めに落ちていったなら瓦礫の山もそのまま不均等に積もっていただろうが、きれいな山状であった。ビルは爆破され、上層部はビル崩壊と同時に消え去っていたのだ。

崩壊後の現場写真では、崩壊したビルの鉄骨が隣のビルに突き刺さるほど飛ばされていたことも確認できる。

鉄骨以外のコンクリートが微粒子状になるまで粉砕されていたこともわかる。

これらはすべて**巨大爆発の証拠**なのだ。

報告書も認めたフリー・フォール現象

ビル内で爆発が起きると、建物内の空気が排出され真空状態となり、空気抵抗が消滅する。そうすると、物体が空気中を落下するより早い速度で落ちる**「フリー・フォール（自由落下）」**という現象が発生する。各ビル崩壊時にこの現象が確認された。

真相究明団体AE911 TRUTH主催のリチャード・ゲイジはこうも主張する。火災崩壊の場合、各支柱はランダムに崩れるが、階層が一気に落下するフリー・フォールは支柱が同時に切断されない限りあり得ないと。それは人為による切断現象であり、爆破を示す証拠なのだ、とリチャード・ゲイジはいう。

２００８年、米国国立標準技術研究所は世界貿易センター第7ビルに関する報告書を発表した（冒頭で触れた『米国国立標準技術研究所報告』は最終報告書で、こちらは第7ビルに関してのみの報告書）。その結論は、ビルは瓦礫の直撃がなくとも火災のみで崩壊したというものだった。だが、爆破を否定した米国国立標準技術研究所も、ビル崩壊時にフリー・フォールが部分的に起きていたことを認めざるを得なかった。

不審な工事と「解体」という言葉

世界貿易センター南棟（ＷＴＣ２）にある会社に勤めていたスコット・フォーブスはテロの数週間前、彼のいた97階の上層階でドリルやハンマーを用いた、床が揺れるほどの工事音を聞いた。ところが、後で見ても工事の痕跡はなかったという。

２００１年9月8日～9日にかけて、ケーブル工事のため上階で長い停電があるとの通達を受け、警備が解除された。誰でもビルに自由に出入りできるようになると、多数の見慣れぬ工事関係者ふうの男たちが出入りしていたという。このとき爆弾がセットされたのだろう。

スコット・フォーブスはこのことを9・11委員会他、多くの人にメールで伝えたが、少数の真相究明運動家以

ラリー・シルバースタイン

外からは黙殺された。だがその証言は9・11陰謀論番組『911 Mysteries』で紹介され、世に広まった（なお、この番組は『911 Mysteries: Part1. Demolitions』のタイトルでDVDが出ている。同番組の一部は日本でも『世界まる見え!テレビ特捜部』［2007年10月15日］で放映された）。

世界貿易センタービルのオーナー、ラリー・シルバースタインは、アメリカ公共放送局の番組に出演したときに「消防署長から電話があり、火災を消し止められるかわからないと言われたのを覚えています。大勢の人が亡くなったので、（建物を）壊すのが得策かもしれないと彼は言いました。彼らは（ビルを）解体することを決め、私たちはビルが崩壊するのを見守りました」と語った。つまり、「pull it」（解体）という専門用語を用いて、ビルが爆破されたのを認めていたのだ。

スーパーサーメイトが使われた

斜めに切断された鉄骨が確認できる残骸の写真がある。ブリヤム・ヤング大学のスティーブン・ジョーンズ物理学教授は、他の鉄骨は水平に切断されているのに斜めに切断されているのは、解体作業の結果でなく、軍用爆薬サーメイトで切断されたためだと指摘する。

ビルの跡地に溶解した鉄の塊が存在したという証言がある。そして、残骸の中から、赤く発光した溶けた鉄をクレーンがつかみ出している写真や、大きな鉄の残骸の中に、溶けた鉄が凝固した物質が確認できる写真もある。

斜めに切断された鉄骨が確認できる。

通常の火災の跡地にそんなものがあるはずがない。

ビル崩壊後に採取された粉塵の中からは、通常では考えられないほどの量の鉄分や硫黄も検出された。粉塵は世界貿易センタービルの瓦礫解体前に採取されており、これらの成分は解体作業中に発生したものではない。これは、通常のサーメイトに鉄分を混合し、爆破力を10倍に高めるスーパーサーメイトが使われたことを示している。

スティーブン・ジョーンズ教授は粉塵からサーメイト反応があったことを確認している。この発見はジョーンズ教授の同志の大学教授の手で論文にまとめられ、学術誌に掲載された。ついに爆破解体論が公認を受けたのである。

建物に開いた穴が機体の大きさと合わない

テロの犯人の操縦する航空機がペンタゴンに突入したというが、建物に開いた穴が小さすぎて機体の大きさとまるで合わない（写真）。建物周辺には監視カメラ数十台があり、事件後にFBIが85本のビデオテープを押収していったが、後に公開されたのはわずか2本にすぎない。そして、『ペンタゴン・レポート』等の公式報告書に掲載された激突前後のビデオのコマからは衝突の瞬間が抜かれていた。

航空機の部品には該当機体を示す固定識別番号が振られているが、その各部品は公開されていない。航空機墜落現場といえば尾翼や胴体が確認できるだろうに、写真にはそれも写っていない。

ラインがペンタゴンに当たるところまで穴があくのでは？（画像はhttps://911conspiracytheories-internal.weebly.com/pentagon.htmlより）

このような状況で、〝ペンタゴンにボーイングが突入した〟などという話を信じられるだろうか。

93便の機体も遺体も見つかっていない

ハイジャックされた航空機4機中、ユナイテッド93便だけがハイジャック犯と乗客が争った末、ペンシルヴァニア州シャンクスヴィルに墜落した。だが、墜落現場を見た人はここでも〝機体がない〟という第一声を発していた。

２００９年9月11日、9・11テロから8年後のその日、共同通信が「再検証・米中枢同時テロ――真相めぐる論争今も」と題した特集記事を配信した。記事はテロへの疑惑・反証を共に挙げていた。

同通信社・石山永一郎編集委員（当時）は現地取材を行い、記事では93便墜落現場のインディアンレイク村の村長の「墜落地点は直径12メートル、深さ6メートルほどの穴になっていたが、その中に機体らしきものはなかった。付近でも大きな残骸は見ていないが、現場から約3キロ離れた湖周辺でシートベルトや遺体の一部が見つかった」とのコメントを掲載している。今も墜落地点は、遺族以外の人は立ち入り禁止だ。

『Loose Change』などの真相究明作品によれば、現場からは遺体も機体も見つかっていないという。

防空体制はマヒさせられていた

地上で最強の防空態勢を敷くアメリカが、なぜ4機のハイジャックを許し、3機の特攻を成功させてしまったのか。誰しも疑問に思うだろう。

成澤宗男氏（『週刊金曜日』記者）は「（アメリカの）地上最強の防空態勢は（テロリストが乗客を脅した）カッターナイフで破られたことになる」と皮肉った。ジャーナリストの田中宇（さかい）氏も自著『仕組まれた9・11――アメリカは戦争を欲していた』（PHP研究所）で指摘したが、迎撃機が発進したのもテロが起きたワシントンとニューヨークから離れた基地からであり、その迎撃機も全速力で飛行せずテロを防げなかった。

テロの真相を追究した、イタリア映画『Zero: An Investigation of 9/11』では、元米軍関係者や政府関係者が、世界貿易センタービルやペンタゴンに航空機が突入する前に航空機は撃墜されたという驚くべき証言をしている。さらに、ペンタゴン周辺に配備された対空ミサイルも作動しなかったという。

アメリカの防空体制は、何者かの手により故意にマヒさせられていたとしか考えられない。

エンジンが燃えたのに、残ったパスポート

世界貿易センタービルの瓦礫の中から、犯人のパスポートが見つかったという。前述の映画『Zero: An Investigation of 9/11』では、出演者が実地テストで鉄骨にパスポートを巻き、火をつけるシーンが出てくる。当然、パスポートは焼けるが鉄骨はそのままだ。ジャーナリストのベンジャミン・フルフォード氏も〝鉄より火に強いパスポートの怪〟を指摘している。

このシーンのように、鉄骨が焼けて（溶けて）ビルは崩壊したのに、パスポートは残るなどということは起こり得ない。そんな話を誰が信じるだろうか。

このパスポートは、犯人を印象づける目的で置かれた（捏造された）としか思えない。

テロを事前に知り、大儲けした者がいた

9・11テロの直前、ハイジャックされた航空機の航空会社であるアメリカン航空とユナイテッド航空の〝プット・オプション〟（未来の期日を指定して、株券を指定値で売ること）が平均の数百倍に跳ね上がっていた。テロ勃発のインサイダー情報に基づき、何者かが大儲けしたのだ。このプット・オプションに関わったのは元ＣＩＡ高官のアルヴィン・バーナード・クロンガードだった。

こうした取引があったことは当時のドイツ連邦銀行総裁でさえ認めている、まぎれもない事実なのである。

真相

爆弾炸裂なら、数万人が証言するはず

〈公式説〉では、世界貿易センター北棟・南棟は床部分の鉄骨が火災により中央が垂れる形で下にたわみ、両側の支柱を内に引き込むことで、支柱と床の連結部分を破壊し、連続脱落現象へとつながったとされる。世界貿易センター第７ビルは熱による鉄骨の膨張で梁（はり）（建物の骨組み部分の鉄骨を支える鉄骨）が外れ、連鎖反応的にビル崩壊を引き起こしたと結論づけている。

9・11陰謀論を信じる人たちは、初期の9・11陰謀論映像作品『911ボーイングを捜せ』（2004年）の頃から爆発音証言を世界貿易センタービル爆破解体の証拠として援用してきた（以降、「世界貿易センタービル爆破解体」を「爆破解体」と略した箇所がある）。

爆発音証言はビル崩壊前からあったが、〝本番〟前に爆弾が炸裂したのだろうか。なぜ陰謀の実行者はそんなことをしたのか。火災による意図せぬ誘爆だったのか。

火災の起きたビルで、どうして爆薬が火災発生から7時間も（世界貿易センター第7ビルのケース。世界貿易センター北棟は102分、世界貿易センター南棟は56分）、爆発しなかったのか。それこそ謎ではないだろうか。

通常、爆破解体の際には解体計画に則り爆弾はセット位置も炸裂順番もあらかじめ決められる。ランダムに炸裂した場合、建物が部分崩壊し、予定外の方向に傾き倒れたり、下層階が中途半端に崩壊して残る場合もあるからだ。

だが世界貿易センター北棟・南棟・第7ビルのいずれもシントメリーにきれいな形で崩壊している。爆弾が事前に炸裂した場合、まずその階が崩れてしまい、そうはならない。

世界貿易センタービルでエレベーター工事があったため、9・11陰謀論を信じる人たちはよく「エレベーターのシャフトに爆弾を仕掛けて云々」と主張する。だが、仕掛けやすい場所に爆弾を仕掛けてもビルは倒れない。

かように、爆破説は欠陥だらけだが、実は世界貿易センタービルで一発の爆弾も炸裂していないことを示す、決定的な証拠が存在する。

筆者は爆破解体論の検証のため、爆破解体の専門書や歴史書、簡便な手順本や写真集を読み、爆破解体を特集した映像作品のDVD4組7枚（計10時間分以上）をアメリカから取り寄せた。ほぼ同じタイミングで、TBSの情報バラエティー番組『飛び出せ！科学くん』2時間スペシャル「史上最大の大実験SP」内の「爆発は科学だ！　ビル爆破に密着&大実験」でも爆破解体を見物する企画が放映された（2011年1月8日オンエア）。

これらの映像で確認できた爆破音はとてつもなく大きく、番組でもタレントのココリコ・田中直樹氏が「スゲー」と叫び声を挙げて驚いているほどだ。著者の知る限り、9・11陰謀論を信じる人たちがこれら現実の爆弾炸裂音に匹敵するレベルの「爆破の証拠音声」を提出したことはない。音声記録で確認されたこともない。

世界貿易センタービル付近で本当に爆弾が炸裂したなら、「爆弾炸裂音を聞いた」という証言がマンハッタン島全土の住民の数万人から出てくることは間違いない。しかし証言は消防士やレポーター、地下にいたウィリアム・ロドリゲスも含め、ビルの近くにいた人たちからしか出ていない。しかもわずか百人足らずだ。そのことこそ、爆弾炸裂がなかった証拠だと言っていいだろう。

要は、**爆破解体時の爆音を聞き慣れた人でないと、轟音が爆弾炸裂かどうか判別するのは無理**なのだ。さらに言うと、爆弾炸裂時には閃光が発生し空気振動も起きるが、世界貿易センタービル崩壊時にはそれもなかった。

ウィリアム・ロドリゲスは「世界貿易センタービルから救出された最後の1人」と自称したが、ロドリゲスより後に救出された警官の話は、ハリウッド映画『ワールド・トレード・センター』（オリバー・ストーン監督）で取り上げられ、有名になった。しかし、ロドリゲスが〝英雄〟であるためか、面と向かって嘘を指摘する人は現れそうもない。

ウィリアム・ロドリゲスは米国国立標準技術研究所の席で何も発言させてもらえなかったと主張したが、ロドリゲスは9・11調査委員会では「最初はジェネレーター（発電機）が爆発したかと思い、次いで地震が起きたと思った」（要旨）と発言していたことが資料公開で明らかになっている。

航空機の衝突前にウィリアム・ロドリゲスが聞いたという「足元（地下）の爆発音」に関しては、次のように説明できる。空気中と鉄中では音の伝達速度に差があり、航空機が建物に衝突した音が鉄中を伝わり、地下で反響した音が上から空気を伝わってきた音より先に聞こえる。そのため、地下爆発と混同した可能性が大だ。

世界貿易センター第7ビル崩壊前に〝爆破音〟を聞いた人がいるのは事実だ。だが時刻から推定すると、他のビル崩壊時の瓦礫が直撃した打撃音か、崩壊音の反響と思われる。

巨大噴煙は爆発が起きていない証拠

では、世界貿易センタービル崩壊前後の映像で確認できる煙や爆風の正体は何だったのだろうか。

まず、建物崩壊前の「地下から出た煙」はビル谷間の地上で起きた火災の煙が風に乗り流れ、地下から出たように見えたものだった。

ビル崩壊時に確認できた、崩壊進行に近い部分の「爆風」は、ビルが潰れるにつれ建物内の空気が圧縮され窓を割って出た現象だろう。離れた方の「爆風」は空気がビルのエレベーター内を下り、エレベーター最下部分で行き止まり、そこで出た現象だったと思われる。ビルとエレベーターの行き止まり位置を重ねると「爆風」はちょうどその位置から出ていた。

爆弾炸裂では一発一発の爆発に対応する（爆弾炸裂レベルの）爆発音が生じる。閃光（せんこう）も確認できるし、大きめの物体（破片）が飛散する。しかし世界貿易センタービルの場合は、轟音も閃光も残骸の飛散もなく、煙（埃（ほこり））しか出ていない。そのため、ビル崩壊は爆弾炸裂で生じた現象ではない。

世界貿易センター北棟崩壊時に、上層部分が折れて傾きながら噴煙の中に消えた映像では、噴煙の中央部に窪（くぼ）みがあるのが確認できる。これは物体が個体のまま落下し、落下時に空気を引きこんでいたためだ。

爆発なら噴煙の中から新たな噴煙が出て噴煙の出方も変化するし、巨大な物体が中空で爆発したならトンデモない音も発生する。だが、それらは映像・音声・写真のいずれからも確認できない。

「陰謀論」に、折れたビルがそのまま落下したなら、跡地の残骸の山は「不均等に積もっていただろうが、きれいな山状だった」のはおかしいとある。だが、コンクリートは元より破断に弱い上、特に高層部分は高い位置から落ちていたため、地上に落ちた時点で散ってしまって山状になったのである。

9・11陰謀論を信じる人たちはビル崩壊後の巨大噴煙を爆発の証拠に援用するが、むしろこれは逆だ。爆破解体の場合、爆弾炸裂時に建造物内の空気が一部噴出し、続く崩壊時に残りの空気が出る形となり、空気は一気に

世界貿易センタービル跡地の整理をしているときの写真。2001年10月末に行われたこの作業の際に、鉄骨が斜めに切断された（点線で囲んだ部分）ことがわかっている。

は出ない。そのため世界貿易センタービルほどの巨大噴煙は発生しない。巨大噴煙は、ビル内で爆発が起きていない証拠なのである。

「崩壊したビルの鉄骨が隣のビルに突き刺さるほど飛ばされていた」という件だが、9・11陰謀論を信じる人たちは〝30トンの巨大鉄骨〟だと言うが、見た目からはそうは見えない。それに、鉄骨は飛んだ先で世界貿易センタービル3に刺さったまま宙ぶらりんで、それほど重いとは思えない。仮に30トンだったとしても、世界貿易センタービル全体が20万トンあるので全体の0・15%の鉄骨が飛んだにすぎない。

9・11陰謀論を信じる人たちは多くの映像作品やウェブで、シェイプド・チャージ（別名、カッター・チャージ）と呼ばれる鉄骨切断手法を提示し、火薬入りの熱線で鉄骨が切断され溶断（溶接による切断）が発生したとして、例の斜め切断鉄骨と対比させていた。スティーブン・ジョーンズ教授が9・11陰謀論ウェブ誌『Journal of 9/11 Studies』2006年9月号で発表した論文「Why Indeed Did the WTC Buildings Completely Collapse?（いったいなぜWTCは崩壊したのか？）」にもそのシーンが掲載されている。

だが、シェイプド・チャージという手法は、現実にはカッターを火薬の力で鉄骨の左右にぶつけて切断するが、鉄骨の背面はあらかじめ部分的に溶断しておくものだ。そのため、切断後の鉄骨の背面にはこの事前溶断痕が残るため、切断面はシャープな斜めにはならない。それに、左右の切断面には溶断痕は発生せずきれいになる。ジョーンズ教授の論文で言及された番組『Wrecking Ball』にはそのシーンも出てくるが、教授はおわかりでないようだ。

そして、「世界貿易センタービルがシェイプド・チャージで解体された証拠」とされる写真が事実誤認のこじつけであることが2018年に判明している。斜めに切断された鉄骨はシェイプド・チャージという手法で切断されたのではなく、世界貿易センタービル跡地の整理をしているときに人為的に溶断され、カットされていたことがわかったのである。

カウントダウン証言はあいまい、「pull it」はあり得ない

「エレベーターから、髪の毛が焦げ、火傷で皮膚が垂れ下がった人が出てきた」という件だが、これは爆弾の火花にやられたというより飛行機の燃料による火災のためだったと考えられる。

世界貿易センター第7ビル崩壊前に「無線機から漏れてきたカウントダウンを聞いた」という証言だが、なぜこんな世紀の大陰謀のカウントダウンを秘密裏にではなく、一般回線を通じて行ったのだろうか。なぜ暗号化もせず関係者以外の人に聞かれてしまったのか。

9・11陰謀論を支持する立場のドキュメンタリー映画『Loose Change』制作者ディラン・エイブリーのところに来た内通メールの主は『Loose Change Final Cut』への出演を拒否し、当人と思われる人物も存在せず、ガセネタと判断された。その後、似た話をするケヴィン・マックパッディンが現れ、彼の証言が『Loose Change Final Cut』に収録された。

話の概要は、動画「WTC7 "RADIO COUNTDOWN DISPROVE"（無線によるカウントダウンの反証）」で観られたが、現在（2021年5月）はリンク切れだ。『Loose Change』に出てこない映像では、ケヴィン・マックパッディンは9・11陰謀論を信じる人たちの集会で当初「無線から出てくる、秒読みのような音を聞いた」「赤十字の職員が〝助かりたかったら逃げろ〟という感じの表情を浮かべた」という、よくわからないあいまいな証言をしている。会場からも落胆の声を浴びていた。

「陰謀論」にある「『pull it』（解体）という専門用語を用いて、ビルが爆破されたのを認めていた」という件はどうだろう。

仮に「pull it」を「（ビル）解体」と解釈した場合、陰謀を実行した一味の代表者が公共放送で口をすべらし、そのままオンエアされるのも変な話だ。それに爆破を進言したのは消防署長になるが、なぜ消防署にビル爆破の決定権があるのだろうか。

そのときの発言の要旨を「爆破解体の決定」としたなら、火災の最中のビル爆破決定からビル崩壊までの数時間の間に、爆破解体班が爆薬を持ってビルに潜入し、短時間にバタバタと爆破解体の準備をしたことになる。爆破の動機が「建物が燃えて再建不可能にするため」なら、爆破は火災の後でも問題ないだろう。

それ以前に、爆破解体班はどこからどうやってビルに潜入したのか。炎上中の建物に爆弾を抱えて潜入するなど、片道特攻の世界だ。特攻爆破チームを編成し無理やり行かせたにしても、数百度の熱を帯びた壁や鉄骨にどうやって穴を開け爆薬をセットしたかとなると想像もできない。

発言の文脈からしても、「pull it」は爆破解体ではあり得ない。「pull it」という用語は「（消防士の）撤退」の意味である。

部分的フリー・フォールは支柱が坐屈した

次に、爆破の証拠とされたフリー・フォール（ビル内で爆発が起きて内部の空気が抜けたため、空気抵抗が無くなりビルの上階は自由落下した）について考えてみよう。

まず、世界貿易センター北棟・南棟崩壊時にフリー・フォールは発生していない。爆破説を掲載した『週刊朝日』（２０１０年1月22日号）の記事タイトル部分に使用された世界貿易センタービル崩壊写真でも、ビル本体より瓦礫が先に落ちているのが確認できる。フリー・フォールが発生していたなら、ビル本体の方が早く落ちるはずで、記事内容と写真が正反対だった。

では、米国国立標準技術研究所（ＮＩＳＴ）も認めた、世界貿易センター第7ビルの部分的フリー・フォールはどうなのか。これは、ＮＩＳＴによれば、ビル内部の支柱が上層部の重みを支えきれなくなり、坐屈（ざくつ）（膝が曲がるように折れること）した結果起こった現象だという。

第7ビル崩壊映像を見ても崩壊時に窓から空気がすべ

て噴出しているさまも見えないし、それが起きただけの爆音もない。ビルは無音で崩落していた。爆発で起きる現象である「閃光」「爆風」「空気振動」「爆音」が確認できないため、第7ビル爆破論はまったく成り立たない。

サーメイトでは爆風は起きない

9・11陰謀論を信じる人たちによると、世界貿易センタービル爆破に、高熱を発する軍用の特殊火薬サーメイトが使用されたという。その証拠は大きく分けて2つ。①ビル跡地から、②ビル崩壊直後の大気中から、スーパーサーメイトと軍用の特殊火薬使用の痕跡と「溶けた鉄」が発見されたからだ、という。

そして、前述したように、世界貿易センタービルの残骸写真で斜めに切断されている鉄骨が確認できるが、これもサーメイトが使用された証拠だという。

サーメイトは高熱を発するため、焼夷弾（しょういだん）にも使用されるし、鉄橋のような強固な鉄骨の切断に使用されることは事実だ。だがこの場合、水平状の対象物の上に置き、燃焼させて溶解させる手法が採られる。だがその場合、鉄骨を瞬間的に溶かすほどの熱は発生しない。また、火薬を鉄骨に接触させた状態で燃焼させねばならない。

様々な9・11陰謀論映像作品で紹介された燃焼映像では、高温でも溶解しないほど強固な、中空のある鉄骨にサーメイトを入れたり、車のバンパーの上で燃焼させ穴を穿（うが）ったりしていた。あるいは、鉄板の上や壺状の鉄骨の中、シャーレ状の鉄腕の中で燃焼させていた。

しかし、垂直の鉄骨を火薬が斜めに溶かした実証として、水平の鉄板を垂直に溶かす（穴を開けている）光景を用いるのはチグハグだ。垂直の鉄骨に斜めに付着させて燃焼させる映像もあったが、これでは穴は横に開くだろう。

火薬に指向性がなく対象物の上に置いても四散してしまうため、壺状の鉄骨に入れざるを得ない。これでは垂直の鉄骨を斜めに切断するには不向きだ。火薬溶断の場合、断面は溶断と一目でわかる滴状の塊が残るどろりとした状態になり、火薬燃焼の痕跡も黄色く残る（写真）。

9・11陰謀論を信じる人たちがサーメイトの燃焼映像を紹介しても、切断後の鉄骨をめったに出さないの

サーメイトを使用して鉄骨を燃焼させると、このように燃焼痕がくっきり残ってしまう。

は、切断（溶断）後の鉄骨の状態が斜め鉄骨とあまりに異なるためだろう。また、サーメイトの場合、同じ火薬でも爆発でなく燃焼なので、爆風は起きない。

「ペンタゴンの壁の穴」は最初にぶつかった部分の大きさ

「ボーイングが突入したというが、ペンタゴンの壁に開いた穴が小さすぎる」という、理解しやすい話は9・11陰謀論を蔓延させた。だが、航空機の機体は飛行のため空気抵抗を減じる必要があり、水平尾翼は（垂直尾翼も）機首に近い方が短く（低く）デザインされている。そのため、ぶつかる相手が機体より柔らかくない限り、最初に短い（低い）部分がぶつかり、壁が機体より硬く尾翼では壁を砕けないため、穴は機体の左右の大きさにはならないのである。事実、目撃者によれば航空機は尾翼が折りたたまれる形で建物内に突入していったという。

「陰謀論」にある「建物周辺には監視カメラ数十台があり、事件後にＦＢＩが85本のビデオテープを押収していったが、後に公開されたのはわずか2本にすぎない」という件はどうだろう。

9・11の事件後、ＦＢＩは監視カメラの85本のビデオテープを没収したが、公開されたもので、はっきりと確認できるボーイング突入前後の映像は1本しかない。一方、他の83本のビデオにはペンタゴン以外の物や事件後の建物が映っているだけだった。他に突入前後の映像は1本あったが、カメラが遠すぎて何が突入したかは確認不可能だった。

八角形の巨大な建物の周辺の土地（道路）を監視しているカメラに、その一角に向けて天空から超高速で飛来する物体が映る可能性はもとから少ない。爆撃機の攻撃に備えて空ばかり監視していたら、テロリストが受付に来ても防げないだろう。

間欠式コマ撮りのため、激突前後はあっても激突の瞬間の画像がないのは変ではない。読者の皆さんも監視カメラのぎくしゃくした映像をご覧になったことがおありだろう。だから、「激突前後のビデオのコマからは衝突の瞬間が抜かれていた」わけではなく、**コマ撮りのために衝突の瞬間の画像がないだけ**なのだ。

「陰謀論」に「航空機の固定識別番号が振られているはずの各部品が公開されていないのはおかしい」とある。だが現実には「突入機がボーイングであるという多数の目撃証言」「機体の残骸を運んでいる映像と写真」「建物外での、制服の付いた遺体の目撃談」等膨大な証拠がある。

その他にも、「建物内で発見された遺体のＤＮＡ鑑定の結果、乗客の遺体と判明している」「建物内での何トンもの機体残骸の発見とその写真」等まだまだ証拠はあるのだ。９・11陰謀論を信じる人たちはそれらを「個別識別番号部品」でひっくり返そうとしているにすぎない。また、もちろん「航空機が突入する前に撃墜された」などという事実はない。

探索の詳細を描いた本が出た

２００８年5月に出た『Firefight: Inside the Battle to Save the Pentagon on 9/11（消火：９・11にペンタゴンを救うための戦いの内部で）』（Patrick Creed & Rick Newman）は１５０人へのインタビューと各種資料に基づき、消火作業、機体・遺体の探索状況を詳細に描いていた。それによれば、事件の翌日、建物内では機体の残骸が多種多数総計何トンも見つかり、シートベルトで座席に固定されたままの遺体もあった。遺体のＤＮＡ鑑定も済んでいる。

この本は９・11陰謀論を信じる人たちにはタブーらしく、２００８年11月に大阪で開催された９１１陰謀論イベント「真相究明国際会議」の講演で、ゲストのクレアモント大学（米国）のディヴィッド・レイ・グリフィン元教授は質疑応答コーナーで本を読んでいるのを渋々認めたが、その前のコーナーでは「ペンタゴンの遺体は遺体検死所に現れたにすぎない」とトンデモない主張をし（どこかで乗客をバラバラにして遺体を持ち込んだと言いたいらしい）、ひんしゅくを買っていた。

筆者はその席で、教授への批判的質問コーナーを担当したジョン・ロジャースと話した。ロジャースによれば、この本がペンタゴン関係の9・11陰謀論を払拭したという。

グリフィン元教授の陰謀本『9・11事件は謀略か』はきくちゆみ氏と戸田清氏の共訳で緑風出版から出ていた。2009年、同社からペンタゴンの歴史を描いた『戦争の家』が刊行された（大沼安史訳）。そこには9・11の章もあり、ペンタゴンにはテロリストが操縦したボーイングが突入したとされていた。

陰謀本を出した出版社から数年を経ずして9・11陰謀論を否定する本が出たことは9・11陰謀論の衰退を示していたのだろう。

「現場からは93便の機体も遺体も見つかっていない」にも反論しておこう。1987年12月7日にパシフィック・サウスウエスト航空1771便がハイジャックに遭い墜落した際も、現場第一報は「機体が無い」であった。航空機機体は大半がアルミ製のため墜落状況によっては残骸が細かく散乱し、93便と同様の現象が起きるため誤解を生みやすい。

93便墜落現場からは機体の大きめな残骸も回収されており、乗客の私物もコマ切れ状態の遺体も回収され、DNA鑑定も済んでいるのだ。

防空対応などの事情で最高速で飛べなかった

9・11陰謀論を信じる人たちはよく、地上最強であるはずのアメリカの防空態勢が簡単に破られたことを、「カッターで成功したハイジャック」とたとえる。だが、ハイジャック犯は（ブラフであれ）「爆弾を持っている」と言い、乗客と乗務員を脅していた。

それに、成澤宗男氏の言う「カッターナイフ（と爆弾）で破られた」のはアメリカの「地上最強の」防空態勢ではなく、民間航空の機内セキュリティ体制だ。民間航空会社のハイジャックマニュアルは、犯人に抵抗して航空機の安全や乗客・乗務員の生命を危機にさらさないようになっているのだ。

9・11テロの日、迎撃機がまず現場ワシントンとニューヨークの遠方の基地から発進し、次いで近辺の基地より発進した迎撃機は最高速では飛ばず、テロを防げなかった……疑惑を呼んでも仕方のない状況だ。だがこれは、米軍編成の基本と過去の防空対応を知るだけで謎が解ける。

空軍基地はその所属により「輸送」「訓練センター」「海外輸送」「物資補給」「防空」のように主任務が異なり、訓練機はあっても対空ミサイルがない、輸送機はあっても戦闘機がないところもある。それらの基地の中には燃料を満載した戦闘機に実弾を装填し、滑走路上に置き、パイロットを近辺に居住させ常時発進を可能とする〝緊急態勢〟を採るところがある。冷戦時、この基地は攻撃機侵入に備え、国境地帯に展開していた。

9・11陰謀論を支持する本を出しているあるジャーナリストは講演会で、筆者の目の前で「アメリカには緊急態勢基地というものがあります」と発言していた。航空機がハイジャック機を迎撃できないのはおかしい、と言いたかったらしい。

冷戦終結後、緊急態勢を敷く基地はテロの10年前に14あり、基地の配下に迎撃機は28機あった。ところがテロ時は半分に減り、ワシントンDCやニューヨーク近郊からは消えてしまっていた（図解）。

2001年当時の空軍基地を示した図。「緊急体制基地」は太丸で示した。

9・11の前はNORAD（ノラド）（北米航空宇宙防衛司令部、アメリカとカナダで運営している防空組織）には音速を超えた追尾の禁止通達があった。音速を超えると、音波の壁ソニック・ブームが発生し、衝撃波で眼下の建物の窓ガラスが割れてしまうためだ。そこで発進機は9・11のときも最高速度では飛行しなかった。

NORADがこのような対応をとる前例となった民間機追

尾事件のあらましを説明しておこう。

1999年10月25日、ゴルファーのペイン・スチュワートの乗った、オーランド発テキサス行きのリア型小型ジェット機が交信を絶ったことがあった。フロリダのティンダール空軍基地とエジリン空軍基地から4機のF-16が発進し、小型ジェット機を追尾した。

〝ソニック・ブーム〟発生を避けるため、エジリン空軍基地から飛んだF-16は最高速を出さなかったが、ペイン・スチュワートの乗った小型ジェット機が遅かったため、追いつくことができた。ところがF-16は小型ジェット機の左、右と回ったが反応はない。小型ジェット機の窓には酸素供給システム停止を示す霜が降っていた。10月という季節に加え、1万2000メートルの高空で搭乗員全員が死亡していたのだ。

自動操縦モードで飛行しているとはいえ、いずれ燃料は切れ小型ジェット機は墜落する。市街地に墜落したら大惨事だ。

搭乗員は死亡しているから撃墜しても人道上は問題ない。だが、関係者曰く「『撃墜しても人道上問題ない』と考える人は映画の見すぎ。現実の世界では恐ろしくて誰も撃墜命令を出せない」とのこと。

かくて時間のみが経過した。〝幽霊飛行機〟追撃のさまはCNNで全米ライブ中継され、国民は小型ジェット機が田舎の牧場に墜落するまでを見守った。

9・11陰謀論を信じる人たちはこの事件を見て、ペイン・スチュワートの乗った小型ジェット機には対応できたが、9・11のときにできなかったのは陰謀だと言う。だが、この事件のときは近辺に緊急体制基地があり、小型ジェット機も遅かったため早く追いつけただけだ。

ペンタゴン付近を含む首都ワシントンは緊急体制基地から遠く離れたアメリカ内陸部にある。演習が集中する午前中の特定の時間帯に航空テロが発生した場合、内陸部では対応が遅れてしまうこと、

ペイン・スチュワート

民間機撃墜命令などおいそれと出せないことを、ペイン・スチュワートの事件は示していた。

NORADが発進させた迎撃機は追いつくまでに1時間19分を要したが、途中でアメリカの東部と中部の時間変更線を越えたため、時刻記録上19分で追いついたように見える。そのため、正確な判断ができず不審に思う人が多いようだ。

9・11の日、迎撃機が全力で飛ばなかったのはソニック・ブームの発生を恐れたためだけではないだろう。戦闘機が陸路上空を直進すると民間機の経路を妨害することもあるのだ。また、眼下の陸地にソニック・ブーム発生を見越して、途中に海がある場合、海上ルートを選んで飛ぶこともある。そうやって陸地への被害を避けて遠回りすることもあるのである。

「時速××キロで飛んだというなら、発信地と目的地間の距離から換算すると到達しないのはおかしい」と簡単に結論できるほど物事は単純ではないのだ。

軍事的知識がなく、「全速力で飛ばなかった＝規定を順守した」ことがわからない人々は、「事件を防がないため、わざとゆっくり飛んだ」と考えてしまうのだろう。

防衛予算削減で迎撃できなかった

次に考慮すべきなのが、テロの時点のNORADの状況だ。

2000年9月、ネオコン（新保守主義）の一派である「アメリカ新世紀プロジェクト」が作成した建白書『アメリカの国防再建』と題した論文が注目を集めた。そこにはビル・クリントン政権の軍縮が批判され、空軍の規模縮小を嘆く一節もあった。

ロナルド・レーガン政権時代は年間1400億ドルあった予算がクリントン政権下の97年には730億ドルにまで減った。空中補給機は少なすぎるほどで、戦闘機削減はパイロットの腕を鈍らせた。このままでは飛行禁止空域の防衛もままならなくなる、と『アメリカの国防再建』は警告していた。

国防予算・人員削減は防空部隊NORADにも影響を与え、緊急体制基地もリストラ対象となった。議会からはバスケットボールと同じ4点防衛の要領で、基地は全米に4つあればいいとか、防空部隊自体を廃止せよとかの案も出た。空軍は削減案に抵抗したが、空しい結果に終わった。

NORADの任務も変わった。「もうソ連爆撃機部隊は来ない。今のお前らの仕事は麻薬密売目的でメキシコやカナダ国境を越えてくる小型機の監視だ」と『アメリカの国防再建』は言っていた。

レーダーや通信網がいくら高度でも、肝心の基地自体がなくては迎撃しようがない。こと実戦配備に関してはアメリカに「史上最強の防空部隊」などなく「弱小防空部隊」があるのみだった。

「迎撃機がテロ場所の遠方の基地から発進し、全速力で飛行しなかったのはなぜか」への答えは、**「テロが発生した場所の近くの（緊急体制を敷いていない）基地より、遠くの（緊急体制）基地の方が早く発進できたため。そのときも原則を厳守し、高速を出さなかった」**ということだった。

ペンタゴン付近を含む首都ワシントンに、「地上最強の防空体制」がありながら、それが作動しなかったという（『続「9・11」の謎』成澤宗男著、金曜日より）。しかし前述のように、防空兵器や防空機は国境付近を中心に配備される。

内陸部にある首都ワシントンは外敵が侵入してくる国境から距離があり、さしたる防空態勢は採っていないのだ。1994年9月13日にセスナ機がホワイトハウスに特攻したが阻止できず庭に墜落したことがあったが、これが首都防空の現実だ。

ワシントンDCにおける飛行禁止空域はホワイトハウス、キャピトルヒル、リンカーン記念堂近辺と、マサチューセッツ・アベニュー天文台近辺しかない。ペンタゴン付近は除外されている。観光客が撮影したビデオでは、民間機がペンタゴン付近を飛行しているのも確認できる。

「ペンタゴン周辺に配備された対空ミサイルも作動しなかった」という件にしても、**もともと対空ミサイルは配備されておらず「作動しなかった」という指摘は捏造**だった。

また、近郊にロナルド・レーガン・ワシントン・ナショナル空港があるため、民間機がペンタゴン付近（ペンタゴンの上ではない）の飛行禁止空域をかすめるということもよくあった。過去10年に100回もの侵入があったが撃墜は一度もなく、パイロットに罰金千ドルか免許停止120日が下されただけだった。警戒態勢は形骸化していたと言っていい。

ワシントン近郊のアンドリュー空軍基地も「首都防衛の要」ではない。同基地は大統領専用機の母港であり、大統領専用機を誤射する可能性を排除するため、滑走路上の戦闘機は大統領専用機とは反対側を向いている。また、実弾とミサイルを外さねばならない。

アンドリュー空軍基地の防衛概念は「『アメリカの最高責任者である大統領』の警護」であり、基地ではシークレット・サーヴィスの権限が軍人を超越している。つまり、即応態勢には向いていなかった。

空軍基地で何が起きていたか

オサマ・ビンラディンは当時の軍縮の時代を背景に台頭していた。9・11テロの前月、CIAが大統領に提出した情報日報には「ビンラディン、アメリカ本土攻撃を決意」の見出しで、彼がハイジャックに走る可能性が指摘されていた。攻撃が迫る中、アメリカはガードを下げていた。この状況の中、何が起きていたのか。

2001年9月11日午前7時59分。アメリカン航空11便がFAA（連邦航空局）との通信を絶った。FAAの最新の危機対応マニュアルで紹介されているハイジャックの前例は数ページしかなく、担当官もハイジャックは過去のことと認識していた。

だが、スピーカーを通じて伝わる「我々は数機を手中に収めた」という犯人の声にハイジャックを確信したが、〝（ハイジャック犯は）自分たちの声が筒抜けなこともわかっていない〟〝普通のハイジャックとは違う〟と担当官は動揺した。

ニューヨーク近くのニュージャージー州アトランティックシティ空軍基地は緊急体制を解かれており、戦闘機を発進させようとしたが演習機しかなかった。それに朝の定例爆撃訓練中だった。

暴発を避けるため、演習では武器を持たない。そこでまず演習機を呼び戻して、実弾と対空ミサイルを装填しなければ迎撃発進できない。基地にはミサイルの誤装填を防ぐための暗号コードさえ伝達されていなかった。

つまり、アトランティック空軍基地では使えた戦闘機は演習中だった上、対空ミサイルも空中給油機もなかったのだ。

そこで、緊急体制下のマサチューセッツ州オーティス空軍基地から旧式の2機のF‐15が発進した。パイロットの1人は民間航空会社のパートだった。戦闘機がニューヨーク上空に到達したとき、すでに世界貿易センタービルに2機目が突入していた。

F‐15に対しては、音速を超えないという原則を無視してよいという指令が出て最高速で飛んだため、燃費が悪くなり、燃料が底を尽きかけ、パイロットは〝燃料！〟と叫んでいた。管制官が近くの基地に給油機出動を要請したが、そこにも給油機はなく、上空の戦闘機は空しく旋回するだけだった（そのため、防衛を故意に怠ったように見えた）。

そこで、4機のF‐16を持ち、2機が緊急体制下のラングレー空軍基地に対して、ワシントン防衛命令が発動された。〝使える機は全機発進〟の指示の下、平時体制機も稼働させたため発進は遅れた。こちらでは〝音速を超えるな〟という原則順守の指示が来たが、6分後に〝下の窓ガラスが割れても全速で飛べ〟と逆の指令が来た。

ペンタゴンにテロ機が迫ったが、ハイジャック犯の「我々は複数の機を手に入れた（ハイジャックした）」という通信が示す同時複数ハイジャック情報があり、NORADの支部であるNEADSもFAAも、パイロットも指示を混同した。ハイジャック犯の「我々は複数の機を手に入れた（ハイジャックした）」という通信が同時複数ハイジャックを示したため、防空当局は行方がつかめないがハイジャックされていない機にも追跡命令を出してしまったのだ。それで、戦闘機はペンタゴンと別方向に向かってしまった。結局、テロの18時間以内に、緊急体制基地は26に増え、戦闘機も300近くに達したが後の祭りだった。

パスポートとインサイダー取引の検証

世界貿易センタービルの瓦礫の中から、犯人のパスポートが見つかったという件はどうか。

米国ヒストリー・チャンネルの『Relics from the Rubble（瓦礫の遺物）』では、世界貿易センタービルの瓦礫内から見つかったものを紹介していたが、中にはプラスチックや紙片もあった。第二次大戦中にも、炎上した墜落機の中から書類が見つかったことがある。火災は「可燃物」「温度」「酸素」の3つが揃わないと発生しない（燃焼の三要素）。だから、パスポートが炎上した機内で燃えずに残っていても別に不思議ではない。

犯人の書類上の追跡は詳細に行われており、このパスポートは犯人が機内にいた決定的証拠にはならない。「陰謀論」では、このパスポートは「犯人を印象づける目的で置かれた（捏造された）」というが、パスポートを捏造する意味もないし、捏造しても何の効果もないのだ。

実際にはこのパスポートはビル崩壊直前、世界貿易センター第2ビルから落ちてきたものの中から通りがかりの人が拾い、ニューヨーク市警察刑事に手渡し、テロ当日にＦＢＩに提供されたものだ（『9/11 and Terrorist Travel: A Staff Report of the National Commission on Terrorist Attacks Upon the United Status』40ページ）。

つまり、パスポートが機内で見つかってもおかしくないが、そもそもこのパスポートが機内にあったかどうかもわからない。それに、パスポートを捏造する意味もないので、パスポートを9・11と結びつけるのはやめた方がいいだろう。

「テロを事前に知り、大儲けした者がいた」という件はどうだろう。株取引に精通した方ならおわかりかもしれないが、9・11のときと同等かこれを超える取引は２００１年中に何度かあった。テロ直前の変動部分だけを見たため、インサイダー取引を想像したのだろう。

ハイジャックされた航空機の航空会社であるアメリカン航空とユナイテッド航空の経営が不安という情報が流れ、株価の乱高下が起きていたのだ。『THE 9/11 COMMISSION REPORT』（９１１公式報告書）はインサイダー取引の証拠なしとしている（４９９ページ）。

ＪＦＫ暗殺陰謀論ほど長続きしなかった

かつてイギリスの公共放送であるＢＢＣは、「陰謀論者は倒されても退場しない」と題した記事で、陰謀論を信じる人たちが何を見ても聞いても納得しないのを揶揄し、９・11陰謀論はケネディ暗殺陰謀論のように長続きするのではないかと危惧した（http://news.bbc.co.uk/1/hi/world/americas/4990686.stm）。だが予想に反し、９・11陰謀論は力を失っている。

９・11陰謀論否定派の代表格、アメリカの『スケプティック』誌２００８年６月４日号に掲載された「How Skeptics Confronted 9/11 Denialism（いかにして本誌は９・11否定論と戦ったか）」と題した記事で、その現状が紹介されている（同誌は９・11陰謀論の実態を検証する記事を数回掲載している。ホームページhttp://www.skeptic.com/から閲覧可能）。

この記事によれば、通俗技術誌『ポピュラー・メカニクス』誌の２００５年3月号が批判記事を掲載し、記事を増補した内容を出版した。そして編集部員が『Loose Change』制作者と討論し映像をネット配信した。その結果、９・11陰謀論人気は劇的に急落したという。

『ポピュラー・メカニクス』誌と９・11真相究明運動のグーグル上の検索件数争いは『ポピュラー・メカニクス』側の圧勝に終わり、９・11陰謀論側のウェブ誌『Journal of 9/11 Studies（９・11研究ジャーナル）』も発刊数が激減。同誌の発刊数と記事数は、２００６年は発行数6号で15件、２００７年12号29件、２００８年6号8件、２００９年4号6件だった。

『Journal of 9/11 Studies』誌の発刊数と記事の減少はその後も続き、２０１０年は2号2件、２０１１年は3号3件、２０１２年は2号3件、２０１３年は4号5件、２０１４年は1号1件、２０１５年は1号1件で、これ以降新規記事は無く開店休業状態だ。

クレアモント大学（米国）のディヴィッド・レイ・グリフィン元教授の講演会に来る聴衆は減り、９・11陰謀論を信じる人たちの集会は大都市では開けなくなり、９・11陰謀論の指導者もほとんど無名の存在に戻った。

２００７年4月、カリフォルニア州オーランドの高速道路で火事が発生し、鉄筋コンクリート製の道路が崩落した。その結果、火災で鉄筋構造物は崩壊しないと主張したスティーブン・ジョーンズ教授理論の人気も崩落。9・11陰謀論者アレックス・ジョーンズのサイトでは火災はアメリカ政府がジョーンズ潰しのため仕組んだという議論が交わされた（http://www.haloscan.com/comments/sonof101/300407freeway/、2021年5月現在リンク切れ）。

なお、火災に関する英語映像はユーチューブの映像“9/11 Debunked: The "First Time in History" Claim”の1分50秒付近を参照。

アメリカでの9・11陰謀論凋落の余波は日本にも及んだ。9・11陰謀論人気のピーク2006年には『週刊ポスト』『フライデー』『フラッシュ』『SPA!』が相次いで記事にしていた。それが今は、知己の雑誌編集者は言う、「9・11陰謀論の人気が出てくれれば、奥菜さんにウチの雑誌にいつでも記事を書いていただけるのですが……」。キワモノ記事でも載せる某実話雑誌編集部でも、「載せても雑誌が売れると思えません」という。

2011年6月、ニコニコ生放送において、『Zero』（日本語字幕版）が放送され、次いで、陰謀論肯定派（きくちゆみ氏も加わっていた）と否定派（筆者と菊池誠教授が参加）の討論会が放送された。だが、『Zero』放送後には陰謀論を肯定していた人々が、討論会視聴後には大半が陰謀論否定に考えを変えていた。

ただ、9・11陰謀論をめぐる人々の反応は日米国で変わらないようで、同じ頃の話だが真相究明団体AE911TRUTH主催のリチャード・ゲイジの講演会後は、聴衆の中で爆破解体を信じる人が急増するが、反論コーナーを聞いた後ではその数が講演会前に戻るそうだ。

アメリカでの、2010年3月時点の9・11陰謀論各項支持率のアンケート結果が出ている。上から「あり得る」「あり得ない」「わからない」の順だ（WTCは世界貿易センタービル）。

WTCは爆破解体されていた	15%	74%	11%
93便は撃墜されていた	15%	62%	22%
ペンタゴンに機は突入していない	13%	76%	11%

ＷＴＣに航空機は突入しておらず、映像は捏造だった　6%　87%　7%

（以上、http://www.angus-reid.com/polls/38598/Most_Americans_Reject_9_11_Conspiracy_Theories/より、２０２１年5月現在リンク切れ）

約半世紀前の事件であるケネディ大統領暗殺、約45年前のキング牧師暗殺の両陰謀論は、２０１１年頃でもそれぞれ70%以上の人が信じ、黒人で88%・白人で50%の人が信じたという、驚異的な支持率を維持し続けていたという。

『Loose Change』制作者ディラン・エイブリーは９・11テロを「我々の世代の真珠湾でありケネディ暗殺だ」と評したが、９・11陰謀論はケネディ暗殺陰謀論ほど長続きしなかった。テロ発生からわずか6年、ピークから4年で凋落し、10年持たずにほとんど消滅しかかっている。

アメリカで９・11陰謀論を説いたメンバーは、過去の各種陰謀論メンバーと比べ、強引さとレベルの低さが目立った。多数の人が参画したからといって運動のレベルが上がるわけではない。参加者は増えたが山の頂は下がり、それが９・11陰謀論の墓穴を掘ったのだ。

日本で大人気だったのに凋落した大きな理由は、日本で陰謀を説いた人々の言い分がアメリカの陰謀論者の受け売りでどんな荒唐無稽な説でも鵜呑みにし、彼らの嘘をノーチェックで情報拡散させた結果、信用を失ったことや、日本の９・11の真相究明運動がコンサートとか物販イベントに近いエンターテインメントでシリアスな市民団体から嫌悪されたことがあるだろう。筆者は新左翼系メディア関係者や革新系市民団体の人々が、当初は賛同していた９・11陰謀論が嘘だとわかり、国内の陰謀論者と絶縁するさまや、反戦運動に陰謀論は不要だと最初から嫌悪するさまをじかに見てきた。当時のネットでは９・11陰謀論を支持する我々こそ一番勇気があるという意見が散見されたが、現実社会ではその言い分は通じなかった。

２０１１年5月1日、アメリカ特殊部隊ＳＥＡＬＳがパキスタンに潜伏中だったオサマ・ビンラディンを急襲し殺害した。９・11陰謀論を信じる人たちはこれは嘘で、彼は生きていると主張した。殺害から10年が経過したが、ビンラディンは未だ姿を現していない。

この事実は、９・11陰謀論が単なる妄想だったことをさらに裏付けたといえるだろう。（奥菜秀次）

参考文献（注・本文中で引用・言及した資料は除いた）

『The 9/11 Encyclopedia』（Stephen E. Altkins, Prager）
『アル・カーイダと西欧――打ち砕かれた「西欧的近代化への野望」』（ジョン・グレイ著、金利光訳、阪急コミュニケーションズ）
『Inside 9/11』（DVD、Nat'l Geographic Vid）
『9/11 Hijackers: Inside Hamburg』（DVD、A&E Home Video）
『102 Minutes That Changed America』（DVD、A&E Home Video）
『Without Precedent: The Inside Story of the 9/11 Commission』（Thomas H. Keen, Lee Hamilton, Vintage）
『The Looming Tower: Al Qaeda and the Road to 9/11』（Lawrence Wright, Vintage）
『The Commission: What We Don't Know about 9/11』（Philp Shenon, Twelve）
『The Building: A Biography of the Pentagon』（David Alexander, Zenith Press）
『The Power of Nightmares』（DVD、Adam Curits, Triad Productions LLC）
『F‐15イーグル』（ワールドフォトプレス編、光文社文庫、ミリタリー・イラストレッド）
『アメリカ空軍図鑑』（山岡靖義、学研プラス）
『9/11: The Myth & The Reality』（DVD、UFO TV）
『Touching History: The Untold Story of the Drama That Unfolded in the Skies Over America on 9/11』（Lynn Spencer, Free Press）
『F-15 EAGLE-BOEING』（酣燈社）
『ネオコンの論理』（ロバート・ケーガン著、山岡洋一訳、光文社）
『９・11事件の省察――偽りの反テロ戦争とつくられる戦争構造』（木村朗編、凱風社）
『騙されるニッポン』（ベンジャミン・フルフォード、青春出版社）
『「日本の科学者」２００９年１月号の南雲和夫論文に反論する』（戸田清・成澤宗男、『日本の科学者』２０１０年４月号掲載）
『Unsafe at Any Altitude: Exposing the Illusion of Aviation Security』（Susan B. Trento, Joseph J. Trento, Steerforth）
『Nine/Eleven: Could The Federal Aviation Administration Alone Have Deterred The Terroris Skyjackers? You Will Find The Answer Here, But Not In The 9/11 Commission』（David H. Brown, John T. Dailey, Authorhouse）
『The 9/11 Commission Report: Final Report of the National Commission on Terrorist Attacks Upon the United States』（The National Commission on Terrorist Attacks Upon the United States）
『世界貿易センタービル――失われた都市の物語』（アンガス・クレス、ギレスピー著、秦隆司訳、ベストセラーズ）
『常温核融合スキャンダル――迷走科学の顛末』（ガリー・A・トーブス著、渡辺正訳、朝日新聞）
『９１１テロ／15年目の真実　【アメリカ1%寡頭権力】の狂ったシナ

リオ《完ぺきだった世界洗脳》はここから溶け出した』（ベンジャミン・フルフォード他、ヒカルランド）
『「ＷＴＣ（世界貿易センター）ビル崩壊」の徹底究明――破綻した米国政府の「9・11」公式説』（童子丸開、社会評論社）
『9・11テロ疑惑国会追及』（藤田幸久他、クラブハウス）
『Perfect Soldiers: The 9/11 Hijackers: Who They Were, Why They Did It』（Terry Mcdermott, Harper Paperbacks）
『102 Minutes: The Untold Story of the Fight to Survive Inside the Twin Towers』（Jim Dwyer, Kevin Flynn, Times Books）
『Seven Fires: The Urban Infernos that Reshaped America』（Peter Hoffer, Public Affairs）
『Debunking 9/11 Myths: Why Conspiracy Theories Can't Stand Up to the Facts』（Bread Reagan, David Dunbar, Hearst Books）
『9月11日の英雄たち――世界貿易センタービルに最後まで残った消防士の手記』（リチャード・ピッチョート、ダニエル・ペイズナー、春日井昌子訳、早川書房）
『Among the Heroes: The True Story of United 93 and the Passengers and Crew Who Fought Back』（Jere Longman, Pocket Books）
『Why Buildings Fall Down: How Structures Fail』（Marthys Levy, Mario Salavadori, Kevin Woest, W W Norton & Co. Inc）
『Debunking 9/11 Debunking: An Answer to Popular Mechanics and Other Defenders of the Official Conspiracy Theory』（David Ray Griffin, Olive Branch Pr）
『The Detonators』（ＤＶＤ）
『Modern Marvels - Demolition』（ＤＶＤ）
『9/11 Commemorative Set』（ＤＶＤ、２００８）
『Nanothermite』（ＤＶＤ）
『Scientific & Ethical Questions and A New Standard for Deception』（ＤＶＤ）
『Demotition: Practices, Technology, and Management』（Richard J. Diven, Purdue University Press）
『Blast and Ballistic Loading of Structures』（John G. Hetherington & Peter D. Smith）
『Explosion-Resistant Building』（T. Bangash, Springer）
『倒壊する巨塔〈上・下〉――アルカイダと「9・11」への道』（ローレンス・ライト、平賀秀明訳、白水社）
『リスクにあなたは騙される――「恐怖」を操る論理』（ダン・ガードナー、田淵健太訳、早川書房）
「分解　９１１ボーイングをさがせ」（ウェブサイト、現在はアクセス不可）
「Skeptics Wiki」（ウェブサイト）
「911 事件を検証する公開討論会 wiki」（ウェブサイト）
「911myth」（ウェブサイト、http://www.911myths.com/index.php?title=Main_Page）
３１４ページ下段の写真はスティーブン・ジョーンズ教授の論文「Why Indeed Did the WTC Buildings Completely Collapse?」より引用した。
３２１ページの写真はサイト「Debunked: The WTC 9/11 Angle Cut Column. [Not Thermite, Cut Later]」より引用した。

ダイアナ妃はイギリス王室に謀殺された

陰謀論

運転していたのは正規の運転手ではなく、アルコールや薬剤の摂取も

1997年8月31日午前0時30分頃、ダイアナ妃（プリンセス・オブ・ウェールズ）と交際中のエジプト人富豪ドディ・ファイドを乗せたベンツがパリ市内のトンネルで大事故を起こし、運転手とドディが即死、ダイアナ妃も搬送先の病院で息を引き取った。あまりにも衝撃的で謎の多いこの事故のニュースが世界を駆け巡るや否や、たちまち陰謀ではないかという疑いがささやかれた。

司法関係者、ジャーナリズムなどによる「真相解明の試み」が進むにつれ、逆に謎はますます深まり、陰謀だったという確信を抱く人々が増えていった。それは今も続いている。

事故は最初、単純にパパラッチに追いつめられた2人の車が、スピードを出しすぎ、トンネル内でハンドル操作を誤ったものと考えられていた。「事故の瞬間、ダイアナの乗ったベンツの前方に〝黒いプジョー〟が割り込んだ」「バイクがいた」という複数の目撃者が現れたためだ。

パパラッチは有名人の乗った車の前方に仲間の車を走らせて交通を妨害し、振り切られるのを防ぐ手法も使う。「トンネル内で発光を見た」という目撃情報もあり、フラッシュだと考えられたため、事故現場にいたパパラッチ10人が過失致死の疑いで拘束された。パパラッチの仲間の1人が黒いプジョーを使っていることもわかったので、これで解決したと考えられた。

ところが彼らはフランス司法当局のひどく厳しい取り

調べを受けた結果、途中で振り切られていたと証言して無罪放免となった。このあたりから話がおかしくなってくる。捜査によって妙な事実が次々と浮かんできたのだ。

運転していたのはリムジンの正規の運転手ではなく、ホテルの警備副部長だった。しかも違反基準値の3倍のアルコールに加え、薬剤まで摂取していたという。しかしこの男は任務に忠実なタイプで、しかも元パイロットだった。

運転前に酔うはずがない。それに酔っていたり酒臭かったりしたら、誰が運転を任せるだろうか。血液サンプルのすり替えか、あるいは検査の結果がでっち上げられたのではないか？

目撃された車やバイクはなぜ消えたのか？

また唯一の生存者は助手席のボディガードだったが、それはプロのボディガードなら絶対にしないこと……シートベルトを着用していたので助かった（ボディガードはいざというときに飛び出せるようにシートベルトは絶対にしない）。この男は意識を取り戻した後も事故のショックでほとんど何も覚えていないと言い張っている。唯一本当のことを知っているはずの男なのに。

パパラッチが現場で撮りまくった写真は証拠品として当局に押収され、ほとんど世に出ることはない。後日、米国のテレビ局CBSがかろうじて入手した1枚を放送すると、イギリス政府から遺児（いじ）である王子たちにショックを与えるとクレームがきた。

現場写真にどのくらい不都合な真実が映っていたのだろう？　パパラッチと同じエージェントを利用していたフランス人カメラマンは、自宅を荒らされた上、警察に訴えても「泥棒ではないので犯人は追及できない」と告げられたという。

捜査情報は、フランス当局に封印された。関係者には近づくこともできなくなった。医療関係者の口も固く、現在でも重要人物からの証言はない。それがフランス流だという。

それでも取材を続けた記者は、ベンツからは軽い衝突痕（こん）と別の車の塗料が見つかったという情報を得ている。体当たりした車がいたのだ。

検出されたのは目撃された黒い車の塗料ではなく「白いフィアット・ウーノ」の塗料だった。このフィアットは現場から煙のように消えてしまい、今に至るまで発見されていない。また「白い車」を目撃した者もいない。

指令を出したのはエリート層の秘密結社か

事故当時、ダイアナ妃はまだ息があり意識もあったが、事故発生から救急車が現場のトンネルを出るまで1時間もかかっている。しかも救急車が付近の4つの救急病院の中でいちばん遠いラ・ピティエ・サルペトリエール病院に着いたのはその40分後なのだが、そこでもふつうの車なら10分ほどの距離である。救急車の到着はふつうの車より遅かったのだ。やはりフランス政府が誰かの依頼で走行を妨害したのか？

ドディ・ファイドの父、アル・ファイドはダイアナ妃の元夫であるチャールズ皇太子とチャールズ皇太子の父・エジンバラ公を疑っている。エジプトの人々はイギリス王室がアル・ファイド家を攻撃したと思っている。アラブ政府筋は反イスラムであるイスラエルの陰謀だと考えている。アル・ファイド家は親族もろとも武器商人で、ユダヤ系武器商人たちを敵に回した可能性も高い。

しかしどれだけ疑わしい人々を名指ししたところで、何も解決はしない。陰謀組織は世界中の支配者層をつないでいる。その中には当然イギリス王室も入っている。

実行犯がイギリスの情報機関MＩ6だろうと、イスラエルのモサドだろうと、イスラム過激派だろうと、指令を出したのは陰で手を握り合ったエリート層の秘密結社なのだ。

2018年までロンドンのハロッズにあったダイアナ妃とドディ・ファイドのメモリアル

おそらく王室の一員ではなかったダイアナは皇太子妃となることで、陰謀組織に関する秘密を垣間見てしまったのである。

そのダイアナがイスラムの富豪

の嫁になり、イスラム教に改宗し、それにアラブ系武器商人の跡取りが王子の義父になる。イギリス王室にとってこれほど不都合なことはないだろう。

かくして「イギリスの薔薇」（ダイアナ妃は没後、国民の多くからこの名で親しまれている）は無残に散っていったのである。

真相

公式発表ですべて解決済み

2017年、ダイアナ妃の事故死20年目に当たる年に、イギリスの主要紙・インディペンデント紙やアメリカの月刊誌・オプラマガジン誌などの主流メディアが、ダイアナの死をめぐる陰謀論を分析する特集記事を掲載した。どの記事も20年間の検証の結果として、数々の疑惑を裏付けるような新しい証拠は何も確認されておらず、運転手の飲酒が原因の交通事故だったと考えるしかないとしている。

今回の改訂に際し、何か新しい事実を付け加えられればよかったのだが、陰謀の可能性はすべて否定されている。「陰謀論」で「謎はますます深まり」と書いたが、「陰謀論」に書かれた内容についても、公式発表ですべて解決済みとされている（詳細はのちほど述べる）。

もともとダイアナ謀殺説を強く主張していたのは、ダイアナとともに事故死したダイアナの恋人でエジプト人事業家だったドディ・ファイドの父親アル・ファイドである。ダイアナが自分の孫を妊娠していたと強く信じていたことが謀殺説を主張する動機だった。

ダイアナの遺児である王子2人が成長してそれぞれ家族を持つようになった現在、イギリス王室への興味はダイアナから王子たちとその家族に移っている。いかにいつまでも消えないといわれている陰謀論でも、さすがに「賞味期限」切れかと思われた。

ハリー王子夫妻の騒動で、ダイアナへの興味がよみがえった

イギリスを離れた異国の地パリでの事故後、ダイアナを哀悼するイギリスの人々の姿が世界中を驚かせた。

人々は町中で涙を流し、ダイアナ妃ゆかりの場所は見渡す限りの花束で埋まった。

「ダイアナはすでに民間人」と主張したエリザベス女王に対して非難の声が高まった。選出されて間もないトニー・ブレア首相はそれに対して、ダイアナを「人々のプリンセス」と呼んでイギリス国民の喝采を浴びた。王室が何と言おうと、イギリス国民にとってはダイアナは王子の母で王妃なのだということだろう。

以後、「人々のプリンセス」はダイアナの肩書きとなる。さらに、人気のないチャールズ皇太子と冷淡な対応で評価がガタ落ちだったエリザベス女王に対して、ダイアナは夫に裏切られ、心の安らぎを複数の男性との交際に求めたやや不安定でスキャンダラスなセレブ女性であったはずだ。

死後の人気を反映してか、ダイアナは気高き聖女としてイメージされるようになった。それどころか、ダイアナは数少ない女性偉人の1人として、ナイチンゲールやマザー・テレサとともに、子供向け偉人伝シリーズの主要メンバーに加わることになった。

だが、死後20年目となる２０１７年ごろには、歴史上で大きな役割を果たしたのに偉人伝では取り上げられていなかった多数の女性たちに焦点を当てた子供向けの本が人気を呼ぶようになる。そうなると、ダイアナを女性の偉人の1人に加える必要もなくなったかと思われた。

ところが２０２０年2月、黒人の血を引くアメリカ人女優メーガン・マークルを妃に迎えた次男ハリー（ヘンリー）王子が、夫婦で王室を離れると宣言した。さらにメーガンがアメリカのテレビ番組で、王室内で差別的扱いを受けたと暴露したのだ。

この夫妻の思いがけない行動が、王室に嫁いで苦しみ、離婚して王室を離れることになった王子の亡き母ダイアナへの興味を突然のようによみがえらせたのである（また１９９５年のインタビューでダイアナ妃が結婚の内実を赤裸々に語って女王の不興を買ったが、BBCのマーティン・バシール記者が虚偽の情報

ハリー王子（2019年）

を使ってダイアナにインタビューに応じるように求めていたことが正式な調査で判明したと2021年5月に報じられた。そこで改めてダイアナ妃に注目が集まっている）。

体調を崩してもおかしくない環境だった

ダイアナはイギリスの名門貴族スペンサー伯爵家の娘として1961年に生まれた。ウインストン・チャーチルもこの一門の出身である。現在のイギリス王室は18世紀にドイツから招聘（しょうへい）されたハノーヴァー家のジョージ1世を祖先に持ち、長らく婚姻相手もドイツ人貴族が多かった。

ハノーヴァー家第6代女王のビクトリアの夫アルバートもドイツ人である。ダイアナがチャールズと婚約したときに、チャールズの婚約相手がイギリス人であることを喜んだ年配者も多かったのは、このような複雑なイギリス王室の歴史があるからである。

日本では、美智子上皇后のイメージと重ね合わせてか、ダイアナを幼稚園で先生として働いていた素朴な民間女性として紹介していた。だが、ダイアナは女王になるのに申し分ない家柄の三人姉妹の末っ子令嬢だったのである。

勉強よりはダンスの方が好きで、実家を離れて都会でアルバイトをして、友人を作って部屋をシェアして夢を探す……1980年代の乙女の夢を実現したような暮らしをしていたダイアナは、1981年、姉の友人だった12歳年上のチャールズ皇太子と20歳で結婚した。世界中の人々が現代のおとぎ話のような豪華な結婚式にため息をついたものだ。

ロナルド・レーガン米国大統領夫妻（右の2人）と並ぶ、チャールズ皇太子とダイアナ妃（1985年11月）

翌年世継ぎのウィリアム王子が、さらに1984年にハリー王子が生まれると、誰もがこれで「王子さまとお姫さまはめでたしめでたし、ずっと幸せに暮らしました……」となるものだと思ったはずである。

だが、30歳過ぎまで結婚しなかったチャールズには、複数の恋人がいて、ダイアナと離婚後に結婚することになるカミラ夫人との関係も続いていた。大人になりきっていなかったダイアナ自身も、「なんとかプリンス・オブ・ウェールズ（チャールズ皇太子の称号）の妻の地位を射止めたいものよ」と発言したこともあり、おとぎ話のような幸せを期待していた節がある。

年上の夫の心は別の女性にある上に見知らぬ環境で2人の幼児を育てるというストレスのかかる環境で、精神的に疲弊して体調を崩していったのはむしろ当然のことだったといえるかもしれない。

突然現れた大富豪の息子ではなかった

チャールズとの離婚に至る間と離婚後、ダイアナは心の拠り所を求めて、何人かの男性と付き合っていた。現代の女性にはピンとこないかもしれないが、ダイアナの時代（この稿を書いている私の時代でもあるが）結婚がゴールだと考える女性は圧倒的に多かった。

王室を離れた自分の役割として、セレブとして社会問題に取り組むという道を見いだしたダイアナだったが、別れた夫に代わる男性を求めたのも自然なことだった。それに心身の不調も続いていた。

そんなときにダイアナが会った男性の1人が、ドディ・ファイドだった。

ファイド家はエジプト出身だが、一家が営む貿易会社の本社はロンドンにある。ドディ・ファイドの父・アル‐ファイドはドバイ首長と知り合い、首長の信任を得た。そしてドバイ首長が計画中だったドバイの開発に、自分が取りまとめたイギリスの企業集団を送り込むことで、大きな成功をつかんだ。この成功を足場に、イギリス企業をアラブ圏に売り込むビジネスの第一人者となったのである。

アル‐ファイドはこうやってアラブから得たマネーを使ってハロッズ・デパートやホテル・リッツ・カールトンなどの名門店を買収しては、改修を加えた。自分はアラブからヨーロッパに富をもたらし、それを使ってハロッズ・デパートやホテル・リッツ・カールトンをよみがえらせ、救っているという自負があったようだ。

アル・ファイドはヨーロッパでの評判は悪くなく、ダイアナ妃の父、スペンサー伯とも仲がよい。息子ドディ・ファイドもスイスで教育を受け、『炎のランナー』などを制作して成功させた映画プロデューサーだった。だから、「ダイアナの前に、突然、謎めいたアラブ大富豪の息子が現れた」わけではないのだ。

またドディ・ファイドの生母の家が武器を商って（あきなって）いるのは事実だが、アル・ファイドとは早くに離婚している。「陰謀論」にある**「アル・ファイド家は親族もろとも武器商人」と呼ぶのは誤り**である。

しかしアル・ファイドには、自分たちはアラブ系ゆえに正統な評価を受けていないという思いがあったようである。名門企業の買収時には常に扇情（せんじょう）的で人種差別的な反対意見が現れ、ジャーナリズムもしばしばそうした人種差別的な反対意見に便乗した。

アル・ファイドにとって、ダイアナは自分と同じように誤解された不遇な女性であり、さらに友人の娘であり、イギリス国民の期待を集める世継ぎの生母となるべき女性だった。加えて、アル・ファイドは、ダイアナが自分の孫を妊娠していたにちがいないと信じるようになっていた。

イギリス警察が出した公式見解の言うように、愛する息子とダイアナと未来の孫を、自分が所有するホテルの関係者であるアンリ・ポールの飲酒運転で失った可能性があるとしたら、とても平静ではいられなかったのは無理もない。

陰謀論の筋書きは4つ

しかし、事は個人的な思いだけではすまなかった。イギリスの有名財界人となったアル・ファイドは、エジプト国民の誇りでもあった。エジプトで「ドディ・ファイドとダイアナの死は反アラブ的陰謀で行われた」との声が上がると、エジプトの人々はその声を信じて熱狂した。イギリス王室の王子にアラブ人の義父ができる上に、ダイアナがイスラム教に改宗しようとしていたので殺されたのだ」という説は、エジプト人の広い支持を集めた。そのような内容を書いたエジプト人ジャーナリスト、アメッド・アッタ著の『プリンセス暗殺』やイラム・シャルシャル著の『ダイアナ、愛に殺されたプリンセス』はベストセラーになった。

さらに「反アラブ」という文脈が広がると、イスラエルを疑う人々も出てきた。1948年に建国した際、当時住んでいたアラブ系のパレスチナ人を追放したイスラエルは、アラブ諸国にとってはずっと宿敵だ。アラブとイスラエルは4度の中東戦争を戦ってもいる。しかもイスラエルの対外諜報機関モサドは暗殺を行っていることでも悪名高い。

パレスチナ一帯は元イギリス領だ。国を持たない人々であったユダヤ人たちは、ヨーロッパからやってきて、パレスチナ人たちの居住地であった場所に新しくイスラエルという国を作った。

イスラエルを建国できたのは、イギリスのバックアップがあったからだ。だからイギリスとアラブが関係を強化するのをイスラエルが阻止しようとしたという筋書きを、反イスラエル派の人々が信じたとしても不思議ではない。

かつてイギリスの植民地だったイギリス連邦諸国に住み、現王室に批判的な人々も、イギリス王室がかつての植民地の人々の血筋が王室のメンバーに入ることをどう扱うのかには興味を示した。その結果、主な陰謀論の筋書きは4つほどになった。

その4つとは、ヨーロッパとアラブ、キリスト教とイスラム教、王室と成り上がりの異教徒などの対立に政府秘密機関が絡む形になっている。

1つは、ドディ・ファイドの父が唱える、ダイアナが妊娠していて、2人の王子にアラブ人の腹違いの兄弟が生まれることを嫌った英国王室が、MI6に暗殺させたとする説。

もう1つはダイアナがドディ・ファイドと結婚するためにイスラム教に改宗しようとしていたので、イギリス王室関係者にイスラム教徒がいることになるのを防ごうとして、イギリス政府が暗殺者を放ったという説。

3つめは、狙われたのは実はドディ・ファイドで、ダイアナは巻き添えだったという説。ファイド家に買収されたヨーロッパ老舗企業が怨恨を持った。あるいは今後の老舗の買収を防ごうとして、警告の意味でドディを狙わせたが、2人の死につながってしまったという説だ。

ダイアナがイギリスとアラブの縁結び役になることを嫌ったイスラエルのモサドの仕業だという説もある。

以上の4つに加えて、騒ぎに疲れたダイアナを隠すために事故をでっち上げ、今もどこかでドディ・ファイドと静かに暮らしているというダイアナ生存説があることも付け加えておこう。

有名人が死ぬと陰謀を信じる人が増える

ダイアナ妃殺害陰謀説は、愛するダイアナを突然失った人々が味わった大きな喪失感を背景にして、生まれてきたことがわかってきた。人は喪失による衝撃には、まず否認することで対処しようとする。

夭折（ようせつ）した有名人が実は生きているという伝説は、大概この否認によって生まれる。「こんなに重要な人がただの事故や、そのような犯罪で死ぬはずがない」と思う人は、陰謀を疑う。

暗殺が証明され、犯人が確保された場合でも、暗殺犯はスケープゴートで本物の犯人は別にいるという説が人々を惹きつける。ジョン・F・ケネディ暗殺などがよい例だ。

ケネディ暗殺のような「前例」ができてしまえば、「陰謀だと考えれば筋が通る」という例が示されることになり、陰謀による暗殺がたくさんあるという印象を人々に与えられる。その結果、「世界は陰謀で満ちており、有名人の突然の死はすべて陰謀」と信じる人々が増えるわけだ。

ダイアナ妃の事故の場合、場所がフランスであったことも災いした。事故翌日には運転していたアンリ・ポールの血液分析の結果から酒酔い運転だったとの公式発表があったが、悲しみに暮れるイギリス国民にとっては、所詮外国政府による発表だった。

事故の4日後にアル‐ファイドが異議を申し立てると、イギリス国民の「本当のことを知りたい」という欲求は高まった。ところがその後フランス側の捜査が進むにつれ捜査中の関係者への接触は厳しく制限された。そのため、ヨーロッパをはじめとする世界のジャーナリズム側はフランス政府への不満をもらすようになる。そしてジャーナリズムは人々の関心を後ろ盾に、捜査機関が「見落とした」目撃者捜しにやっきになる。

もちろん公式発表がなかったわけでも、公的捜査がいい加減だったわけでもない。2002年9月、フランスで司法訴訟を扱う最高裁判所である破毀院（はきいん）が、ダイアナ死亡事件で起訴された9人のパパラッチと、彼らを乗せていたバイク運転手に対する訴訟を退けた。それはフランスの法制ではそれ以上の裁判が行われないことを意味する。そうやって、捜査が終了することになった。

フランス側は捜査終了までの情報を随時提供していた。1999年9月に出された捜査概要報告書もよくまとまっている。

調査報告の発表後も陰謀説はおさまらず

それでも納得しないアル‐ファイドとイギリス国民のために、2003年には今度は英王室付き検死官のマイケル・バージェスが「死因審問」を主催することを発表した。死因審問とは、人が不自然死や異状死をした場合に、検死官が、その死因等を調査・特定するために、自殺か他殺か事故死か等を判定する審問・法廷である。原則として公開で行われる。

2004年、王室検死官のマイケル・バージェスが、スティーブンズ卿（きょう）が率いるロンドン警視庁に対し、イギリス情報機関のMI6と王室がダイアナを暗殺したとの嫌疑を晴らすように要請した。それをきっかけにして、公費を投じた調査プロジェクトが始まった。これはOperation Paget（パジェット作戦）という名称だったが、マスコミが言い立てる陰謀の可能性もまじめに検討するという、前代未聞の調査だった。

2006年12月にこのプロジェクトの調査報告が発表され、2007年に陪審制で死因審問が開始された。一般人である陪審員も加わって、最終的な結論は2008年に出た。その結論は「運転手の飲酒とパパラッチの追跡で起きた過失による事故死」というものだった。

しかし事故後10年の2007年、1000万ユーロの国家予算を投じた調査と審議をもってしても陰謀説を払拭するのは難しくなっていた。何しろ、この間ずっとアル・ファイドは陰謀を訴え続け、提示された証拠と結論に異議を唱えては独自の調査までさせている。

ジャーナリズムもアル・ファイドの異議申し立てを受けて、ゴシップ誌から大新聞、ＢＢＣに至るまで「本当は何があったのか」を繰り返し問う記事を報じていた。人々は関係者の手記を待ち焦がれ、この機に乗じて陰謀説を説く虚実に満ちた本も世界各地で出版された。

中には元ＭＩ６職員のリチャード・トムリンソンのようにフランス警察に乗り込んで「ダイアナの事故死はＭＩ６のやり口だ」と証言し、ニュースをにぎわせた人物もいた（彼は当時ＭＩ６の内情と称する暴露をし、現職の政府職員を勝手にＭＩ６の工作員だと名指しして、イギリス政府とトラブルを起こしていた）。

ダイアナ妃を追い続けたマスコミにとっても、よいネタだった。深夜だったとはいえ、パリのど真ん中で起こった事故だ。取材をすれば目撃者はどんどん名乗り出てくる。

警察がふるい落とした情報を拾い上げ、「なぜこのような興味深い情報に警察は耳を傾けないのか？」と記事を書く。公開されたデータについて、専門家と思われる人の意見を求め、政府見解がおかしいと言って、さらなる情報を引き出そうとする。

だがこうした情報の多くは、確認しようとすると幽霊のように消えてしまう。自宅を荒らされたというカメラマンの話も、そのときに騒がれただけで、その後どうなったかの報道はないので確認のしようがない。

そうやってマスコミが不確かな情報をもとに一斉に「政府叩き」をしてしまった後では、事実を検証するだけでは陰謀論を否定するのが難しくなる。

陪審員たちが出した結論は順当だった

しかし２００８年までに、調べられることはすべて調べ尽くされたと言っていい。政府の調査など信じられないと言ってしまえばそれまでだが、他の陰謀論の場合と同じく、政府の仕事には多数の人間がかかわっている。すべての関係者が口裏を合わせて虚偽の証言をすることなど、まず不可能だろう。

事故当日のダイアナ妃とドディ・ファイド、ボディガードのトレバー・リース＝ジョーンズ、運転を担当したアンリ・ポールの行動は分単位で明らかになっている。事故車はフランスとイギリスの2ヶ国で調べられ、爆弾も、攻撃も、細工も、不具合もなかったことが明らかになっている。

没後20年を迎え、インディペンデント紙の特集記事は10の「謎」を挙げ、すべては否定されていると書いている。

運転手を務めたアンリ・ポールの血液は複数回検査されていて、中には不正確なものもあったものの、間違いなく検査で多量のアルコールが検出されている。また、ボディガードのシートベルトと、救急車の問題は完全ではないものの、ある程度納得のいく結論が出ている。

九死に一生を得たトレバー・リース＝ジョーンズ自身の証言はないが、写真から彼がリッツホテルを出たときには通常通りシートベルトをしていなかったことがわかっている。トレバー・リース＝ジョーンズは職務に忠実だったが、事故の直前、アンリ・ポールの運転に危険を感じて反射的にシートベルトをした可能性が高い。

救急車が救急病院に到着するのが遅かったのは、１９９７年当時のフランス救急医療の常識が関係している。当時は、ＥＲ（救急病院）に運び込むよりも、現場でできる限りの手当てをして、けが人の状態を安定させる方がよいと考えられていたのだ。

犯罪学病理医のリチャード・シェパードはベストセラーとなった著書『Unnatural Causes（不自然な死因）』で、ダイアナの死因となった肺の静脈の損傷は非常にまれな事例であり、シートベルトを着用していれば事故死は防げただろうと述べている。

つまり、結論は極めて単純で、**ハンドルを握ったアンリ・ポールの酒酔い運転と、後部座席の2人がシートベルトをしていなかった結果の死亡事故だった**のだ。

日本でも２００８年に後部座席を含む全座席でシートベルトの着用が義務化されているが、フランスでは１９９０年から後部座席での着用が定められている。だが、セレブを乗せる大型のリムジンは、移動中に後部座席でゆったりとお酒を楽しめる設備がついていたりして、安

ことが多い。全よりも移動中の楽しみを優先させる作りになっている

ドディ・ファイドもダイアナも、運転手付きの大型車にゆったり乗って移動するのに慣れきっており、安全のためにシートベルトをするという習慣が身についていなかったのだろう。

酒気帯び運転については徐々に基準が厳しくなってきているが、フランスでは現状でも呼気0・25㎎までは酒気帯びにならない。ワイン一杯ぐらいは大丈夫というのが一般的な認識だという。酒に酔うと一般に人間は気が大きくなって慎重さを失う。

事故当日の昼間、アンリ・ポールはダイアナ妃とドディ・ファイドの警備に当たっていた。2人をリッツ・カールトンに送り届ければ仕事は終わったはずだった。ところがその2時間後、彼は呼び戻される。

オーナー側から「これから2人はドディの自宅に行くが、表玄関にはパパラッチが待ち構えているので、いつもの車をおとりで走らせる。裏口に別の車を回してあるからおまえが運転するように」と告げられたとしたら、飲んでいるからと断れるだろうか。アンリ・ポールは「はい、大丈夫です」と答えてしまったのだろう。

アンリ・ポールにとっても、ちょっとそこまでと思われる短い道のりだったし、彼が酔っているとは誰も思わなかった（ハイテンションだったという証言はある）。そもそもアンリ・ポールには、プロの運転手として客を乗せて運転するための資格もなかった。しかしアンリ・ポールは命じられてハンドルを握ってしまった。

２００７年の死因審問の際、イギリスの陪審員たちが出した以上のような結論は、極めて順当なものだといえる。そして、ダイアナとドディ・ファイドのセレブとしての油断がシートベルトの着用を忘れさせ、死につながったわけである。

ついに発見できなかった白いフィアットも、証言者によって位置も時間もバラバラの閃光の正体も、事故を起こした原因として必須のものではなかったというのが、結論だ。

陰謀論は、衝撃的な事件が起きたときに、納得させてくれるような単純でわかりやすい原因を求める心が生み

出す。だから、「正体はよくわからないが、事故を起こした原因として必須のものではない」という結論を嫌う。

アクションやスリラー映画では謎の車や秘密兵器が登場して、観客にとってわかりやすいように謎を解いてくれる。だが、現実にはよくわからない現象も起きるし、原因がわからないままひどい事件が起きたりもするのだ。

王子たちが注目を集める中、ダイアナのイメージも変化していく

ダイアナの死後から20年以上が過ぎた。まだ陰謀論が消えないことが話題となっても、ダイアナの存在は時とともに忘れられていくかと思われた。

だが、考えてみるとダイアナが残したものは大きい。

おとぎ話の主人公のような人生を送るはずだった少女は、与えられた役割を果たすことをよしとせず、自らの人生を取り戻そうとした。夫である皇太子以外の男性と付き合ったり、義母である女王の不興を買ってもそれをものともせず、王室の習わしに反抗して自分の手で子育てすることを最優先にした。

それら一見無謀な試みを繰り返した。国民の人気も高いエリザベス女王に逆らうダイアナへの批判は強かったが、ダイアナは思いがけない強さで前に進み続けた。

ダイアナは死亡後に作られた、「人々に尽くした聖女」というイメージで、子供向け伝記の数少ない女性偉人メンバーとなるだけにとどまっていない。めでたしめでたしで終わらずに1人で冒険を続けるプリンセスたちの先駆者として、現代の女の子たちをも魅了し続けているのだ。

王族の生まれでもなく、王子さまのお嫁さんではなくなってもプリンセスであり続けたダイアナ。女の子たちの憧れだったプリンセスのイメージはダイアナによって劇的に変わったはずである。

遺児である2人の王子は、それぞれ少年時代に母を亡くしたことで長く苦しんだと語っている。だが自分たちに注がれた愛とダイアナの思いを受け取って、それぞれ、王族として新しい人生を歩もうとしている。

ウィリアム王子は貴族ではなく一般人であったキャサリン・エリザベス・ミドルトンを結婚相手に選び、ダイ

アナが願っていたような家庭作りに向かっているようである。一方、アメリカ人女優で黒人の母を持つメーガン・マークルを妃として迎えたハリー王子は、メーガンとともにイギリス王室を離脱するという選択をした。

　ハリー王子はアメリカのインタビュー番組で、２人を経済的に支えているのはダイアナの遺産で、ダイアナは決断を支持してくれるだろうと語っている。ハリー王子夫妻の発言や行動に対して、エリザベス女王が声明で「ハリー王子、メーガン妃、長男のアーチーは常に愛される家族の一員であり続ける」と述べた。それは明らかにダイアナ妃死亡時の対応が「冷たい」と批判されたときの体験を踏まえたものであろう。

　ダイアナはイギリス王室に対し、様々な意味で今も影響力を持った存在のようである。

　２人の王子が思い出させてくれるダイアナは無残にも命を絶たれた悲劇の女性ではなく、無邪気にひたむきに自分の人生を生きた優しい母であった。王子たちが人々の注目を集めていく中で、陰謀論が描くダイアナ像も徐々に変化していくことを期待したい。（ナカイサヤカ）

参考文献

『Diana: The Last Days』（Martyn Gregory, Virgin Books, 2004）
https://www.marketwatch.com/story/why-princess-diana-conspiracies-refuse-to-die-2017-08-31
https://apnews.com/article/c31aefcb757e40da9d37f1b5b59c8c18
https://www.independent.co.uk/news/uk/home-news/princess-diana-death-conspiracy-theories-b1746545.html
https://www.oprahmag.com/entertainment/tv-movies/a29874597/princess-diana-death/
https://www.usatoday.com/story/life/people/2017/08/29/who-killed-princess-diana-conspiracy-theories-still-endure/54393001/
https://news.yahoo.co.jp/articles/effb920bee0107e928b1917534f5f6719c983f23
『ダイアナ妃謀殺』上・下（トーマス・サンクトン、スコット・マクラウド、東江一紀訳、草思社、１９９８年）
http://www.bbc.co.uk/politics97/diana/special_rep1.html
http://news.bbc.co.uk/2/hi/uk_news/6217366.stm
http://webarchive.nationalarchives.gov.uk/20090607230718/http://www.scottbaker - inquests.gov.uk/index.htm
http://www.timesonline.co.uk/tol/news/uk/article3227042.ece
http://edition.cnn.com/2008/WORLD/europe/01/22/diana.inquest/index.html
https://apnews.com/article/718c7ee3124a81e8c1e18a43e1b884a7

フリーメイソンとイルミナティとユダヤが世界を支配している

アンチ・キリストの教えを世界に広めようとするフリーメイソンの邪悪な意志に気がついたローマ・カトリックは、1738年、教皇クレメンス12世が、フリーメイソンに対して初の解散命令を出した。だが、フリーメイソンは解散するどころか、ヨーロッパ全域、さらには新大陸アメリカへとその活動域を広げていった。

1776年にフリーメイソンは、ヨーロッパとアメリカで大西洋を股にかけ「同時多発テロ」的に世界を牛耳る決定的な行動に出た。フリーメイソンがヨーロッパで行ったのは、さらなる**邪悪組織「秘密結社イルミナティ」の結成**であった。

この陰謀組織は、インゴルシュタット大学の法学教授で、フリーメイソンでもあったアダム・ヴァイスハウプトが、ドイツのババリア地方で結成した。露骨な暴力革命を説く反社会的な結社で、そのあまりの極悪非道ぶり

陰謀論

フリーメイソンから生まれたイルミナティ

フリーメイソン（フリーメーソン、フリーメイスンとも書かれる）の歴史は、世界の陰謀の歴史そのものといっても過言ではない。

フリーメイソンは、教会などの建設を請け負っていたヨーロッパの石工（いしく）たちの組合を母体として誕生した陰謀結社である。聖ヨハネの記念日である1717年6月24日、当時ロンドンにあった4つのフリーメイソンのロッジが集合して、グランドロッジという初の統合組織を作った。まさにこの日が近代フリーメイソン幕開けの時であり、また世界の征服を目指す「悪の結社」の誕生の日ともなったのだ。

に、結成8年足らずで当局によって弾圧され、地下へと潜った。以後イルミナティは今日まで闇の中で生き延び、フリーメイソンを裏から牛耳る世界支配の組織となったわけである。

一方、新大陸へと渡ったフリーメイソンは、この同じ年（1776年）に、アメリカ合衆国の独立宣言の文書の採択を行った。**アメリカがフリーメイソンによって作られた国**であることは、その初代大統領ジョージ・ワシントンがフリーメイソンであったことからも明らかといえよう。

フリーメイソンの正装をしたジョージ・ワシントン

ジョージ・ワシントンは自らがフリーメイソンであることをまったく隠しておらず、1793年に、米国連邦議会議事堂の建設のための礎石を置く儀式を行った際には、フリーメイソンのエプロンを着けた正装で儀式に臨んだ。そのときの姿は絵画として今も残されている。

そもそも、アメリカがイギリスから独立するきっかけとなった「ボストン茶会事件」も、フリーメイソンが引き起こした陰謀事件であった。さらに、アメリカの独立宣言や国璽（こくじ）、1ドル札のデザインなどを手がけたのも、みなフリーメイソンなのである。

1ドル札には今でも、フリーメイソンの紋章として知られる「世界を見通す目」や、ピラミッドなどが描かれていることが、その動かぬ証拠といえよう。

さらにいえば、ニューヨークの入り口に立つあの「自由の女神」像も、米国の独立100周年を祝って、フランスのフリーメイソンが、米国のフリーメイソンのために海を越えて贈った贈り物なのである。以前は、女神像の足元に「フランスのフリーメイソンが米国のフリーメイソンに贈る」と記した銘板が置かれていたが、今は陰謀を隠すために取り外されている。

フリーメイソンがフランス革命を起こした

フリーメイソン国家・アメリカを設立することに成功したフリーメイソンは、次なる目標としてヨーロッパの完全支配を目指し、フランス革命を起こすことになる。フランス革命は1789年、市民がバスチーユ牢獄を襲撃して武器などを奪ったことがきっかけとなったが、この襲撃を計画したのもフリーメイソンであったことは、もちろんいうまでもない。

こういった一連のフリーメイソンの陰謀は、今までに何度も暴露されてきた。フリーメイソンとイルミナティの陰謀を暴いた最初の書籍は、1797年に2冊刊行されている。1冊が、オーギュスタン・バリュエルという神父が書いた『ジャコバン主義に関する報告書』で、もう1冊が、ジョン・ロビソンという大学教授が出版した『確かな権威筋によって集められたフリーメイソンリーと啓明結社と読書協会の秘密の会合で続けられている欧州すべての宗教と政府に対する敵対する証拠』という長い題名の本であった。

バリュエル神父とロビソン教授は、ともにフリーメイソンでもあった。彼らが出した2冊ともが大ベストセラーとなり、フランス革命がフリーメイソンとイルミナティによって引き起こされた陰謀であったということが、白日（はくじつ）のもとにさらされた。

ユダヤとメイソンの関係を暴いた『議定書』

一方、米国でフリーメイソンの陰謀が最初に暴露されたのは1826年のことだ。この年、ニューヨーク州に住んでいたウィリアム・モーガンという男性が、フリーメイソンの最大の秘密であった儀式の内容を暴露する本の出版をもくろみ、出版社と契約を結んだ。だが、この暴露本の出版を恐れたフリーメイソンによってモーガンは拉致され、殺害されてしまったのだ。

ウィリアム・モーガン

さらにフリーメ

イソンの陰謀と、ロッジの中で行われている邪悪な秘密の儀式を完膚なきまでに暴いたのが、フランス人のレオ・タクシルであった。

タクシルは、1885年ごろからフリーメイソンの内幕を暴く記事を次々と発表していった。その中で、それまでまったく知られていなかったフリーメイソンの「修正パラディオン儀礼」の存在を明らかにした。

この儀礼は、フリーメイソンの奥の院にある男女合同の儀礼で、魔王ルシファーを崇拝しながら、猥褻極まりない酒池肉林の大騒ぎをするという、フリーメイソンにとっては絶対に秘密にしておきたい儀礼であった。

レオ・タクシル（1880年頃）

ユダヤとフリーメイソンの関係も、1897年に開かれた第1回シオニスト会議の内容を暴いた「ユダヤ議定書」で明らかにされた。この文書は『シオン賢者の議定書』とも呼ばれ、フリーメイソンはユダヤ賢人会議によって操られている傀儡組織であることが、明確に宣言されていた。

フリーメイソンが作った国アメリカは、初代ジョージ・ワシントンをはじめとして歴代の大統領14人がフリーメイソンであり、すでに完全にフリーメイソンに乗っ取られてしまっている。だが、日本も危ない。

戦後日本の歴代首相である幣原喜重郎、吉田茂、東久邇稔彦、鳩山一郎はみな、フリーメイソンだったのである。日本もいっときでも早く、フリーメイソンの陰謀に目覚める必要がある。

真相

異端の結社をカトリックは敵視した

フリーメイソンの会員がアメリカの独立戦争やフランス革命に参加していた、というのは間違いない。だがそれは、独立戦争やフランス革命がフリーメイソンの陰謀によって引き起こされたものである、ということを何も意味しない。

アメリカの独立戦争では、英国派と米国派のどちらにもフリーメイソンはいた。また同じようにフランス革命でも、旧勢力派にも市民派にもフリーメイソンはいたのである。

フリーメイソンの思想は当時、時代を先取りする進取の精神に満ちたものとされていたので、どちらの派閥にもフリーメイソンがいた、というだけのことなのである。それが後に、革命派を裏で操った闇の組織の総大将のようにされてしまったのは、そうすることが、旧体制派・革命派ともに都合がよかったためである。

最初にフリーメイソンの弾圧に走ったのがカトリック勢力であったというのは、当時、世界規模の組織といえば、カトリックとフリーメイソンくらいしかなかったためである。

1717年に英国でグランドロッジを開設したフリーメイソンは、8年後の1725年にはフランスへと上陸して、ロッジを開設した。さらに5年後の1730年には、大西洋を渡って米国のフィラデルフィアでもロッジを開いている。つまり、英国で近代フリーメイソンが発足してたった13年足らずで、ヨーロッパや新大陸アメリカなど世界各地にネットワークを作り、大きく世界的に活動を始めていたわけである。

英国系フリーメイソンでは、宇宙の創造神を信じていることが入会のための必須条件とされているが、その神は必ずしもキリスト教の神である必要はなかった。だが、カトリックサイドからすれば、キリスト以外の神を信じる者など、まさに異端そのものであった。

そんな異端の結社が、カトリックと肩を並べるような世界勢力へとまたたく間にのし上がっていたのである。カトリック側が、自分たちの立場をあやうくしかねない新興勢力として、フリーメイソンを敵視したのも無理なかったのかもしれない。

結社の会員が暴動に走ったのが茶会事件

アメリカが独立戦争に踏みきるきっかけを作った「ボストン茶会事件」とは、米国先住民のコスプレをした30人から50人ほどの男たちが、港に停泊していた東インド会社の船に乗り込んで、船の中から約340箱の茶箱を担ぎ出し、次々と海の中に投げ捨てた、という乱チキ騒動のことを指す。

アメリカ・インディアンのコスプレをした男らがその姿を現した場所とされるのが、当時ボストンにあった緑龍亭(ザ・グリーン・ドラゴン・タバーン)という居酒屋であった。そしてこの居酒屋は、確かにフリーメイソンの「聖アンドレ」というロッジの持ち物であり、このロッジでフリーメイソンたちが、茶会事件の当日に集会を開こうとしていた、という記録が残されている。

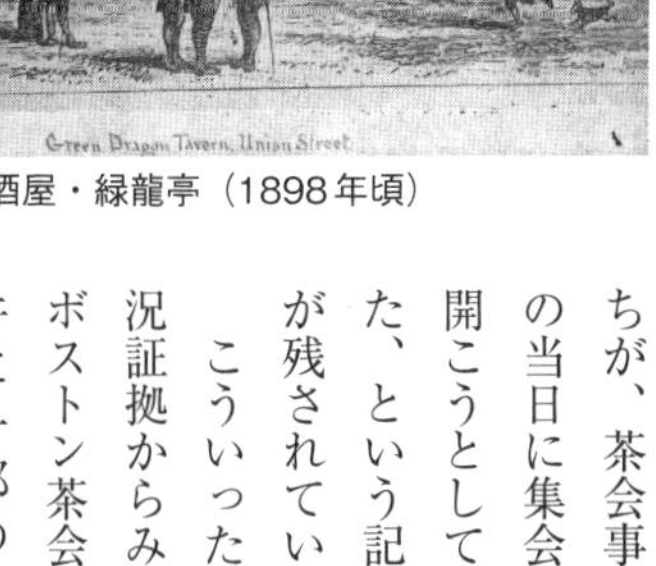

居酒屋・緑龍亭（1898年頃）

こういった状況証拠からみて、ボストン茶会事件に一部のフリーメイソンが加わっていたということは間違いないだろう。だが、茶会事件そのものがフリーメイソンの主導によって起こされたのかというと、それがそうでもなかったのだ。

というのは、この緑龍亭という居酒屋は、フリーメイソンの他にも「ボストン連絡委員会」や「自由の息子たち」といった、当時革命を志向していたボストンの多くの結社が巣くう梁山泊(りょうざんぱく)となっていたからだ。

歴史家の間で、ボストン茶会事件の首謀者とみなされているのは、サミュエル・アダムズという人物である。彼は後に、アメリカ独立宣言にも署名することになる有名な人物で、アメリカ建国の父の1人にも数えられている。だが彼は、フリーメイソンには加入していなかった。アダムズは、緑龍亭が入っていた同じ建物の中で集会を開いていた「自由の息子たち」という結社の主要メンバーだったのだ。

当時のボストンは、英国との間に持ち上がっていた関税問題のねじれから、ボストン港への紅茶の荷揚げを絶対に認めない、という不穏な空気に包まれていた。そんな緊張感の中で、革命志向で血の気の多いいろいろな結社の連中が、一斉に立ち上がって暴動に走った、というのが「茶会事件」の真相のようだ。

革命後の喪失感がメイソン陰謀論を生んだ

「フランス革命を起こしたのはフリーメイソンだ」というのもよく聞く話だ。この話は、半分当たりともいえるが、半分は外れだ。確かに、**フランス革命を起こした側にもフリーメイソンはいたが、起こされた側にもフリーメイソンはたくさんいた**のだ。当時のフランスの上流階級の中にもフリーメイソンはかなり浸透していたので、もちろん、反革命派の側にもフリーメイソンはいたのである。

当時のフランスのフリーメイソンは、おのおのの立場や各自の思想信条によって、フランス革命に参加していた。そこで、フリーメイソン全員が従わなくてはならない独自の立場などといったものはありようがなかった。

フランス革命を挟んで、フリーメイソンのロッジがどれほど衰退してしまったのか、そのありようを見てみれば、フランス革命によって、フリーメイソンがどれほどの「被害」を被ったか、はっきりわかるだろう。

フランスのフリーメイソンは、英国からやってきた旧フリーメイソン派と、フランスで発展した大東社系と呼ばれる2派に分かれていた。革命の前には、フランス全土に英国系フリーメイソン派のロッジが約130ヶ所、大東社系ロッジが約600ヶ所もあった。

しかし、いざフランス革命が始まると、英国系フリーメイソンのロッジは、そのすべてが閉鎖を余儀なくされてしまう。大東社系の方も革命中のパリでロッジを開設し続けられたのは、3ロッジのみという状況に陥った。

そして革命がほぼ終わった1796年の時点では、パリで開いていたロッジは、大東社系の2ロッジのみだった。英国系の方は、ロッジのマスター全員が、フランス革命期の急進的な政治結社ジャコバン派が牛耳る恐怖政治の時代に、ギロチンで処刑されてしまって全滅という最悪の事態へと陥っていた。

もし本当にフランス革命を仕組んだのがフリーメイソンであったのなら、革命中も連絡のためにロッジをちゃんと開いていたはずだろうし、また革命後には、大繁栄の時代を迎えていても不思議ではなかったはずだ。それが繁栄どころか、自分のロッジの親方が全員首をはねられてしまうようでは、フランス革命はフリーメイソンにとって、何のための革命だったかよくわからなかった。

だから、フランス革命にフリーメイソンらが参加していたというところまでは確かだが、フリーメイソンが仕組んだ陰謀だったとは、とうてい信じられないわけである。

そして、この「何のための革命だったかわからない」という、革命後にフランス全土に広がった喪失感が、さらなるフリーメイソンの悲劇を呼んだ。その感情をもとに、「フランス革命＝フリーメイソン陰謀論」が生み出されたのだ。

革命で没落させられた貴族や聖職者といった旧勢力派側が、誰の陰謀で革命が起こされ、自分らが持っていた既得権が踏みにじられることになったのか、その「犯人捜し」に乗り出してもおかしくなかった。また一方で革命派にしても、約束されていたはずの自由の天地の日々が始まるはずだったのに、なぜか恐怖政治の時代へと突入してしまい、その理由を探す必要に迫られていた。

そこで考え出された、とてもイージーな結論が「全部、フリーメイソンやイルミナティが悪かったことにしよう」という「フリーメイソン＝イルミナティ陰謀論」の見立てであった。とにかくそういうことにしてしまえば、革命派・反革命派の両派ともに、**悪いのはみんなフリーメイソンで、自分たちは正しい被害者**なのだという、とても楽な気分の境地に立てたわけである。

イルミナティの場合は「死人に口なし」

イルミナティの方は結成8年後には、当時のバイエルン王国から大弾圧をくらってしまって、組織を作ったアダム・ヴァイスハウプトが、近隣のザクセン＝ゴータ公国に亡命するという事態になっていた。つまり、**組織そのものが、10年も持たなかった**わけである。そうなると「死人に口なし」ではないが、もはや悪口の言い放題となったわけである。

米国で起きた「ウィリアム・モーガン事件」にフリーメイソンが絡んでいたことも、ウィリアム・モーガンが

アダム・ヴァイスハウプト

拉致され、以後姿を消したままになってしまったということも間違いない。真相は今も藪の中だが、この事件によって全米に反フリーメイソン運動が巻き起こり、以後十数年にわたって、フリーメイソンの組織は壊滅的な打撃を受けた。

またレオ・タクシルが暴いた「修正パラディオン派」の卑猥な儀礼は、それまで誰にも知られていなかったというのも無理もなかった。**すべてが、タクシルの創作**だったたからだ。

デタラメなフリーメイソンの陰謀を書き殴ってきたレオ・タクシルは、１８９７年4月19日、パリにある地理学会ホールに記者などを集め、自分が12年間にわたって書いてきたフリーメイソンの話はすべてデタラメだったと公表したのだった。

『議定書』が偽書であることは証明済み

ヒトラーもユダヤ人迫害のために利用したユダヤ陰謀論の原点の『シオン賢者の議定書』も、まったくの偽書であることがすでに証明されており、〝史上最低の偽造文書〟とも呼ばれている。『シオン賢者の議定書』は、モーリス・ジョリーという人物が書いた『マキャベリとモンテスキューの地獄での対話』という書をもとにして、換骨奪胎した上でロシアの秘密警察が作り上げた偽書だったのだ。

フリーメイソンを裏で牛耳っているのはユダヤである、という陰謀論もよく語られることだ。だが、ユダヤ人でフリーメイソンへの加入を最初に認められたのはエドワード・ローズという人物で、１７３２年のことだとされている。つまり、ロンドンでグランドロッジが結成されてから15年も後になってからのことなのだ。

だが、それから60年以上あとの１７９３年になっても、ユダヤ人の会員への推薦を認めないという決議をした英国のロッジがあった。それは、たとえ推薦されても、メンバーに容認される可能性がないから、というのが理由だった。

つまりユダヤ人は、フリーメイソン内でもかなりの差別を受けていた側だったのだ。組織に加入させてもらうことすらできないような人々が、フリーメイソンを牛耳られたわけはないだろう。

また日本の歴代首相の中では、幣原喜重郎、吉田茂、東久邇稔彦、鳩山一郎の4人が、実はフリーメイソンであった、とよく紹介されている。だがこのうち、実際に**フリーメイソンであったのは、東久邇稔彦と鳩山一郎の2人だけ**である。

幣原喜重郎（『幣原喜重郎』幣原平和財団編、幣原平和財団、1955年より）

幣原喜重郎は生前、確かに「フリーメイソンの会員になりたい」という希望を語ってはいたものの、そのチャンスに恵まれないまま他界した。吉田茂については、なぜかフリーメイソン呼ばわりされることが多いのだが、フリーメイソンであったという資料がフリーメイソン側にまったく残っていない。

例えば世界中の著名なフリーメイソンを紹介している『1万人の有名なメイソン（10,000 Famous Freemasons）』という本にも、吉田茂の名はない。吉田茂はフリーメイソンではなかったとみるべきだろう。（皆神龍太郎）

参考文献
『シオン賢者の議定書』（ノーマン・コーン、KKダイナミックセラーズ）
『フリーメイソン完全ガイド』上・下（S・ブレント・モリス、楽工社）
『5次元文庫・世界を支配する秘密結社イルミナティの知られざる真実！』（有澤玲、徳間書店）
『日本のフリーメーソン』（村山有、東京ニュース通信社）
『入門フリーメイスン全史・偏見と真実』（片桐三郎、アムアソシエイツ）
『ローマ教皇とフリーメーソン』（ダッドレイ・ライト、三交社）
『ユダヤ人とフリーメーソン』（ヤコブ・カッツ、三交社）

ホームページ
「原田実の幻想研究室」http://douji.sakura.ne.jp/

★藤倉 善郎（ふじくら よしろう）

1974年、東京都生まれ。北海道大学文学部中退。在学中から「北海道大学新聞会」で自己啓発セミナーを取材し、中退後、東京でジャーナリストとしてカルト問題のほか、チベット問題やチェルノブイリと福島第一の両原発事故現場を取材。これと並行して、2009年からニュースサイト「やや日刊カルト新聞」を開設し、総裁として活動。特に幸福の科学をめぐるトラブルや、大学生を勧誘する各カルト集団に注目して記事を執筆している。著書に『「カルト宗教」取材したらこうだった』（宝島SUGOI文庫）、『徹底検証 日本の右傾化』（筑摩選書、共著）など。

●藤野 七穂（ふじの なほ）

偽史ウォッチャー。J・チャーチワード愛好家。1962年生まれ。『上津文』『竹内文献』『宮下文献』をはじめとする「偽史」の流布・受容論をフィールドとする。その他、神代文字・言霊学・太霊道・ムー大陸・偽書といった未開拓テーマにも取り組んでいる。現在、いまは亡き『歴史読本』連載稿『偽史源流行』の単行本化のため、史・資料と格闘、筆入れ中。共著に『昭和・平成オカルト研究読本』（サイゾー）など。

●本城 達也（ほんじょう たつや）

1979年生まれ。2005年からウェブサイト「超常現象の謎解き」を運営。2007年からはASIOSの発起人として代表を務める。2013年から一般社団法人超常現象情報研究センター会員。ライフワークは超常現象とされるものの真相を調べること。

★水野 俊平（みずの しゅんぺい）

1968年北海道生まれ。天理大学朝鮮学科卒業、全南大学校大学院博士課程修了。同大学講師などを経て北海商科大学教授。専攻は韓国語学。著書に『韓vs日「偽史ワールド」』（小学館）、『韓国けったい本の世界』（共著、文芸春秋）、『韓国の若者を知りたい』『台湾の若者を知りたい』（岩波書店）、『韓国の歴史』『朝鮮王朝を生きた人々——その隠されたエピソード』（河出書房新社）、『庶民たちの朝鮮王朝』（KADOKAWA）、『朝鮮王朝101の謎』（PHP研究所）など。

●皆神 龍太郎（みなかみ りゅうたろう）

疑似科学ウォッチャー。と学会運営委員。新聞社で科学・医療系の記者や編集者を長年勤めた後、現在は国立大学医学部などで、超常現象に特化した連続講義や基礎科学論などの講座を担当。超常現象に対しては深い愛情と関心を持っているが、証拠となる客観的なデータにめぐりあえず実在を認めていない。超常現象に関する著書、共著は『あなたの知らない都市伝説の真実』（学研）や『超能力事件クロニクル』（彩図社）など100冊を超える。

●山本 弘（やまもと ひろし）

SF作家。著書は『神は沈黙せず』『アイの物語』（角川書店）、『まだ見ぬ冬の悲しみも』（早川書房）、『時の果てのフェブラリー』（徳間デュアル文庫）、『超能力番組を10倍楽しむ本』（楽工社）、『MM9―invasion―』（東京創元社）ほか多数。『去年はいい年になるだろう』（PHP研究所）で第42回星雲賞・日本長編部門を受賞。最新作は『創作講座 料理を作るように小説を書こう』（東京創元社）。

著者プロフィール（五十音順。●はASIOSの会員、★はゲスト寄稿者）

★奥菜 秀次（おきな ひでじ）

1963年生まれ。米国現代史研究家。昨今は陰謀論研究に手を広げている。単行本デビュー作は『落合信彦・最後の真実』（鹿砦社、1999年）。著書に『陰謀論の罠――「9・11テロ自作自演」説はこうして捏造された』（光文社ペーパーバックス、2007年）、『捏造の世界史――人はなぜ騙されるのか』（祥伝社黄金文庫、2008年）、『アメリカ陰謀論の真相』（文芸社、2011年）など。共著『衝撃の「実録映画」大全』（洋泉社、2016年）。

構想45年、執筆11年の大作『ケネディ暗殺最後の真相:アメリカ政府と暗殺研究家、58年の隠蔽と捏造』を今年脱稿予定。

●寺薗 淳也（てらさわ じゅんや）

1967年東京都生まれ。名古屋大学卒、東京大学大学院博士課程中退。宇宙航空開発機構、（財）日本宇宙フォーラム、会津大学を経て、現在情報通信研究機構有期研究技術員。惑星科学、情報科学が専門。また、月・惑星探査の情報サイト「月探査情報ステーション」（https://moonstation.jp）の編集長。著書に『惑星探査入門』（朝日新聞出版）、『宇宙探査ってどこまで進んでいる？』（誠文堂新光社）など。

●ナカイ サヤカ

1959年生まれ。慶應大学大学院修了過程を考古学専攻で修了。文学修士。２人の娘を育てながら日英・英日翻訳を始める。ASIOS運営委員。2011年の東日本大震災および原発事故後、毎年講演会「ふくしまの話を聞こう」を主宰。この経験から現在は毎月サイエンスカフェスタイルのリテラシー勉強会「えるかふぇ」を開催中。訳書に「探し絵ツアーシリーズ」（文溪堂、2008年）、『超常現象を科学にした男――J.B.ラインの挑戦』（ステイシー・ホーン、紀伊國屋書店、2011年）、『エリザベスと奇跡の犬ライリー』（サウザンブックス社、2017年）、『世界恐怖図鑑』（文溪堂、2015年）、『代替医療の光と闇――魔法を信じるかい？』（ポール・オフィット、地人書館、2015年）、『反ワクチン運動の真実　死に至る選択』（ポール・オフィット、地人書館、2018年）など。

●羽仁 礼（はに れい）

ASIOS創設会員、超常現象情報研究センター主任研究員。著書に『超常現象大事典』（成甲書房）、『図解西洋占星術』（新紀元社）他。

●原田 実（はらだ みのる）

歴史研究家。1961年、広島県生まれ。龍谷大学文学部卒。八幡書店勤務、昭和薬科大学助手を経て帰郷、執筆活動に入る。元市民の古代研究会代表。と学会会員。ASIOS会員。古代史関連の偽史、偽書を中心とした著述家として活躍。著書に、江戸しぐさが架空であることを明かした『江戸しぐさの正体』『江戸しぐさの終焉』（星海社新書）の他、『トンデモ日本史の真相 史跡お宝編』『トンデモ日本史の真相 人物伝承編』『天皇即位と超古代史』『疫病・災害と超古代史』（文芸社文庫）、『日本トンデモ人物伝』『トンデモニセ天皇の世界』（文芸社）、『日本の神々をサブカル世界に大追跡』『「古事記」異端の神々』『「古史古伝」異端の神々』（ビイング・ネット・プレス）、『トンデモ偽史の世界』（楽工社）、『もののけの正体』（新潮社）、『つくられる古代史』（新人物往来社）、『オカルト化する日本の教育』（筑摩書房）、『偽書が描いた日本の超古代史』『捏造の日本史』（河出書房新社）など。

著者プロフィール

ASIOS（アシオス）

2007年に日本で設立された超常現象などを懐疑的に調査していく団体。名称は「Association for Skeptical Investigation of Supernatural（超常現象の懐疑的調査のための会）」の略。海外の団体とも交流を持ち、英語圏への情報発信も行う。メンバーは超常現象の話題が好きで、事実や真相に強い興味があり、手間をかけた懐疑的な調査を行える少数の人材によって構成されている。公式サイトのアドレスはhttps://asios.org/

本書は『検証　陰謀論はどこまで真実か』（ASIOS、奥菜秀次、水野俊平・著、文芸社、2011年）を増補改訂したものです。

増補版　陰謀論はどこまで真実か

2021年7月15日　初版第1刷発行

著　者　ASIOS
発行者　瓜谷 綱延
発行所　株式会社文芸社
〒160-0022　東京都新宿区新宿1－10－1
電話　03-5369-3060（代表）
03-5369-2299（販売）

印刷所　図書印刷株式会社

ISBN978-4-286-22842-6